LES MESSAGERS DE GAÏA

TOME 7 : LE CHEVALIER DE CRISTAL

Catalogage avant publication de Bibliothèque et Archives
nationales du Québec et Bibliothèque et Archives Canada

D'Anterny, Fredrick

    Les messagers de Gaïa

    Sommaire: t. 7. Le chevalier de cristal.

    ISBN 978-2-89435-502-2 (v. 7)

    I. Titre. II. Titre: Le chevalier de cristal.

PS8557.A576M47 2008   C843'.54   C2008-941262-1
PS9557.A576M47 2008

Révision linguistique: Guy Permingeat
Infographie: Marie-Ève Boisvert, Éd. Michel Quintin
Illustration de la couverture: Boris Stoilov
Illustration des cartes: William Hamiau

Le Conseil des Arts du Canada
The Canada Council for the Arts

SODEC
Québec

Patrimoine   Canadian
canadien   Heritage

La publication de cet ouvrage a été réalisée grâce au soutien
financier du Conseil des Arts du Canada et de la SODEC.

De plus, les Éditions Michel Quintin reconnaissent l'aide
financière du gouvernement du Canada par l'entremise du
Fonds du livre du Canada pour leurs activités d'édition.

Gouvernement du Québec – Programme de crédit d'impôt
pour l'édition de livres – Gestion SODEC

ISBN 978-2-89435-502-2

Dépôt légal – Bibliothèque et Archives nationales du Québec, 2011
Dépôt légal – Bibliothèque et Archives Canada, 2011

© Copyright 2011

Éditions Michel Quintin
C.P. 340, Waterloo (Québec)
Canada J0E 2N0
Tél.: 450 539-3774
Téléc.: 450 539-4905
editionsmichelquintin.ca

11-GA-1
Imprimé au Canada

Note de l'éditeur: Un index de tous les personnages ainsi
qu'un tableau indiquant le cheminement de leurs âmes au
fil des siècles se trouvent à la fin de ce volume.

Cryptorum

« L'époque de la division approche. L'occasion a été donnée aux hommes d'apprendre et de mûrir par le biais de plusieurs croyances et philosophies qui, toutes, mènent à la même lumière. Mais l'homme n'a qu'un rêve véritable en son cœur : dominer ses semblables. On doit maintenant revenir à l'essentiel. Une voie droite et pure que chacun gravira à sa manière et à son rythme. »

Propos du Mage errant à ses fidèles messagers.

Sphère de Gaïa

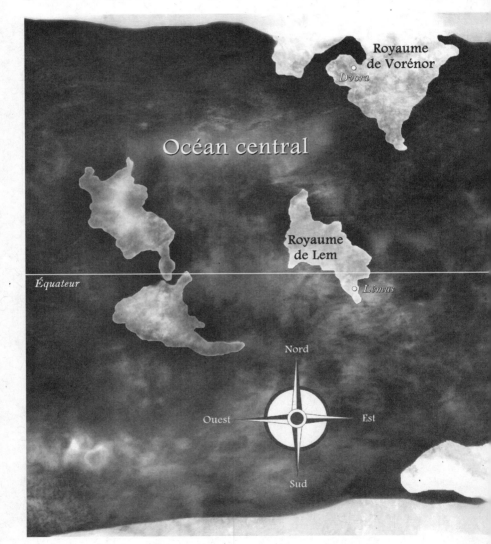

Royaume
de Vorénor

Dvora

Océan central

Royaume
de Lem

Équateur

Lénus

Nord

Ouest   Est

Sud

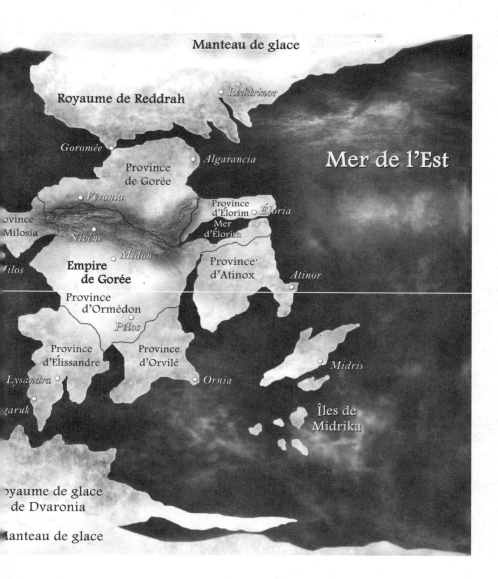

Manteau de glace

Royaume de Reddrah

Reddrinor

Mer de l'Est

Goromée

Province
de Gorée

Algarancia

Véronia

Province
Milosia

Province
d'Élorîm

Éloria

Nivène

Mer
d'Élorîm

Midon

Province
d'Atinox

Atinor

Empire
de Gorée

Province
d'Ormédon

Pélos

Province
d'Élissandre

Province
d'Orvilé

Midris

Lysandra

Ornia

Îles de
Midrika

garuk

Royaume de glace
de Dvaronia

Manteau de glace

Résumé des tomes précédents

Torance et Shanandra, prince et princesse nés dans des pays différents, sont venus au monde pour transmettre aux peuples les *Préceptes de vie* issus de la sagesse de Gaïa, la déesse mère. Après avoir subi sept initiations destinées à réveiller leurs pouvoirs et affronté bien des embûches, ils parviennent à *Goromée*. Sachant que les deux messagers sont porteurs du précieux *Secret d'Éternité*, le roi Sarcolem les fait mettre à mort. Mais si l'on peut vaincre les corps, les âmes demeurent, plus fortes et plus déterminées que jamais.

Enseignés par les disciples des deux messagers, les Préceptes de vie se répandent dans tous les royaumes et constituent bientôt une puissance qui rivalise avec le nouvel *Empire de Gorée* érigé par Sarcolem le Grand.

Au fil des siècles naît le *Torancisme*, une religion basée sur la vie et l'œuvre du Prince Torance.

Cinq cents ans s'écoulent.

Solena, une initiée aux pouvoirs mystérieux, et Abralh, un esclave mulâtre en fuite, se rencontrent et se reconnaissent. Devenu tout puissant, le clergé du Torancisme de Goromée lance une grande offensive armée sur les *Terres de Vorénor* où se sont réincarnés les anciens compagnons de Torance et Shanandra.

Éliandros, le temple-école, est détruit. Mais Solena, la dernière *cristalomancienne*, entame avec Abralh un long périple destiné à guérir les rois malades et à leur faire signer un Testament; document par lequel les monarques acceptent de remettre, le moment venu, tous leurs pouvoirs aux Êtres purs envoyés par *Évernia*.

De retour à *Wellöart* avec le *Testament des rois* en main, Solena apprend qu'Abralh, son compagnon, doit être sacrifié pour que renaisse Torance.

Après la cérémonie dite de *Dvaronia* qui permet à une âme de pénétrer dans un corps étranger, le Prince messager Torance se réveille. Pendant que Mérinock part présenter Vorénius et Cristanien aux monarques des Terres de Vorénor et de Reddrah, Solena reste seule et désemparée…

Prologue

Montagnes d'Évernia, an 549 après Torance

Depuis son départ du village perdu de Wellöart en compagnie de Thorgën, du Prince messager Torance et d'un jeune *éphron d'or* appelé Phramir, Solena se réfugiait souvent dans de longues séances de méditation. Assise selon son habitude en tailleur sur un rocher ou au sommet d'une colline, elle demeurait immobile, les yeux de son corps physique clos, mais son esprit grand ouvert.

Ses compagnons préparaient leur prochaine étape. De temps à autre, Thorgën, le guerrier blond qui avait jadis été son ennemi, la considérait avec pitié. Le jeune Torance passait près d'elle sans oser troubler la retraite de la jeune femme. L'éphron d'or sur le dos duquel ils voyageaient réclamait sa pitance. Alors, le prince allait lui porter les dépouilles des petits mammifères que Thorgën et lui avaient chassés durant la nuit.

Solena sentait que le prince et le guerrier allaient et venaient autour d'elle. Elle devinait leurs préoccupations et leurs peurs cachées. Mais pour l'heure, elle avait bien assez des siennes !

Une fois encore elle tentait, par le biais d'une transe, de trouver une issue à sa détresse. Hélas, lui venaient les mêmes images, les mêmes séquences distillées sans doute dans son esprit par Mérinock, son père, à qui finalement tout le monde finissait toujours par obéir.

C'est lui qui avait décidé de cette nouvelle mission. C'est lui, encore, qui intervenait furtivement dans sa méditation pour expliquer, sermonner, convaincre.

— Tu ne pouvais rester à Wellöart à pleurer sur ton sort, ma fille ! Abralh n'est pas vraiment mort, tu le sais. Regarde le prince Torance. Vois ses yeux. Lis dans son âme ! Tu n'es pas une mère ordinaire. Tes enfants ne sont pas uniquement des enfants. Fais le vide en toi. Laisse la lumière de ton *Âme supérieure* t'apporter la connaissance des motivations secrètes qui m'ont poussé à agir comme je l'ai fait.

Mais la dernière cristalomancienne n'en avait nulle envie. Alors, Mérinock insistait :

— Je suis allé présenter Vorénius au haut souverain Vermaliss Tahard de Vorénor et à toute sa cour. Ton fils aîné ne sera pas seul. Frëja ainsi que ta louve, Douceuse, seront à ses côtés. J'ai ensuite confié Cristanien à la jeune reine Ulricia et à sa sœur Greblin. Tes fils grandiront. Protégés par Évernia, ils deviendront eux-mêmes des souverains. Le temps n'existe pas pour nous. Tu les retrouveras bientôt.

— Vous avez détruit ma vie, se rebiffa Solena. Je croyais m'être acquittée de ma tâche. Abralh et moi avons souffert mille morts pour vous ramener le Testament des rois ! N'avions-nous pas droit à une vie normale ? À un peu de bonheur !

— Fille, tu es injuste. Tu ne veux voir les événements que par les yeux de ton masque de chair. Oublie un peu ton ego, tes passions, tes regrets et tes douleurs. Sers-toi de la méditation pour déployer les ailes de ton corps de lumière. Vole au-delà !

Ce que Solena comprenait à cette pitoyable tentative de justification de la part de son père, c'est que le grand et mystérieux Mérinock avait encore besoin d'elle. Il avait besoin du prince Torance qu'il avait réveillé de son sommeil multicentenaire. Besoin, également, de tous ses autres messagers.

Mérinock lut sa pensée.

— Tu sais comme moi que Keïra s'est échappée de sa prison. Qu'elle a assommé un *Shrifu* et que, surtout, elle a volé la formule qui permet de capter une âme et de la faire entrer dans un nouveau corps. Elle détient là un immense pouvoir. En plus, elle s'est enfuie de Wellöart en emmenant Torance. N'en veux pas au jeune prince. Il était hébété et tout étonné de se réveiller. Sa personnalité et sa mémoire resteront encore, pour quelque temps, celles qu'il possédait autrefois.

— Vous nous utilisez, encore et toujours ! persifla mentalement Solena.

— Vous avez librement choisi de servir le *Grand Œuvre*.

— Pendant des siècles et des siècles ?

— Le temps est une illusion.

Solena haussa les épaules. Elle connaissait cette rhétorique, ces arguments. Sourde aux paroles fielleuses de son père, elle s'enferma dans sa transe comme dans une cellule.

Hélas, le même enchaînement d'événements revenait la hanter.

Peu après la mort d'Abralh, l'enlèvement de ses deux enfants et le réveil du prince Torance, Keïra s'était effectivement échappée en compagnie de Torance en emportant la formule de Mérinock.

Ils s'étaient enfuis du village sur le dos d'un vieil éphron d'or. Mérinock avait étudié les inscriptions gravées dans la pierre de la porte temporelle dressée à la sortie du village. Heureusement, les fugitifs n'avaient fait qu'un bond dans l'espace, sans voyager *aussi* dans le temps.

Keïra et Torance s'étaient retrouvés dans une localité perdue des Terres de Vorénor. Là, ils avaient échappé à des villageois en colère et effrayés par la créature ailée. L'éphron avait été abattu et sa dépouille brûlée.

Mérinock avait continué de pourchasser Keïra et Torance.

La voix du Mage errant résonna encore dans l'esprit de Solena.

— Quelque chose te trouble et t'inquiète ?

— Vous avez retrouvé Torance, mais pas Keïra.

— Ils étaient tous deux tombés dans une chute d'eau. Le prince était évanoui sur une berge, quelques verstes en aval. Keïra avait disparu.

— Mais elle n'est pas morte !

Mérinock fut très embêté. Une jeune femme aussi obstinée, violente et déterminée qu'elle ne pouvait simplement avoir péri. Le Mage errant pensait au contraire qu'elle avait volontairement brouillé les pistes. En vérité, elle était partie en emportant avec elle la formule du transfert des âmes !

— Laissez-moi, père. Je vous en prie.

— Tu n'oublieras pas le but de cette nouvelle et si importante mission, fille…

Solena serra les dents.

— Partez !

Presque aussitôt, un calme immense et apaisant vint sur elle. Mais, elle le savait, cette tranquillité n'était qu'illusoire.

La fameuse séquence qu'elle tentait depuis une semaine d'éclaircir revint brusquement flotter devant ses yeux clos.

Je vois Torance et Keïra. Après être tombés dans la chute d'eau, ils ont nagé, jusqu'à l'épuisement. Ils sont maintenant cachés dans les hautes herbes. Il fait nuit. Dans les montagnes, les villageois les recherchent. Ils ont brûlé l'éphron, mais ils veulent aussi s'emparer d'eux. Et, là...

Keïra était allongée tout contre Torance. La jeune femme brune frissonnait tandis que Torance semblait... dormir? Évanoui? Inconscient, en tout cas.

Solena vit dans sa transe Keïra déchirer sa chemise de lin, puis déshabiller le prince. Elle la vit se jucher sur lui et appuyer son bas ventre sur le sien. Elle commença ensuite à se frotter contre lui et à gémir.

Quelques instants plus tard, Keïra émit des petits cris étouffés de douleur, mais surtout de plaisir.

Enfin, comme si elle se savait observée par une présence invisible, elle tourna le visage vers Solena, la fixa au fond des yeux et dit:

— Je viens de voler un enfant à ton cher Torance. Une arme secrète dont je me servirai, plus tard, pour vous abattre tous.

Puis Keïra éclata de rire.

Solena s'extirpa de sa transe. Elle cligna des paupières et fit un effort pour se rappeler où elle se trouvait, en quelle année et avec qui.

Le jour se levait, rose, mauve et or, sur les montagnes d'Évernia. Le prince Torance la dévisageait. C'était un jeune homme splendide. Il sourit timidement sous le couvert de ses mèches noires et bleues. Solena se sentait le cœur partagé, déchiré. D'un côté, elle savait qu'Abralh et Torance étaient l'incarnation d'un seul et même fragment d'âme. De l'autre, les souvenirs de son compagnon à moitié *baïban,* ses yeux, sa voix, son corps, son odeur l'assaillaient, et elle se disait que ce prince ne pouvait être lui.

— Tu ne m'aimes pas, n'est-ce pas? déclara soudain Torance.

— Tu te trompes.

Il montra l'éphron d'or qui s'ébattait non loin du camp qu'ils avaient dressé.

— Il m'a adopté, je pense. Il est fier et sauvage. Je crois que Phramir est un beau nom pour un éphron.

Solena garda le silence. Au bout d'une longue minute, elle expliqua que l'âme du prince était liée à celle de cet oiseau de proie.

— Vous étiez amis, jadis. Et Phramir est en effet un joli prénom pour un éphron. Me suivras-tu dans cette mission que nous a confiée le Mage errant?

Torance renifla.

— Tu as perdu ton compagnon, m'a-t-on dit!

— Oui.

— Vous aviez des enfants?

Elle hocha la tête. Il ramassa son manteau de peau, le secoua.

— Alors? s'enquit-elle.

— Tu chercheras la formule que l'on vous a volée, et moi Shanandra, la fille que j'aimais… autrefois.

— Tu ne l'as pas oubliée.

Solena sourit brièvement, car cette jeune fille «d'autrefois», c'était elle! Sous une apparence différente, le fruit d'une ancienne incarnation.

Torance se méprit sur ce sourire.

— Parfaitement! Nous avons accompli de grandes choses ensemble.

Pourquoi faut-il qu'il se souvienne davantage de sa vie vécue il y a cinq siècles que de notre existence en Terres de Vorénor et de Reddrah? se demanda Solena, attristée.

Thorgën vint les trouver.

— Il est temps de partir.

Mérinock les avait chargés de retrouver le chevalier de cristal – pièce essentielle pour la suite du Grand Œuvre.

Le guerrier blond chargea leurs paquetages sur Phramir.

— Le vent souffle dans la bonne direction, ajouta-t-il.

Solena sourit à Thorgën. Ce nouveau compagnon avait choisi de les accompagner. Pour cela, il avait dû laisser à Wellöart Cléminandre, sa femme, et Chimène, sa petite fille.

Elle lui tapota l'épaule.

— Merci, dit-elle simplement.

Il lui fit la courte échelle pour lui permettre de monter sur le dos de l'énorme oiseau carnivore.

Peu après, l'éphron d'or s'élançait d'une saillie rocheuse.

Leur première étape était la cité retranchée de *Nivène*.

Solena songea au bond temporel qu'ils avaient fait en franchissant l'arceau de pierre de Wellöart. Vingt-cinq ans !

Mes fils sont devenus des adultes…

Cette pensée la rasséréna. S'accrochant à la taille du prince, elle enfouit son visage dans son col de fourrure.

L'avenir, désormais, leur appartenait…

Première partie
La quête du chevalier
An 549-550 après Torance

« Vous irez de par le continent central sur les ailes d'or de l'éphron qui vous choisira. Vous revisiterez les endroits qui vous ont vus jadis ; pour la quête, mais aussi pour la purification. Là, vous devrez reconnaître les âmes de ceux qui sont revenus pour vous servir et pour servir la Cause. »

Conseils du Mage errant à la dernière cristalomancienne.

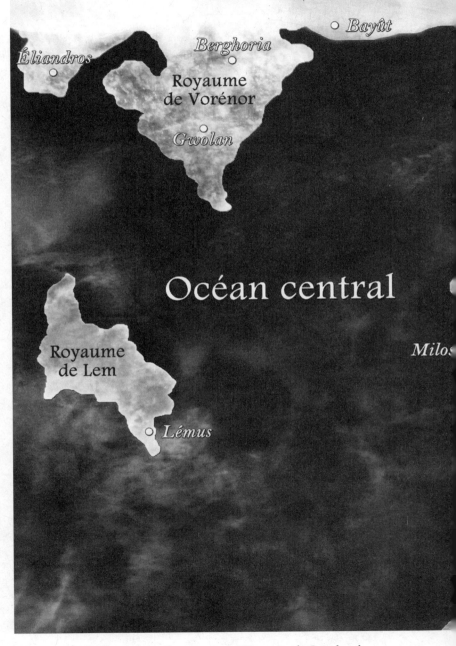

Le trajet en pointillé représente le parcours des Messagers de Gaïa dans les Terres de l'Empire de Gorée.

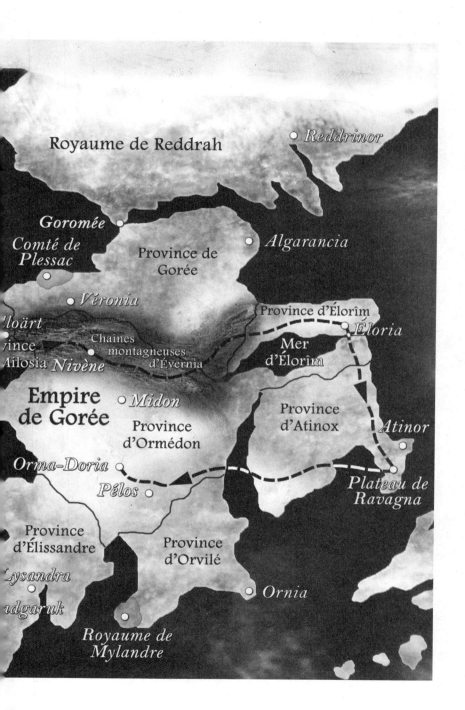

CRÂNE DE FEMME

An 549, Empire de Gorée, comté de Plessac.

L a jeune servante hâta le pas et franchit la première enceinte qui conduisait au château. Après sa transe du matin, la tête lui tournait encore et son pouls était rapide.

Parvenue devant le poste de garde, les hommes vérifièrent si elle ne dissimulait pas une arme sous son manteau. L'époque était à la méfiance, les consignes très sévères, les punitions cruelles. Mais la seule arme de la fille était son rosaire, composé non pas de pierres ordinaires, mais d'éclats de cristaux de différentes couleurs. Elle se le récitait à voix basse, le souffle encore perturbé par la révélation qu'elle venait d'avoir.

Dans les appartements de sa maîtresse, elle se jeta à ses genoux.

La comtesse Bellissandre de Plessac renvoya ses suivantes. Les luths et les harpes se turent, le *récitier,* ou homme de compagnie affecté à la lecture, baissa la tête et se retira à son tour. Un autre domestique ferma les grandes portes.

Des odeurs de gomme de sapin et de miel flottaient dans la pièce cossue aux murs tendus de longues tapisseries.

— Ma Dame…, haleta la servante.

— Approche, Bridine.

La comtesse caressa la nuque de cette fille qui faisait le jour office de blanchisseuse et la nuit de devineresse. Elle l'avait recueillie, enfant, et avait très vite décelé en elle de fabuleux talents de cristalomancienne. Puisqu'il régnait à la cour du comte, son mari, la plus stricte étiquette religieuse, la maîtresse avait dû, pour protéger l'enfant de la suspicion des *légides*, prétendre que ses visions n'étaient que chimères. En secret, par contre, elle l'encourageait à affiner son art et à s'en servir à l'occasion pour aider la maison du comte.

Les deux femmes se dévisagèrent.

— Le temps est-il venu ?

— Oui, maîtresse.

La comtesse se leva brusquement et fit les cent pas. Les années avaient passé, elle avait œuvré, mûri, gagné en appuis, en richesse, en prestige. Pour cela, elle avait pris époux, se l'était attaché par le biais de philtres et de formules. Elle s'était battue.

Toutes ces années ! songea-t-elle en rajustant sa coiffe de velours.

— Viennent-ils ?

— Ils sont apparus.

La comtesse inspira profondément. Puis elle donna quelques *draks* d'argent à la jeune fille.

— Ton silence est garant de ta vie. Ne l'oublie pas.

Le regard de la comtesse était terrible. Jamais, plus qu'en cet instant, son visage et ses yeux n'avaient paru aussi sévères, aussi effrayants.

— Retourne aux cuves. Nous ne nous verrons plus pendant quelque temps. Et surtout, reste sage et pure…

Elle caressa cette fois la joue et la gorge de sa servante. Ses doigts glacés ressemblaient à des lames de *sabrier*.

Lorsqu'elle fut seule, la comtesse ouvrit un secrétaire et en tira quatre rouleaux d'*ogrove* attachés par des cordons de chanvre. Elle les déroula sur son lutrin, avança son bougeoir.

Elle en avait rédigé les textes des mois auparavant. À présent, il était temps d'envoyer ces missives aux personnes désignées. Des mercenaires, un membre très particulier de sa famille, mais aussi des hommes de foi, tous fidèles à sa cause.

Elle ôta un de ses bracelets en cuir noir, en retourna le motif central en argent frappé. Elle fit ensuite fondre de la cire rouge, y trempa le revers du bijou, appliqua le motif incrusté – une spirale à tête de serpent enroulée dans un pentacle – et scella chacun des rouleaux.

Satisfaite, elle appela ses coursiers.

À ce moment précis, quelque part en Gorée, ses ennemis d'autrefois étaient de retour dans le monde des hommes ordinaires…

★

Solena, Thorgën et Torance parvinrent dans les faubourgs de la ville marchande de Nivène à la tombée du jour. Après avoir franchi l'arceau de pierre, ils avaient, entre autres, fait une escale dans un village de la province impériale de *Milosis*. Là, Solena avait échangé quelques draks d'or contre des couvertures, des tuniques, des pelisses et autres objets de première nécessité de facture milosienne, tout en gardant sur ses épaules le chaud manteau de laine blanc que lui avait jadis offert la déesse. Puis, rejoignant Phramir, dissimulé entre les rochers, ils avaient pris la voie des airs en direction de l'est.

Ils avaient atteint les premiers reliefs des montagnes dites d'Évernia deux jours plus tard, et Nivène peu après. Ayant demandé à Phramir de rester caché dans une grotte – ils l'avaient généreusement pourvu de gibier encore vivant pour qu'il se tienne tranquille –, ils s'étaient joints à un groupe de marchands.

À leur arrivée devant les murailles, les portes de la cité, hélas!, étaient closes pour la nuit. Mais la carte que Thorgën avait achetée à un vieux colporteur indiquait que les murs, fissurés en maints endroits, permettaient à des brigands et même à des loups d'entrer dans la ville quand la nourriture se faisait rare.

Nivène avait autrefois atteint un haut niveau de richesse et de splendeur. Mais depuis une centaine d'années, l'instabilité croissante qui s'était installée entre les grandes confréries régnantes dans les montagnes d'une part, et l'ambition forcenée des chefs de tribus vivants sur le vaste plateau de Nivène d'autre part, avaient fait de la cité un lieu austère qui ne figurait plus sur l'itinéraire des caravanes marchandes.

Les échanges commerciaux avaient baissé de moitié. Les rares propriétaires d'*évroks*, ces mastodontes à deux trompes utilisés pour transporter denrées et billots de bois, voyaient fondre leurs profits. Devant cette situation, les autorités avaient haussé les taxes et durci leur emprise sur la population.

C'est dans cette cité appauvrie et moribonde que s'introduisirent les trois messagers.

— Je ne comprends toujours pas pourquoi nous sommes ici, murmura Torance en frissonnant.

Solena lui imposa silence du regard. Thorgën partit en éclaireur tandis qu'ils se serraient contre un mur branlant.

La cristalomancienne observa son compagnon. Enfant, et même durant toutes ses études à Éliandros, Solena s'était fait une idée bien à elle du Prince messager. À ses yeux, il était fort, impétueux, romantique, sûr de lui et autoritaire. Mais elle devait se rendre à l'évidence. Si l'on parvenait à oublier le personnage de légende, il fallait bien admettre qu'il n'était pas si différent des autres jeunes hommes de son âge – c'est-à-dire inconstant, hésitant, querelleur et tatillon.

Thorgën n'était pas de son avis. Elle devait donner au prince le temps de se remettre de ses émotions. Torance avait encore des maux de tête épouvantables et des accès de fièvre subite. Preuves qu'il n'était pas encore tout à fait lui-même.

Nous côtoyons une légende, se dit Solena avec, cette fois, plus de tolérance. Une icône façonnée par des siècles de croyances. Mais ceux qui nous ont transmis l'image que nous avons aujourd'hui du Prince messager étaient des rêveurs, des idéalistes ou bien des gens sans scrupules servant les ambitions des grands légides et du *Premius* de *Goromée*. En glorifiant celui qu'ils ont appelé « le fils unique de Gaïos », ils ne servaient que leur orgueil. Le véritable Torance est jeune, inexpérimenté, perdu dans le vaste monde.

Elle l'entendit claquer des dents. Faisait-il si froid ?

— Les montagnes sont proches, souffla-t-elle.

Elle lui offrit son manteau, mais il refusa.

— Pourquoi sommes-nous ici ? redemanda-t-il avec humeur.

Et effronté, en plus !

Thorgën revint sans faire le moindre bruit.

— Le temple est situé sur l'esplanade principale, révéla-t-il. J'ai interrogé quelques personnes. Ils ne connaissent aucune statue représentant une immense tête de femme.

Solena fit une grimace. Cette tête de femme en granite, elle l'avait pourtant bien vue, en transe, durant leur périple aérien ! De plus, puisant dans les souvenirs de Shanandra, elle *savait* que la Dame de Nivène existait.

— Si Mérinock m'a envoyé l'image de cette statue, s'entêta-t-elle, il doit y avoir une raison.

Elle se tourna vers le prince.

— La Dame de Nivène ne te rappelle-t-elle rien ?

— Venez…, fit Thorgën.

L'ancien officier goréen vivait, il en était conscient, la période la plus heureuse de son existence. Ayant adopté sans remords la foi des *Fervents* en épousant Cléminandre, il s'était porté volontaire pour cette mission. Pourquoi au juste ? Il ne le savait pas. Toujours est-il qu'il avait toute sa vie agi d'instinct et que cette méthode l'avait jusqu'à présent bien servi.

Ils se faufilèrent entre des maisons hautes, mais délabrées, traversèrent un enclos d'évroks enchaînés. Solena calma les bêtes en caressant leurs flancs rugueux.

— Ces pachydermes te rappellent-ils quelque chose ? redemanda-t-elle à voix basse.

Torance demeurait silencieux. Sans doute était-il impressionné par ces bêtes d'une autre époque !

Ils rencontrèrent des lépreux. Ces pestiférés terrorisaient les honnêtes gens. Ceux-ci se barricadaient d'ailleurs chez eux dès que finissait le jour. Seuls les inconscients, les suicidaires et les soudards avaient l'imprudence de sortir la nuit.

À la surprise générale, Solena marcha vers ces miséreux et leur offrit le pain, l'huile et les graines de *kénoab* séchées que contenaient leurs maigres provisions. Torance, qui avait toujours faim, se retint de faire un commentaire déplaisant.

Peu après, ils atteignirent la place du marché, puis une poterne dissimulée derrière une pile de cageots utilisés, le jour, par les marchands locaux.

— C'est par là…, indiqua l'ancien guerrier.

Ils considérèrent l'église et ses bâtiments connexes, sombres et massifs, qui pesaient sur le marché et l'esplanade. La flèche et la pierre ronde frappée de la silhouette du Prince messager torturé avaient été érigées deux siècles plus tôt, alors que le Torancisme était encore une jeune et vigoureuse croyance, et que les pachas de Nivène faisaient des affaires d'or en vendant de tout, y compris des esclaves.

Thorgën n'était pas très sûr de ce qu'ils recherchaient, mais il restait confiant. Solena était autant une femme de tête que de cœur. Il avait beaucoup entendu parler de son courage, de sa générosité, de son charme, de sa profonde humanité. Depuis qu'ils voyageaient ensemble, aucune de ces rumeurs ne s'était révélée infondée, et cela le comblait d'une joie profonde et secrète.

La cristalomancienne posa une main sur le bras de l'ancien guerrier.

— Je sais que vous êtes deux braves, dit-elle à ses compagnons. Le temps est venu pour moi de réveiller ce temple…

✸

Au même moment, un voyageur drapé dans un manteau de courtisan portant sur la tête un épais capuchon de velours noir et sur le visage un masque de lin brun insistait pour que le lieutenant de nuit le reçoive au plus vite. Devant le manque de coopération des sentinelles, il leur jeta une bourse de draks d'or. Pour motiver les plus réticents, il exhiba un *kaïbo* à double lame comme les hommes n'en avaient jamais vu. Le Voyageur était accompagné par une troupe de mercenaires tout aussi somptueusement vêtus et armés, juchés sur des destriers harnachés.

Un lieutenant se présenta enfin, ensommeillé et les cheveux en bataille. Le Voyageur lui montra le symbole tatoué qu'il portait sur l'avant-bras droit, nomma l'homme par son prénom, lui remit un rouleau d'ogrove. En reconnaissant le motif du tatouage et celui du sceau, l'officier blêmit. Son visiteur sourit finement sous son masque.

— C'est bien, balbutia le lieutenant. Je comprends…

Il donna ensuite l'ordre de faire réveiller le légide local et de réunir tous ses hommes.

2

LA SPHÈRE DE LUMIÈRE

Solena laissait affleurer à sa mémoire des souvenirs issus de sa précédente incarnation. *Comme un vin qui se déverse, mais que d'une coupe à une autre deux personnes peuvent boire,* se dit-elle en pénétrant dans la nef centrale de l'église.

Ce lieu austère et froid n'existait pas cinq cents ans plus tôt. Ou du moins faisait-il alors partie des communs dévolus aux *lamanes* et aux *pythies,* les prêtres de l'ancienne religion des géants et leurs devineresses.

Tandis que Thorgën se référait à sa carte, Torance marchait au hasard entre les bancs et les rangées de colonnes. Les toits étaient si hauts qu'ils donnaient le vertige. Mais outre les vitraux aux flamboyants motifs pastoraux, ce qui intriguait le plus le prince était l'autel, installé tout au fond sur une estrade en bois.

Solena guettait les réactions du jeune homme. Ce corps torturé, sculpté sur la pierre ronde de grès, lui rappelait-il quelque chose ?

— Par ici, murmura Thorgën.

Ils délaissèrent la nef et entrèrent dans un bâtiment contigu. Le nouveau Servant du mage crocheta habilement la porte. Une salle énorme se dessina dans la pénombre.

— La Dame de Nivène, s'extasia Solena.

Thorgën alluma les torchères vissées aux parois.

Un cri bref retentit.

— Qu'a-t-elle? s'enquit Torance en considérant Solena qui avait blêmi.

— La Dame, sanglota la cristalomancienne en caressant d'une main tremblante le menton, puis la bouche de pierre.

Torance approcha une torche. L'immense tête de granite mesurait une dizaine de mètres de haut.

— On dirait que les traits de son visage ont été burinés.

Solena sentit des larmes lui piquer les yeux. Autrefois vénérée, la Dame de Nivène était, disait-on, la représentation de la déesse Gaïa en personne.

— Qui a bien pu…? commença Solena.

Elle avisa les restes d'un échafaudage rangé contre un mur.

Thorgën avait été élevé dans le Torancisme. Il baissa la tête.

— Il y a quelques années, dit-il, tandis que nous luttions contre le *Ferventisme*, le Premius de Goromée a ordonné que soient détruits tous les symboles de l'ancienne religion à travers les Terres de l'Empire.

Solena inspira profondément. Une pensée à la fois triste et vengeresse la calma pourtant. Il n'y avait que les fous, les faibles et les enfants pour agir de la sorte. De voir la déesse défigurée par des ouvriers aux ordres des légides lui faisait mal. Mais la déesse, immortelle, était indifférente aux lâchetés de ceux qui se prétendaient les «grands» de ce monde.

— Continuons, fit-elle en s'engouffrant dans une enfilade de corridors.

La jeune femme gardait une main posée sur ses pendentifs. Elle sentait le *Wellön*, symbole de la préservation des trésors et des secrets d'Évernia, et la *Pierre du destin* battre entre ses seins. Et les souvenirs déferlaient.

Elle lutta pourtant de toutes ses forces pour demeurer concentrée.

Ils empruntèrent une étroite galerie qui s'enfonçait dans les entrailles de ce qui restait des bâtiments d'origine. Ils franchirent une, puis deux salles hypostyles et débouchèrent finalement dans une pièce dont l'issue était bloquée par des blocs de pierre.

Solena se demanda un moment si Torance savait qu'il possédait de merveilleux pouvoirs. Mais sans doute était-il encore inconscient de son rôle dans cette nouvelle quête. Elle laissa Thorgën dégager seul l'entrée.

— La salle du *Morphoss*, déclara-t-elle ensuite en entrant.

Une forte odeur de poussière, d'huile, de cire et de pigments de couleur leur sauta à la gorge.

Après avoir été scandalisée par les altérations opérées sur le visage de la déesse, Solena craignait maintenant de découvrir l'état de la statue du Morphoss.

Ils firent le tour du magnifique colosse en bronze. Le génie du sculpteur et son coup de burin avaient été si précis, si efficaces, que l'on distinguait les veines des bras du Morphoss et celles de ses mains tendues au-dessus de sa tête. Le globe qu'il portait toujours sur ses épaules figurait les treize Terres originelles de Gaïa.

Solena demanda que l'on approche les torches. Une agréable sensation d'accomplissement la fit tressaillir. Cinq cents ans plus tôt, c'est dans cette salle qu'elle avait, sous les traits de la Princesse messagère Shanandra, délivré la pierre du destin que Torance portait alors cousue sur le torse.

L'envie lui vint de vérifier si le jeune homme en gardait encore la cicatrice. Mais elle ravala sa salive et déclara d'une voix sourde que le visage du Morphoss avait, lui aussi, subi l'humiliation des coups de marteau.

Ses compagnons écarquillèrent les yeux, car les traits ne semblaient pas avoir été altérés.

— Le Morphoss souffrait dans sa chair à force de tenir la Terre sur son dos, expliqua Solena. Ses yeux étaient plissés, son front perlait de sueur.

Thorgën approuva. L'homme qui se tenait devant eux était non plus le Morphoss originel, mais Gaïos. Et comme tel, son visage avait été modifié par des artistes obéissant au Premius.

— Il a l'air de sourire, fit Torance, il nous regarde droit dans les yeux.

Solena s'était éloignée.

Des échafaudages avaient été montés contre les parois. Autrefois nus, les murs étaient à présent recouverts de fresques tirées des passages les plus célèbres de l'*Évangile Premius*, la bible du Torancisme.

La cristalomancienne alla d'une fresque à une autre. Thorgën lui resituait chaque image dans son contexte alors même que la jeune femme, dépitée, cherchait autre chose.

— La carte, lâcha-t-elle d'une voix blanche. Ils l'ont détruite !

De temps en temps, elle jetait à Torance un regard agacé. Le prince ne se souvenait-il vraiment de rien ou bien feignait-il l'indifférence ?

Fort heureusement, elle retrouva la fameuse carte des Terres de Gaïa sculptée sur un des murs.

Thorgën éloigna l'échafaudage, Torance donna de la lumière.

— Voici les treize centres d'énergie, dit Solena. Les légides n'ont rien compris à cette carte. Ça explique sans doute pourquoi ils l'ont épargnée.

Par contre, et cela mis la cristalomancienne en colère, les cristaux de couleur représentant chacun des centres avaient été volés.

— Pour ce que nous avons à faire, ajouta-t-elle, ce n'est pas trop grave.

Torance était affamé. Pourtant, il prit sur lui, tendit l'oreille sans en avoir l'air, et attendit la suite.

En vérité, cet endroit lui donnait la chair de poule. Une brûlure irradiait le centre de sa poitrine. Était-ce normal? À Wellöart, le Mage errant – un homme dont il se méfiait – lui avait dit qu'il s'était réveillé d'un très long sommeil. Ses maux de tête, ses étourdissements étaient des conséquences normales. Ses souvenirs et ses émotions demeureraient embrouillés pour quelque temps. Quand pourrait-il de nouveau être totalement lui-même? Le mage n'avait su répondre à cette question. Ou bien il n'avait pas voulu…

Solena cherchait maintenant une fresque dessinée «sous» le sol. Intrigués, Thorgën et Torance firent mine de l'aider.

Par une lointaine meurtrière leur parvenait le hurlement des loups, le barrissement solitaire de quelques évroks.

— Rien. Il n'y a plus rien, se lamenta Solena.

Thorgën posa une main sur son épaule. Elle redressa la tête.

— Allons! l'encouragea-t-il.

Elle déposa son large manteau de laine sur les dalles au centre de l'ombre portée par la sphère que tenait Gaïos. Puis, elle s'assit dessus et se plongea dans une transe profonde.

Torance retint sa respiration. Quelque chose venait de changer dans la densité de l'air. Il vit Thorgën ramasser une sorte de caillou bleu que Solena avait retiré de son cou. Obéissant sans doute à ses indications, l'ancien guerrier se plaça devant le bas-relief et posa l'objet en un point précis de la carte.

Soudain, il ne faisait plus aussi sombre dans la salle. L'éclat des torches elles-mêmes avait pâli. Cloué sur place par l'étrangeté du phénomène, le prince plissa les paupières.

Solena inspirait lentement. La force de l'habitude, le niveau atteint dans l'art du contrôle de soi lui permit rapidement d'ouvrir, d'aligner et de «placer» ses sept principaux chakras.

Une scène chère à son cœur lui revint à la mémoire. Elle se revit, dans son temple personnel situé à *Shandarée*, debout face à son Âme supérieure: une créature d'amour et de lumière qui était elle et bien davantage encore – la somme de toutes ses incarnations passées. La créature ou l'ange lui avait demandé si elle était prête à «fusionner».

Cette fois encore, Solena ressentait la même plénitude, la même sensation de puissance à la fois douce et généreuse, illimitée.

La sphère que tenait le colosse irradiait. Solena ne s'était pas trompée. Comme dans sa transe matinale, la pierre du destin avait déclenché un mécanisme. Elle communiquait à présent sa force à la statue. Mieux encore! L'énergie qui vivait en elle permettait à la sphère de se dépouiller de ses scories.

Je la nettoie, je la siphonne. Je rééquilibre ce centre d'énergie…

Quelques minutes s'écoulèrent.

Torance vit Thorgën se placer en un autre endroit, le long du mur. Apparemment, une sorte d'alcôve s'était ouverte. L'ancien guerrier se pencha et ramassa un nouvel objet, plus volumineux, qu'il s'empressa d'enrouler dans une couverture brune. Il l'enfouit ensuite dans le sac en cuir qu'il portait sur les épaules.

— C'est fait! s'écria-t-il en rejoignant Solena.

La cristalomancienne demeurait en état de transe. La lumière naissait dans la sphère, tombait sur elle, puis se répercutait sur les parois de la salle ainsi qu'en divers points du plafond.

Thorgën et Torance eurent la même pensée.

— Il faut partir, dit le grand barbu.

Il secoua la jeune femme avec douceur. Mais, les yeux clos, la bouche frémissante, Solena semblait paralysée.

— Elle ne va pas bien, déclara Torance.

Un cliquetis métallique retentit. De l'unique entrée jaillirent des soldats armés d'arcs et de flèches; une vingtaine, en tout, accompagnés par un légide et un officier.

L'homme de Gaïos se pencha à l'oreille de l'officier et balbutia, à la fois apeuré et impressionné:

— C'est bien ce que je soupçonnais.

Le Voyageur masqué qui avait réveillé le lieutenant cracha au sol et ordonna.

— Tuez-les!

La guérison

près quelques instants d'hésitation, le lieutenant ordonna à ses hommes de tendre leurs arcs.

Torance leva un bras.

— Attendez !

Le prince voyait distinctement des serpents de lumière glisser et s'enrouler autour des hommes de troupe. Mais après avoir parlé, il demeura immobile.

Solena sentit son trouble. Encore affaiblie, elle se couvrit les épaules de son manteau et dévisagea les soldats.

— Qui parle pour Nivène ? s'enquit-elle.

Thorgën entendait le craquement des cordes. Il était habitué aux combats et à cette tension qui engourdissait les hommes, juste avant l'assaut. Une étrange vibration pulsait dans le temple depuis que Torance avait tendu son bras…

Un légide s'avança. Il était vêtu du *kaftang* noir de sa charge et portait à la taille le rosaire terminé par la pierre de grès, ronde et plate, du Torancisme. On le devinait maigre et faible sur ses jambes. À la lueur des torches, sous les derniers feux émanant de la sphère, son visage, quoique marqué par des plaques rouges, reflétait une certaine bonhomie.

Devinant en cet homme un interlocuteur potentiel, Solena lui demanda s'il savait combien cet endroit était vivant.

La question dérouta les soldats et le lieutenant. Mais le légide hocha la tête. Il n'était pas natif de Nivène. Cependant, il était en poste depuis si longtemps que les lieux n'avaient plus de secrets pour lui.

— Je suis venue, reprit Solena, parce que le temple de Nivène avait sombré dans le sommeil. Regardez !

La sphère que portait le Morphoss, qu'elle nomma « Gaïos » pour faire plaisir au légide, était un véritable soleil pour les corps, les cœurs et les âmes. Tel était sa raison d'être.

Le religieux approuva.

— La tradition, dit-il, rapporte qu'au fil des siècles ce lieu a été le témoin de nombreuses guérisons miraculeuses.

La cristalomancienne, plus encore que Torance, avait conscience que les serpents de lumière dont elle ne faisait que sentir la présence autour d'eux agissaient sur les militaires. Victimes d'un puissant engourdissement, ces derniers avaient du mal à rassembler leurs idées, à se rappeler la raison de leur venue.

Elle prit la main du légide.

— Vous aimez cet endroit et ses gens, n'est-ce pas ?

L'homme battit des paupières. Solena comprit que ce religieux, une âme pure, avait lutté pour le bien-être des *Nivénois*.

— Le sort des enfants vous préoccupe. L'état de délabrement de votre église vous peine. Regardez-moi dans les yeux. Voyez, maître Amim Daah, combien vous êtes bon.

Cette jeune femme était la dernière cristalomancienne dont ses supérieurs et le Voyageur masqué lui avaient parlé. Mais il émanait de sa personne une telle paix, une telle douceur, qu'il ne pouvait la croire aussi dangereuse.

Les prêtres de sa congrégation entraient un à un et se mêlaient aux soldats. Impressionnés de voir leur légide obéir à l'étrangère, ils succombèrent eux aussi à la puissance des serpents invisibles.

Solena conduisit Amim Daah dans l'ombre de la sphère. Là, elle détacha les cordelettes du manteau de l'homme, souleva sa tunique et découvrit les plaques rouges qui balafraient son torse et ses aisselles.

— Vous êtes malades, maître légide. Approchez encore…

Amim Daah était pétrifié. La lèpre mais aussi la peste sévissaient dans les rues de Nivène. La nouvelle n'avait pas encore semé la panique, mais elle le ferait bientôt. L'avant-veille, il avait ressenti d'affreuses douleurs. Ensuite, les premières marques étaient apparues.

Solena appuya sur ses épaules et le fit asseoir dans l'ombre de Gaïos. Puis, elle ôta son manteau et le posa sur le légide. Une minute longue et pleine comme une heure entière s'écoula.

Lorsque le légide se releva, les marques rouges sur sa peau avaient disparu et il se sentait en bien meilleure forme. Ses idées étaient claires. Ses extrémités, mains et pieds, étaient de nouveau chaudes.

— Que s'est-il passé? bredouilla-t-il, désorienté.

— Nous devons partir à présent, lui répondit Solena.

Elle fit signe à ses deux compagnons de la suivre. Les soldats bandaient toujours leurs arcs. Ils attendaient les ordres. Le lieutenant ainsi que le Voyageur masqué semblaient changés en statues de sel.

Le légide demanda aux hommes d'ouvrir le passage. Il savait qu'il commettait une faute grave. L'empereur et le Premius de Goromée avaient envoyé des messages dans tous les diocèses, dans toutes les provinces. Tout acte s'apparentant de près ou de loin à du Ferventisme, toute personne soupçonnée d'hérésie devait être immédiatement arrêtée.

Pourtant, c'est sans encombre que Solena et ses amis quittèrent l'église, puis l'enceinte de la cité.

Torance avait du mal à comprendre.

— Le temple pourra à nouveau accueillir des fidèles et les guérir, lui expliqua Solena tandis qu'ils s'éloignaient des murs de la cité.

Ils entrèrent dans la forêt des *Serpères amoureux,* ces grands arbres qui ressemblaient à des champignons et qui étaient, comme certains kénoabs de Vorénor, des *Sentinelles* en puissance.

Solena s'appuya au tronc de l'un d'eux et le sentit effectivement « éveillé ».

Thorgën réajusta son sac de cuir. Ce simple geste rappela au prince que ses compagnons lui cachaient quelque chose.

— Vous les avez hypnotisés, c'est ça? demanda-t-il à nouveau à la jeune femme.

Solena était pâle. Thorgën la vit tourner de l'œil et la reçut dans ses bras.

— L'heure n'est pas aux bavardages, trancha-t-il. L'officier présent dans le temple et l'homme masqué ne m'inspirent aucune confiance. Avançons!

De fait, ils ne tardèrent pas à entendre le galop d'une troupe qui se rapprochait. Ils furent vite rattrapés et encerclés. L'officier tira une épée, le Voyageur son kaïbo. Les soldats armèrent leurs arcs.

— Au nom du gouverneur de Nivène, les somma le lieutenant, je vous arrête!

— Femme, ajouta le Voyageur à l'intention de Solena, ne t'avise pas d'ouvrir ta bouche de sorcière!

Torance voyait toujours les serpents de lumière. Ils le frôlaient, le transperçaient, lui murmuraient des paroles qu'il n'était pas certain de comprendre.

L'officier fit un geste. Dix hommes s'avancèrent pour les saisir.

Un énorme claquement d'aile fendit soudain l'air au-dessus de leurs têtes. Phramir jaillit des frondaisons et fondit sur les hommes. Ses serres en happèrent trois et repoussèrent les autres. Comme les soldats relevaient leurs arcs, Torance tendit ses bras. Projetés sur eux comme des armes de jet, les serpents de lumière fauchèrent les archers.

Thorgën hissa Solena sur l'oiseau de proie et s'accrocha à son flanc. Puis, serrant les cuisses, il agrippa Torance par le col de sa tunique.

L'éphron poussa un cri terrible et prit son élan ; brisant, dans son envol, quelques branches d'arbres.

Le Voyageur déversa sa hargne sur le lieutenant. Mais, en définitive, il était le seul responsable. Après s'être calmé, il fit rédiger une missive destinée au haut chambellan impérial qui l'avait envoyé en mission.

Pendant que le lieutenant haranguait ses soldats, il descendit de cheval et s'éloigna sous les frondaisons. Lorsqu'il fut certain qu'on ne pouvait plus le voir, le Voyageur sortit un petit éclat de cristal bleu de sa sacoche et le posa sur son front.

En silence, il adressa son rapport à son véritable maître.

Quand il rejoignit l'officier, il exigea de lui la tête de ce légide stupide et ignorant qui les avait empêchés de capturer la célèbre et très recherchée cristalomancienne.

4

Sur la route d'Éloria

L e soleil était levé sur le désert depuis deux heures, déjà, et le campement niché au creux des rochers, au nord de la cité d'*Éloria*, semblait encore sommeiller. Torance était parti chasser des mulots et des *barnanes,* ces petits mammifères poilus qui se cachaient sous les dunes et entre les joncs – l'ordinaire du petit déjeuner offert chaque matin à Phramir.

Installé devant les restes du feu qui les avait tenus au chaud durant la nuit, Thorgën sculptait patiemment un éclat de bois noir. Depuis leur départ de Wellöart, il essayait de consacrer chaque jour quelques minutes à ce qui était devenu pour lui plus qu'un divertissement : un baume sur son exil volontaire, un lien subtil qui le reliait à sa famille.

Torance revint et s'enquit :

— C'est une nouvelle arme ?

Thorgën étouffa un rire pincé. Il avait sculpté des ustensiles de cuisine pour Cléminandre et des jouets pour Chimène. À présent, il s'agissait d'autre chose qui amenait souvent une expression tendre sur son visage. Il manipulait le morceau de bois avec soin, brossait l'endroit qu'il venait de tailler avec sa courte lame recourbée, et songeait à sa vie passée en qualité d'officier goréen, à son enfance dans les rues de Goromée avec Riurgën, son jumeau. Et, plus tard, à leurs rapines et leurs mésaventures avec Keïra, qu'ils appelaient tous deux leur « petite fée ».

Lorsque le grand légide Farouk Durbeen, le père de Keïra, avait choisi de prendre sous son aile son jumeau plutôt que lui, Thorgën avait doublement souffert. Riurgën avait été initié à la *cristalomancie morphique* avec Keïra tandis qu'il s'était investi tout entier dans l'apprentissage des armes et du métier d'officier. Ensuite était venu le temps des grandes manœuvres. Ils étaient partis conquérir les Terres de Vorénor. Keïra avait poursuivi une quête personnelle qui l'avait amené à côtoyer Abralh, le mulâtre dont elle se croyait amoureuse. Finalement, après la destruction du temple-école d'Éliandros, Keïra avait décidé d'unir sa vie à celle de Riurgën. Et lui…

Il rit tout seul, car, envoyé en qualité d'espion dans le camp des Fervents, il avait en quelque sorte été victime d'un étrange revirement de situation. Transporté sur les ailes magiques du *disque de Milosis* dans le village de Wellöart en même temps que la plupart des Fervents, il s'était retrouvé parmi ceux qu'il avait juré de détruire. Et qu'avait-il fait ?

Le visage magnifique, doux et sensuel de Cléminandre apparut devant ses yeux. Il l'avait rencontrée et quelque chose avait bougé dans son corps et dans son cœur. En un clin d'œil, se rappela-t-il, il en était tombé amoureux. Au moment où les Fervents le traitaient en ennemi, elle avait pris sa main, lui avait déclaré qu'ils se connaissaient déjà, tous les deux. Qu'autrefois même, dans une autre vie, ils avaient été unis. Peu de temps après, le Mage errant en personne les avait déclarés mari et femme. Et puis, Chimène était venue au monde.

Torance lui posa une nouvelle question, mais tout à sa rêverie Thorgën ne répondit pas. Alors, le prince retourna auprès de Phramir.

L'éphron d'or n'était pas très beau à voir. Vu de près, avec son faciès d'aigle et sa mâchoire de saurien garnie de dents pointues, il faisait même peur. Pour compenser, son corps de lion, ses pattes garnies de serres et de splendides ailes aux pennes dorées lui donnaient prestance et majesté.

Il bavait beaucoup et poussait, lorsqu'il était contrarié ou en colère, d'atroces cris aigus à glacer le sang.

Torance s'approcha pourtant de lui et caressa son doux plumage. L'oiseau rétracta son aile et attira le jeune homme contre son flanc. Le prince posa sa joue contre la chair tiède, écouta battre le cœur du monstre.

— Est-ce vrai ce que dit Solena, Phramir ? On se connaît, tous les deux !

Si seulement c'était vrai ! se dit-il.

Il contempla l'horizon jaune orangé, les alignements de rochers plats, et, par delà, l'immensité moutonnée de dunes et de joncs ébouriffés par les vents.

Il tapota le cou de l'oiseau, soupira.

« Ce paysage te rappelle-t-il quelque chose ? » lui demandait parfois la jeune femme.

Quel âge Solena avait-elle au juste ? Torance la savait plus vieille que lui. Cette différence d'âge était-elle la seule raison de sa gêne lorsqu'il se trouvait seul en sa compagnie ?

Il continua machinalement de nourrir Phramir. Une carcasse de rat, une autre de lièvre, un mulot, deux petits barnanes poilus qu'il avait dû, tôt le matin, traquer, attraper et égorger.

Solena apparut au sommet d'une éminence. Chaque matin, elle méditait en solitaire. Ils échangèrent un regard bref.

« Tu ne m'aimes pas ! » lui avait déclaré Torance dès le premier jour.

Depuis, sans savoir exactement pourquoi, il la vouvoyait.

De son côté, Thorgën ne parlait pas beaucoup. Mais à force de patience, Torance avait réussi à lui arracher des bribes d'informations. Solena et Abralh, son compagnon, avaient voyagé loin. Ensemble, ils avaient accompli une mission d'importance. Ils avaient aussi eu deux fils, Vorénius et Cristanien, dont Solena avait été cruellement séparée le jour même de son réveil.

Torance soupçonnait vaguement que son retour à la vie était lié à Solena, à ses enfants, à cet Abralh et même à leur propre « quête ».

— Qui suis-je ? avait-il demandé à Thorgën.

L'ancien guerrier avait répondu que ce serait à lui seul de répondre un jour à cette question.

Solena rentrait donc au camp…

Ce matin plus que les autres, Torance lui trouvait la mine contrariée. Il continua de jouer avec Phramir. Solena s'installa au soleil sur un rocher, et les observa tous deux en silence. Peu après, Thorgën arriva. Il tenait deux kaïbos dans ses mains.

— Un petit combat amical te tente-t-il, prince ?

Torance saisit l'arme avec reconnaissance, car excepté l'impression dérangeante de « connaître » Solena intimement – ce qui le faisait rougir –, tenir un kaïbo était ce qui lui apportait le plus de satisfaction.

Cette arme, la manière dont elle tournoyait autour de l'axe de ses épaules, son poids spécifique, son vrombissement si caractéristique lui ramenait des bouffées de… il ne savait quoi ! Mais c'était bon à prendre.

Solena observait les deux hommes en train de se battre. Oh ! Un simple échange. Rien de violent ni de malicieux. De temps en temps, Thorgën adressait un clin d'œil à la jeune femme, et celle-ci hochait la tête en retour.

— Torance! Nous as-tu gardé quelque chose à manger, ce matin! s'enquit-elle presque joyeusement.

Le jeune prince haussa les épaules. Il n'avait pas commis l'erreur de la veille, quand après avoir tout donné à Phramir il avait réalisé qu'il ne restait rien pour eux. Solena avait éclaté de rire et déclaré, en le regardant au fond des yeux, qu'elle gardait des graines de kénoabs en réserve. Elle pourrait les faire tremper et les cuire sur la braise de leur feu. Il verrait, c'était très bon!

Torance avait grimacé.

— Tu n'aimes pas ça?

Elle avait perfidement ajouté:

— Les graines de kénoab réveillent-elles des souvenirs?

Mais Torance savait juste qu'elle se moquait de lui. Gentiment, mais tout de même! Et puis ses: «Cela te rappelle-t-il...» commençaient à lui tomber sur les nerfs.

Il se battait toujours contre Thorgën. Le Goréen était fort, mais Torance parvenait à lui en remontrer. L'homme inclinait alors le buste et déclarait qu'apprendre de nouvelles techniques était toujours une bonne chose.

Solena souriait de plus belle. Thorgën – Mérinock avait raison – était différent de l'homme qu'elle avait connu à Éliandros. De traître, il était devenu un messager conscient de sa tâche.

Bercée par le cliquetis des lames, elle reprit son air contrarié.

Torance bloquait ou esquivait, contre-attaquait. Et en même temps, il ne pouvait s'empêcher de se demander à quoi pouvait bien réfléchir cette jeune femme aussi triste que mystérieuse.

Quelques jours plus tôt, ils avaient croisé une caravane de marchands qui ralliaient, trois fois par an, les villes de Goromée et d'Éloria. Ayant caché Phramir, ils s'étaient mêlés à eux le temps d'acheter de l'huile, de l'eau, et surtout des herbes dont Solena avait besoin pour soigner le prince quand il était victime de ses brusques accès de fièvre.

Il entendait Solena et Thorgën parler à voix basse tandis qu'elle lui administrait une décoction. «Il est encore sous le choc», disait la cristalomancienne. «Et les cristaux?» demandait le guerrier blond. «C'est encore trop tôt...»

Dans cette caravane, ils avaient fait la connaissance d'un garçon turbulent, malin comme un singe, nommé Talopin que Torance avait d'emblée plutôt appelé «galopin». Âgé de neuf à douze ans – il était impossible d'en savoir plus, car lui-même l'ignorait –, Talopin avait déniché les herbes dont Solena avait tant besoin.

Juste avant de quitter la caravane, le garçon avait subitement disparu. Thorgën avait acheté un chameau, puis l'avait lourdement chargé de sacs et d'outres pleines d'eau. Son but était de transvider ensuite le tout sur le dos de Phramir qui était bien assez fort pour tout porter.

Une demi-douzaine de gardes affectés à la sécurité de la caravane avaient alors surgi.

— Les voleurs ne sont pas tolérés! avait déclaré un officier.

Offusqué, Thorgën s'était empressé d'ouvrir leurs sacs.

Talopin avait été retrouvé caché dans une des outres, et jeté aux pieds d'un vieil homme aux yeux cruels.

L'officier n'avait pas mâché ses mots:

— Ce garçon est un esclave. Ce marchand est son maître.

Le premier réflexe de Solena avait été de vouloir racheter l'enfant. Mais son maître avait refusé net. Pourtant, le montant qu'elle était prête à débourser avait de quoi attendrir la rapacité de l'homme.

C'est avec une tristesse profonde – l'enfant leur avait tout de suite paru sympathique – qu'ils avaient repris la route.

Pourquoi Torance venait-il de songer à ce « galopin » ?

Sans doute parce que, tandis que les sermonnait l'officier, le prince avait revu flotter autour des soldats et de l'esclavagiste les mystérieux serpents de lumière, et que cette fois-ci il était demeuré immobile de peur qu'ils ne prennent vie.

Les serpents étaient d'ailleurs toujours là pendant que sa lame heurtait celle de Thorgën ; flottant autour d'eux, les transperçant et murmurant à l'oreille du prince.

Deux jours plus tard, ils atteignirent enfin la cité d'Éloria.

★

Après avoir cheminé sur terre et par la voie des airs, et apprécié le silence et les immenses paysages désertiques, la cohue, le mouvement et la touffeur d'une grande cité les prirent un moment au dépourvu.

Thorgën avait connu Goromée. Mais il appréciait surtout les denses forêts humides et brumeuses des Terres de Vorénor.

Il peinait sous le soleil de plomb de l'ancien royaume d'Élorîm.

Solena jetait de fréquents coups d'œil au prince. Cinq siècles plus tôt, c'est à Éloria que Torance avait vu le jour. Ses parents l'avaient confié à l'intendance du palais royal. Là, il avait été déclaré prince-prétendant à la couronne et avait vécu, avec d'autres enfants nobles, dans le corral des princes. Un endroit certes idyllique, mais confiné, avec ses règlements stricts, de longues heures d'étude, un entraînement sévère au *srim-naddrah*, l'art martial élorien, et bien sûr, d'éreintantes initiations à l'art antique du kaïbo.

Ils entrèrent dans la cité par la grande porte du nord après avoir traversé une forêt de kénoabs rouges ainsi que d'immenses champs cultivés. Ils s'étaient mêlés aux artisans qui voyageaient d'un chantier à un autre, aux marchands de pain, de vin et de bière, aux chalands affairés.

— Des souvenirs? s'enquit brusquement Solena tandis qu'ils s'arrêtaient devant un tréteau dressé devant les grilles de l'ancien palais royal d'Éloria.

Le bâtiment était à présent un centre religieux dédié au Torancisme. Il servait également de demeure officielle au gouverneur de la province.

Torance grommela. Et Thorgën, riant de leur manège, acheta des rafraîchissements sucrés décorés d'une fleur d'*égoyier*.

À dire vrai, la touffeur de l'air alourdie de sable, le vent qui transportait les effluves tout proches de la mer intérieure d'Élorîm; cette chaleur poisseuse qui trempait le moindre vêtement et jusqu'aux grosses mouches noires qui tourbillonnaient sans cesse; la vue des jeunes esclaves munis des fameux chasses-insectes qui accompagnaient leurs maîtres ou leurs maîtresses au marché: tout cela était familier au prince. Cependant, même s'il reconnaissait certains édifices – ou croyait les reconnaître –, il n'arrivait toujours pas à mettre ensemble les pièces de l'immense casse-tête, et cela le désolait.

— Je vous déçois, je le sais, laissa-t-il tomber sourdement.

Solena démentit. Mais son ton était trop catégorique pour paraître sincère.

— Pourquoi, exactement, sommes-nous venus ici? demanda-t-il à son tour.

Solena but son jus jusqu'à la dernière goutte, échangea un regard avec Thorgën.

— C'est moi qui vous pose la question! se fâcha Torance.

— Bien! fit la cristalomancienne, bien!

Mais elle se contenta de répondre qu'ils avaient des choses à faire dans l'ancien palais d'Éloria.

— Il est truffé de légides et de *serpiants*. Ces militaires en soutane sont armés et bien entraînés, précisa Thorgën.

— Mais notre jeune ami connaît peut-être une issue secrète? hasarda Solena.

Torance se renfrogna. Il ne se souvenait de rien.

Solena et Thorgën se remirent à parler entre eux. Pour ne pas se sentir exclu même si ce sentiment était profondément ancré en lui, le jeune homme fit mine d'observer la rue principale.

Les maisons étaient en chaux vive, en brique brune ou en bouse séchée – selon la richesse de son propriétaire. Les bâtiments officiels étaient quant à eux recouverts d'enduits blancs, beiges ou rouge foncé. La poussière s'engouffrait partout. Les gens allaient et venaient vêtus de tuniques légères, car l'été se prolongeait. De plus, la température étant régulée par la mer et le marché pas très éloigné du port, l'air embaumait aussi les herbes, les viandes, mais surtout les poissons et les crustacés ramenés durant la nuit par les pêcheurs.

Thorgën tourna le coin.

— Où va-t-il? s'enquit Torance, soupçonneux.

— Nous avons des contacts, à Éloria, répondit la cristalomancienne.

Son lourd manteau de laine n'étant plus de saison, elle l'avait roulé et le portait attaché sur son dos. Avec son épaisse crinière blonde, Torance songea que la jeune femme devait avoir chaud. Solena portait en outre une courte tunique brodée de lin blanc très échancrée sur la poitrine.

— Ça ne va pas? ajouta-t-elle.

Il secoua la tête. Il allait très bien. Il faisait chaud, c'était tout.

— Nous allons prendre une chambre, annonça-t-elle un peu plus tard.

Comme Torance restait suspendu à ses lèvres, Solena précisa qu'ils devaient se rafraîchir, se restaurer et faire le point.

La seule chambre qu'ils trouvèrent, car la cité accueillait de nombreuses corporations et événements de saison, était située au-dessus d'une échoppe casse-croûte qui vendait des pains marinés dans l'huile, des jus, du vin et des *trempasses,* sorte de brochettes de barnanes garnies de sauce et d'olives, et roulées dans une galette de blé ou de seigle.

Allongé sur une paillasse pendant que Solena faisait ses ablutions derrière une toile de chanvre, Torance luttait contre un terrible mal de tête. Il entendait les passants s'interpeller, le cliquetis des hommes en arme qui patrouillaient deux par deux, le bruit des *galvas* sur le sol de sable tapé.

Lorsqu'il songeait à Solena, il voyait parfois se profiler sur ses traits ceux, à la fois rudes et sensuels, de Shanandra – une brune envoûtante aux yeux marron. Sa bien-aimée d'un autre temps était si présente autour de lui qu'il avait parfois l'impression de l'entendre respirer contre son cou. Il s'éveillait alors et croisait le regard bleu acier de Solena.

— Tu fais encore de la fièvre, disait-elle. Bois un peu de tisane.

La cristalomancienne revint et s'allongea sur une couche de grain. Un rideau de toile battait à la fenêtre. Le vent chaud venu du désert promenait son haleine dans la pièce.

— Qui est cet homme masqué qui nous a pourchassés dans la forêt de Nivène? demanda le prince. Et d'ailleurs, que sommes-nous vraiment allés faire dans cette église?

— Cela fait deux questions? fit remarquer Solena.

Des questions, Torance en avait des quantités.

— Je…

— Dormons, le coupa-t-elle. Thorgën va revenir. Cette nuit, nous agirons.

Torance voulut parler encore, mais elle se tourna de l'autre côté.

La chaleur était incommodante. Heureusement, Solena s'était rafraîchie. Elle frissonna. Un moment, elle avait failli dire à Torance « reposons-nous » et non pas « dormons ». Gênée, elle rougit, car c'est en usant de cette expression qu'elle faisait autrefois comprendre à Abralh combien elle avait envie de lui !

Elle posa une main sur la pierre du destin qui pesait sur sa poitrine et répéta en soupirant :

— Dormons.

5

Le guide

Solena faisait avec les doigts des cercles réguliers sur les joues et le menton du prince endormi. Depuis quelques secondes ou bien une minute entière, elle ne savait pas. Les paupières mi-closes, elle rêvassait.

Passé ancien et passé récent s'entremêlaient, sans suite ni logique dans son esprit. Elle voyait l'image d'Abralh jouant avec leurs fils dans les verdoyantes forêts de Reddrah. Puis, la silhouette de Torance qui s'adressait à des centaines de gens.

Abralh reprenait ensuite le dessus. Solena se perdait dans ses yeux, elle s'y voyait belle et désirable. Il la prenait avec fougue sur un lit de mousse. Les enfants sommeillaient dans leur berceau taillé dans le tronc d'un kénoab rouge. Puis, c'était de nouveau au tour de Torance qui discutait cette fois-ci avec Shanandra sur la terrasse d'une maison privée de Goromée. Et que dire de ce souvenir de jeunesse, encore très vivace en elle, dans lequel Torance l'embrassait sur la bouche au cours d'une transe !

N'y tenant plus, Solena souleva doucement la tunique du prince. La nuit était venue sur la capitale élorienne. À la lueur des torches plantées aux coins des rues, elle contempla le nœud de cicatrices qui formaient un renflement sur le sternum du jeune homme. *Il y a cinq cents ans, j'ai arraché de son torse la pierre du destin...* Cette pensée, si étrange qu'elle parût, ne la dérangea pas. Depuis son retour à Wellöart, elle avait peu à peu accepté l'idée qu'elle avait jadis incarné la messagère Shanandra.

L'air était lourd dans la chambre. Torance bougea dans son sommeil. Solena s'empressa de rabattre le tissu sur sa peau.

Le jeune homme battit des cils. Elle se sentit prise de panique. Ils se dévisagèrent dans la pénombre orangée.

— Je rêvais à... commença-t-il.

— À?

— ... Phramir. Il avait peur, tout seul. Il venait vers moi et posait sa tête sur mon épaule.

Une porte grinça. Thorgën était de retour.

— Alors? s'enquit aussitôt Solena en se levant.

— Cela n'a pas été facile, mais j'ai trouvé notre homme.

— Et?

Le guerrier blond lança son kaïbo au prince et deux amples tuniques munies de capuchons à Solena. Celle-ci comprit que la mission de Thorgën avait été un succès.

Elle se tourna alors vers Torance.

— Hâtons-nous.

✱

Leur guide, un diacre élorien, était un futur légide du nom de Gribère. Il les accueillit sous une porte cochère et les devança en silence. Ils traversèrent des jardins soigneusement entretenus, qui embaumaient d'odeurs riches et sucrées, foulèrent des dalles jonchées de pétales de fleurs.

— Nous sommes dans les anciens jardins des rois d'Élorîm, expliqua Solena. Et, pour Torance : Cela ne te rappelle rien ?

Le prince avançait, l'esprit troublé par des sentiments contradictoires. Dans son rêve, il avait vu Phramir, mais aussi Solena en train de l'embrasser, lui. Ensuite, il s'était réveillé et avait aperçu le visage de la jeune femme tout près du sien.

Gribère était donc un futur gardien de la foi du Torancisme. Lorsqu'ils s'étaient rejoints, il leur avait montré un petit tatouage qu'il cachait sous un pansement – un scorpion à double dard qui protégeait une plume : le symbole du Wellön qu'arboraient, en secret, les fidèles d'Évernia.

Sous la capuche, les traits de l'homme étaient placides et calmes comme une eau pure.

— Par ici ! dit-il.

Ils entrèrent dans un bâtiment, descendirent un escalier, suivirent de nombreux dédales. Les murs de brique furent peu à peu remplacés par d'autres en pierre brute. Les décorations de mosaïque disparurent et laissèrent la place à des fresques à moitié effacées par les siècles.

— Je suis déjà venu ici, maugréa Torance, les sourcils plissés.

Ils tombèrent sur deux patrouilles. Le guide leva sa capuche. Les soldats le reconnurent et les laissèrent passer.

— Soyez prudent, leur lança un sergent. Nous traquons des brigands depuis quelques nuits.

Le diacre Gribère expliqua que la chose était très inhabituelle, car ils ne se trouvaient pas dans le palais du gouverneur, mais sous l'église. Et il n'y avait ici aucun objet de valeur, excepté ceux dévolus au culte.

Solena et Thorgën échangèrent un regard perplexe. Torance nota leur inquiétude.

— Pressons-nous, haleta la cristalomancienne.

Le guide ouvrit une grosse porte. Elle donnait sur une chambre creusée à même la roche.

Torance approcha sa torche.

— La statue de la déesse, s'exclama Solena, les larmes aux yeux.

Une statuette en bois de kénoab noir se dressait, seule, dans la pièce nue. Elle mesurait environ un mètre trente de haut. Son visage était rond, ses traits à peine esquissés, sa poitrine opulente. Détail spécifique : elle tendait les bras en avant et ses mains ouvertes étaient représentées non pas dans une attitude de prière, mais dans la position caractéristique des cristalomanciens.

Gribère expliqua que depuis des siècles, cette statue sacrée de la déesse était protégée par des légides qui avaient en secret prêté serment à Évernia. Il sortit un petit éclat de cristal bleu de sa tunique, et l'exhiba.

— Je savais que vous deviez venir ce soir, dit-il. Faites vite.

Solena le remercia d'un sourire. Cet homme lui était vaguement familier ; non dans son corps, bien entendu, mais dans son âme.

La cristalomancienne se plaça derrière la statue. Comme elle s'y attendait, une cavité était creusée dans son dos. Elle y introduisit la pierre du destin.

Ce geste lui parut aussi familier que le diacre. Puis, tandis qu'elle s'agenouillait devant la déesse, elle se souvint que Shanandra avait agi de la même manière, un demi-millénaire plus tôt, dans des circonstances presque similaires.

Sauf qu'à cette époque, nous recherchions des tablettes…

L'illumination se produisit quelques secondes plus tard. Une lumière orangée très douce, accompagnée par un son « *oooo !* » plus doux encore, s'éleva.

— On dirait que la pièce et le temple tout entier baignent dans une énergie fabuleuse, murmura Thorgën, pétrifié de respect.

— La cristalomancienne nettoie l'espace subtil du temple, expliqua fièrement Gribère. Bientôt, les fidèles reviendront. Et notre église pourra de nouveau accomplir des miracles.

Thorgën entendit un déclic. Une niche s'ouvrit dans la paroi. Il posa son sac de cuir sur le sol, se pencha… et lâcha un juron de soldat !

Solena sortait de sa transe.

— Que se passe-t-il ?

— Vide, souffla Thorgën.

— Ce n'est pas possible !

Elle vérifia elle-même, sentit une faiblesse soudaine dans ses jambes.

— Quelqu'un est passé avant nous. Mais qui ?

— Les brigands, avança Gribère.

Il sortit de la chambre comme un somnambule. Torance se tenait dans le chambranle. Il le saisit soudain par sa capuche.

— Attends !

Un chuintement vif retentit.

Gribère tomba à ses pieds, une flèche plantée dans le crâne.

Torance voyait les serpents de lumière voleter autour de lui dans la galerie. Il emboîta l'une dans l'autre les deux parties de son kaïbo et se mit en position de combat. D'autres flèches jaillirent des ténèbres. Il les dévia avec habileté.

Solena passa la tête par le chambranle, mais Thorgën la tira en arrière. Une flèche ricocha dans la pierre à quelques centimètres de son visage. Ensemble, ils traînèrent le corps du jeune diacre.

La cristalomancienne ouvrit son sac, sortit son manteau blanc, en recouvrit le corps.

— C'est trop tard, murmura Thorgën.

Le chuintement des flèches était effrayant, même pour un guerrier aussi aguerri que lui. En écoutant ce son clair et bref, le Goréen se disait que ces archers n'étaient pas des soldats ordinaires. En une fraction de seconde, il repensa à leur aventure dans la cité de Nivène.

Pendant ce temps, Torance jouait de son kaïbo. Autour de lui, les serpents murmuraient à ses oreilles. Il n'en avait plus aussi peur, mais ne comprenait toujours rien à ce qu'ils pouvaient bien lui vouloir.

Solena était agenouillée devant Gribère. Celui-ci avait encore les yeux grands ouverts.

Même mort, on dirait qu'il se demande qui sont ces hommes qui nous attaquent, songea Thorgën.

La cristalomancienne tenait les mains du diacre entre les siennes. Comme à plusieurs reprises auparavant dans des circonstances identiques, elle assistait à un véritable miracle. Devant ses yeux, l'âme du prêtre se détachait de son enveloppe corporelle. Solena le voyait quitter sa vie de chair et d'illusions, et renaître à sa vie spirituelle.

Gribère lui sourit. Son visage éthéré passa près du sien. Solena put alors y voir d'autres figures superposées: celle, entre autres, d'une femme sévère d'une cinquantaine d'années que Solena reconnut distinctement comme l'ancienne gardienne des dortoirs pour les filles, au temple-école d'Éliandros. Une seconde s'écoula, puis le visage se changea en un autre encore plus ancien.

Dame Servinia! s'exclama silencieusement Solena.

Cette femme d'autrefois les avait déjà guidés, Torance et elle, dans ces mêmes souterrains, à la recherche des fameuses tablettes de Mitrinos!

Thorgën lui secoua le coude. L'assaut avait cessé.

Solena eut un mauvais pressentiment

— Où est Torance? demanda-t-elle.

— Les archers se sont repliés. Il les a pris en chasse.

La cristalomancienne traita le prince de fou.

Puis, récupérant la pierre du destin, elle contempla la lumière orangée qui disparaissait tel un voile diapré d'étoiles et répéta dans un souffle:

— L'imbécile!

Le duel

Torance n'eut pas à aller bien loin pour débusquer un premier agresseur. Il renversa la silhouette qui courait devant lui et posa sa lame sur sa gorge.

— Holà, manant !

Ses yeux s'habituant à l'obscurité, le prince se raidit.

— Toi ? s'étonna-t-il en éloignant son kaïbo.

Le garçon s'adossa à la paroi. Il haletait, il avait froid et peur.

— Galopin, laissa tomber Torance.

— Je me nomme Talos ! rectifia le jeune esclave.

Le prince le releva. Au loin, des pas résonnaient sur les dalles.

— Comment se fait-il que…

Thorgën et Solena les rejoignirent.

Talos – ainsi qu'il avait décidé de se faire désormais appeler – expliqua que peu après leur départ de la caravane, un homme masqué accompagné par des guerriers l'avait racheté à son maître.

— Et le vieux a accepté ? fit Torance.

— Le Voyageur, plaida Talos, a présenté des arguments de poids.

Solena sourit. Les manières et l'élocution raffinée du jeune esclave le lui rendaient décidément très sympathique.

Torance exhiba une de ses lames.

— T'a-t-il acheté en montrant ceci, Galopin ?

— Mon nom est Talos, s'entêta le garçon.

À son air il était clair, cependant, que Torance avait vu juste.

Thorgën entendit des pas. Ceux de leurs agresseurs ? Ceux des gardes ?

— Ne restons pas ici.

Solena possédait un bon sens de l'orientation. Ils s'extirpèrent des entrailles du bâtiment et débouchèrent sur une esplanade plantée d'égoyiers en fleurs. Vers l'est rosissaient les premiers feux de l'aurore.

Thorgën laissa échapper un soupir de dépit. Torance fronça les sourcils, car il lui semblait que le guerrier blond n'avait qu'une envie : retrouver au plus vite ces « trésors » cachés dans les niches des temples qu'ils visitaient.

Soudain, Solena murmura :

— Écoutez…

Les jardins paraissaient sommeiller. Mais Torance et Thorgën avaient l'instinct développé.

Le guerrier blond tira Talos par le bras.

— Où sont tes amis ?

— Ce ne sont pas mes amis. Ils m'ont…

Une branche craqua sous une galva de soldat. Un demi-cercle de torches s'alluma devant eux. Un homme de haute taille enveloppé dans un manteau muni d'un capuchon s'avança.

Solena l'imita.

— Le Voyageur, je suppose ? dit-elle.

L'homme masqué s'inclina légèrement.

— Vous avez en votre possession quelque chose qui m'intéresse.

Bien que déformée par le tissu du masque, sa voix dénotait celle d'un homme encore jeune. Mais sa posture souple et assurée et son port de tête révélaient surtout l'homme d'action et d'expérience.

Solena sourit néanmoins.

— Il se trouve, répondit-elle, que vous avez pris dans ce temple des objets qui nous appartiennent.

Le Voyageur émit un sifflement moqueur.

— L'aube est le moment dans la journée que je préfère. Il est propice aux duels. Ne trouvez-vous pas?

Torance tendit son kaïbo : la douzaine de soldats qui entouraient le Voyageur dégainèrent leurs épées. Mais ce dernier ne l'entendait pas ainsi. Doucement, avec des gestes mesurés, il sortit un éclat de cristal rouge d'une sacoche suspendue à sa ceinture.

Solena prit à son tour dans sa tunique un cristal de goromite blanc.

Thorgën la dévisagea, l'air de dire : « Est-ce bien raisonnable ? »

Mais après tout, la dernière cristalomancienne savait ce qu'elle faisait.

— Que le vaincu accepte de remettre ce qu'il a en sa possession au vainqueur, proposa le Voyageur.

— N'acceptez pas, souffla Thorgën à l'oreille de Solena.

La jeune femme tapota l'épaule du guerrier.

— La chose est entendue, annonça-t-elle en écartant d'un geste la lame du kaïbo de Torance.

Le prince voulait prendre Thorgën à part. À quoi rimait ce duel ? Et ces visites dans différents temples ?

Le jeune Talos le tira par une manche et lui expliqua que ces hommes l'avaient forcé à s'introduire dans les souterrains. Muni d'une carte que lui avait donnée le Voyageur, le gamin s'était rendu dans la chambre de la statuette, avait découvert la niche, l'avait crochetée avec un outil spécial et l'avait vidée.

— Qu'y avait-il à l'intérieur? s'enquit Torance, dévoré de curiosité.

Un éclair de sang jaillit de la main du Voyageur. Solena évita le rayon mortel et contre-attaqua avec un éclair blanc.

— Cristal de grenat contre goromite blanche, lâcha Thorgën entre ses dents. Solena n'a aucune chance.

Torance écarquilla les yeux. Le cristal de leur ennemi était-il aussi puissant?

— Non, rétorqua le guerrier. Seulement, l'illumination du temple a épuisé notre amie.

Les deux adversaires tournaient l'un autour de l'autre. Ce duel demandait plus de ruse et d'agilité spirituelle que de muscle.

Au-dessus de l'esplanade, la nuit mourante se drapait de voiles rouges et blancs. Au loin, la cité s'éveillait. Des esclaves éteignaient les flambeaux au coin des rues. Les crieurs de nuits annonçaient la sixième heure. Des odeurs de pain frais se mélangeaient à celles des fleurs sauvages.

Soudain, un éclair rouge perça la fragile coque de protection de Solena et l'atteignit à la clavicule.

Torance réagit d'instinct.

Il tendit les bras. Les serpents de lumière fondirent sur les soldats.

Le Voyageur visa le prince. Thorgën lui lança son kaïbo au visage. L'arme frôla l'homme masqué qui en perdit son cristal.

Au même moment, un flottement d'aile fit ployer les frondaisons des égoyiers. Phramir se posa dans un nuage de poussière. L'oiseau de proie s'approcha de Torance et posa un instant sa longue mâchoire de saurien sur son épaule.

Thorgën souleva Solena dans ses bras et la hissa sur le dos de l'éphron. Torance l'imita. D'un geste, il noua ensuite à distance un serpent de lumière autour du cou du Voyageur.

— Retiens tes archers!

Phramir battit des ailes.

— Attendez-moi! s'écria alors le jeune Talos.

Thorgën lui tendit la main.

— Attrape!

L'oiseau de proie fit un cercle au-dessus des hommes éberlués, passa en rase-mottes sur leurs têtes, puis il gagna le ciel de la cité.

Le Voyageur étouffait et se tordait sur le sol. Ses hommes restaient pétrifiés d'horreur. Peu à peu, l'étreinte du serpent de lumière se relâcha et l'homme masqué se releva en pestant.

Malgré son apparente défaite, il n'était pas trop mécontent de sa nuit. Non seulement il n'avait pas perdu ce que l'enfant avait volé pour lui dans la niche de pierre, mais la dernière cristalomancienne était gravement blessée.

À n'en pas douter, son maître secret serait fier de lui…

✶

Les nuits froides du désert n'étonnaient pas plus Torance que ne l'avait fait la cité d'Éloria. Sans doute Solena avait-elle raison: le prince devait connaître cette région.

Après leur fuite, ils avaient volé en direction du sud. Très vite, cependant, ils avaient dû faire une première escale, allumer un feu et installer un camp.

Emmitouflée dans son manteau de laine blanc, Solena grelottait de fièvre. Un feu clair crépitait. Les insectes nocturnes voletaient autour d'eux.

Torance rampa hors de ses couvertures et dénoua sans bruit les cordons qui fermaient le sac en cuir de Thorgën. Depuis Nivène, la curiosité le taraudait. Mais depuis leur aventure à Éloria, c'était devenu une obsession.

Le sac contenait un mystère, un « trésor » comme disait Thorgën. Torance voulait absolument en avoir le cœur net.

Au moment d'écarter les pans du sac, une lame se posa sur sa carotide.

— Referme-le gentiment, demanda Thorgën.

Torance recula.

— Place tes mains le long du corps, s'il te plaît.

Talos s'éveilla. Non loin, Phramir grognait. Solena dormait toujours d'un sommeil agité.

— Et alors ! s'exclama Torance. Tu veux te battre, c'est ça ?

Thorgën haussa les sourcils. Solena avait raison de dire que le prince était « jeune », parfois. De nombreuses subtilités lui échappaient encore.

Il le lui dit.

— Je me demande parfois si vous recherchez réellement la formule volée par Keïra ! lâcha le prince, et si je vais moi-même retrouver la fille que j'aime !

— Doutes-tu de Solena ou de Mérinock ?

Torance se méfiait effectivement du mage.

— Vous me cachez la vérité, balbutia-t-il, cela n'a que trop duré. Sois je suis avec vous, soit je m'en vais, et Phramir part avec moi.

Solena geignit dans son sommeil.

— Elle va très mal, se désola Thorgën.

Il prit un linge humide, le trempa dans un bol d'eau fraîche parfumé à la myrrhe et à l'huile de *barbousier*, un antiseptique puissant et naturel.

— Dans son cas, la fièvre n'est pas l'ennemi, expliqua Thorgën.

— Je vais chercher un peu d'eau, fit Talos.

Thorgën dévisagea le prince.

— Cela ne te rappelle-t-il donc rien ?

— Je veux la vérité, s'entêta le jeune homme.

De loin, Talos crut que les deux hommes allaient en venir aux mains. Mais Thorgën déclara seulement d'un ton rogue :

— Nous sommes en quête du chevalier de cristal et nous n'avons nul besoin de chercher Keïra ni la formule. C'est elle qui nous poursuit. Quant à la Princesse messagère Shanandra, trouvons le chevalier et tu retrouveras ta promise.

Solena gémit de nouveau. Ses traits se tordirent comme si elle se disputait avec quelqu'un. Sa blessure, pourtant, ne semblait pas s'être infectée – le manteau de la déesse y veillait !

Thorgën et Torance se consultèrent du regard.

« Elle voyage loin de nous », fut le seul commentaire du guerrier blond.

LA PETITE ÉGLISE

L'océan faisait miroiter ses eaux grises et argentées mouchetées d'écume. Le rocher, en contrebas de la falaise, ressemblait à un beignet troué. Sur le plateau dit de *Ravagna* s'étiraient d'anciens pâturages peuplés d'une foule de gens venus à pied, à dos de chameau, à cheval ou en carrioles de toutes les régions de la province d'*Atinox*, et même des îles mystérieuses et sauvages de *Midriko*. Non loin bouillonnaient le flot tumultueux de la célèbre cascade d'*Atinor*.

Caché sous une immense tente installée à proximité de l'église érigée sur le plateau, Phramir avait du mal à comprendre pourquoi il devait se tenir tranquille. Torance le lui avait pourtant expliqué. Cependant, l'oiseau de proie semblait croire à une sorte de jeu, et il insistait pour que le prince reste avec lui.

Ils étaient arrivés en pleine nuit, alors que le plateau était encore froid et désert. Depuis, le soleil s'était levé sur l'océan, majestueux comme chaque jour ou presque en ce mois estival de Milosis, et les premiers pèlerins avaient commencé à affluer.

Solena marchait encore avec peine. Mais grâce à ses onguents et au manteau de guérison de la déesse, elle était presque rétablie. Thorgën avait insisté pour qu'elle prenne un peu de repos dans le camp installé à la frontière de la province d'Atinox. Mais la cristalomancienne craignait que leur retard ne permette au Voyageur de récupérer avant eux les «pièces» cachées dans le temple aquatique d'Atinor.

— Comment pourrait-il les trouver? se récria Thorgën. Nous seuls savons que…

— Il avait une carte en sa possession, à Éloria, le coupa Solena.

Talos était parti en quête de denrées. Lorsqu'il était esclave, son travail consistait, entre autres choses, à marchander les aliments auprès des négociants pour le compte de son vieux maître. Solena lui avait remis quelques draks en argent: de quoi se procurer un festin de roi.

La jeune femme soupira. Thorgën la voyait, perdue en contemplation devant ce rocher étrange, certes, mais pas plus beau ou original, de par sa forme, que bien d'autres accrochés aux alentours.

— Vous semblez fascinée, laissa tomber le guerrier blond.

— Je me souviens, répondit Solena, rêveuse.

Cinq cents ans plus tôt, ce plateau essentiellement utilisé chaque jour comme pâturage par des dizaines de pâtres avait été le théâtre d'une vaste opération militaire. En fouillant dans les souvenirs qui lui venaient de la vie de Shanandra, Solena revoyait l'armée du tout jeune roi Atinoë. Astarée, la grande cristalomancienne du roi Sarcolem, les avait pourchassés jusqu'au bord de cette falaise. Shanandra, Torance et leurs compagnons avaient dû, pour lui échapper, poser un acte de foi pure: s'en remettre totalement à Shanandra qui avait appris, par le biais de ses transes, que ce rocher troué n'était pas un quelconque rocher, mais une sorte de porte dimensionnelle qui avait le pouvoir de transporter des « passagers » du plateau sur l'île qui s'élevait à quelques encablures du rivage.

— Voyez-vous le temple ? demanda-t-elle à Thorgën en fixant la langue de terre, au large.

La lumière du soleil était trop vive, à cette heure, pour bien distinguer chaque relief de l'île. Il semblait toutefois au guerrier que des bâtiments se détachaient des blocs de rochers.

— Ce temple a été érigé par les premiers Toranciens, expliqua Solena. Ces gens pressentaient qu'en cet endroit vivait une force de guérison incroyable.

Thorgën avait entendu parler de ce lieu de pèlerinage où des milliers de malades venaient chaque année, durant le mois de Milosis, pour attendre… des miracles !

— Mais ces miracles se font de plus en plus rares de nos jours, ajouta Solena. Le chakra ou centre d'énergie que nous avions autrefois réaligné est de nouveau engorgé de scories mentales, et surtout émotionnelles. Les gens viennent. Ils laissent leurs peines, leurs tourments, leurs ressentiments, leurs haines et leurs frustrations sur cette île. Ils repartent soulagés, transformés ou guéris. Mais leurs pensées stagnent et forment une sorte de capuchon au-dessus de la région.

Thorgën leva les yeux comme s'il pouvait voir ces nuages gris et ternes dont parlait la cristalomancienne.

Pourtant, le soleil brillait. L'air était encore vif.

— Ne cherchez pas, lui recommanda Solena. Ressentez plutôt et vous saurez, comme moi, que ce chakra doit de nouveau être purgé.

Le guerrier goréen lui lança une œillade inquiète.

— Je ne suis pas tout à fait remise, c'est vrai, approuva la jeune femme. Mais le temps joue contre nous. Si le rocher troué ne fonctionne plus comme autrefois, nous devrons faire comme tout le monde : louer une embarcation à prix d'or et aborder l'île en traversant le bras de mer. Mais avant…

Elle sourit à Talos qui revenait les bras chargés de pâtisseries fines faites à la main, dont plusieurs *nokoums*, des gâteries citronnées à base de noix de kénoab et de farine de *quimo*, sucrée au miel – un des desserts préférés de Thorgën.

Le guerrier tendit sa main et prit le feuilleté encore chaud. Il aurait tant aimé se trouver en ce lieu en compagnie de Cléminandre et de Chimène ! Il songea au jouet qu'il sculptait patiemment et qui n'avançait pas assez vite à son goût.

La voix de Solena brisa le fil de ses douces pensées.

— Tant d'enfants autour de nous, murmura-t-elle tristement.

Elle échangea un regard las avec le guerrier blond. Lui aussi avait une enfant. Lui aussi était séparé d'elle.

— Talos, ajouta-t-elle en s'adressant au garçon, peux-tu demander à Torance de venir, s'il te plaît ?

Le gamin obtempéra, même s'il ne savait pas si le prince pourrait facilement échapper à l'affection envahissante de Phramir. La jeune femme dut capter sa pensée, car elle lui répondit qu'il pourrait peut-être prendre sa place auprès de l'éphron. « Il t'aime bien, je crois. »

— Surtout, ajouta-t-elle, ne le laisse pas déchirer la toile ! Il sèmerait la panique sur le plateau et nous n'avons vraiment pas besoin de ça.

Torance les rejoignit devant le rocher troué quelques minutes plus tard.

— Phramir vient de manger, annonça-t-il gaiement. Comme il n'a pas dormi beaucoup la nuit dernière, il devrait se reposer.

Il contempla le plateau de Ravagna, émit un sifflement dubitatif.

— Pourquoi nous avez-vous conduits ici?

Solena lui montra le rocher en forme de beignet.

— Ce lieu te rappelle-t-il des souvenirs? Ferme les yeux, écoute le bruit des chutes, puis penche-toi au-dessus du vide.

Après son altercation avec Thorgën dans le désert, Torance avait accepté de «jouer le jeu». Il tenterait de se creuser la tête pour se remémorer sa vie d'avant ce que Solena appelait «son long sommeil».

— Je ressens, dit le prince...

Le bruit de la cascade lui amenait dans les oreilles des cris d'hommes et de femmes, le bêlement effarouché de nombreux troupeaux de chèvres et de moutons. Le cliquetis des armes qui s'entrechoquent. Et à cet endroit précis, au-dessus de ce rocher troué...

— Je ne me sens pas bien, ajouta-t-il en pâlissant.

— Tu as peur, n'est-ce pas? le provoqua Solena.

— L'idée de tomber dans ce précipice n'est, en effet, guère rassurante.

Thorgën sourit, car cette pirouette verbale pour éviter d'avouer qu'il avait les jambes flageolantes était caractéristique des jeunes gens présomptueux. Cependant, il ne se moquait pas: lui aussi avait eu peur dans sa vie!

Des cris et des éclats de voix – le brouhaha habituel d'une foule de marchands et de pèlerins – montaient dans leur dos.

— Ne te souviens-tu de rien à part ces simples réminiscences? demanda encore la cristalomancienne.

Torance haussa les épaules.

— Sommes-nous déjà venus ici?

— Nous y étions, toi et moi, il y a longtemps.

— Dans cette «autre» vie qui était la mienne?

Torance s'imprégna de cette idée. Car s'il se rappelait Shanandra, son rire clair et ses yeux sombres, sa vie passée était encore ensevelie sous une brume épaisse. Les serpents de lumière tournoyaient autour de lui. Ne lui soufflaient-ils pas, eux aussi, que cet endroit lui était familier ?

Solena prit sa main. Étonné, Torance se laissa faire.

— Entrons dans cette église, dit-elle. Je veux te montrer quelque chose.

Thorgën les suivit de loin. Son œil de soldat, entraîné à déceler le moindre signe de danger, était en alerte. Il y avait trop de monde. Et trop de monde signifiait aussi une certaine impossibilité à contrôler le cours des événements.

Solena et Torance discutaient devant lui. Il pressa le pas pour les rejoindre. En passant devant leur tente, il s'assura que Talos avait rabattu la toile et bien noué les cordons de cuir. Que se passerait-il si jamais un pèlerin jetait un œil dessous ?

Thorgën préféra ne pas imaginer la confusion et la terreur qui s'emparerait de cette foule pour l'instant plutôt pacifique.

Des enfants couraient entre les chariots. Beaucoup de choses, il le savait pour avoir élevé sa fillette, arrivaient grâce – ou à cause – des enfants. De leur curiosité naturelle, de leur insouciance, de leur innocence.

Torance et Solena gravirent les marches conduisant sous la colonnade de ce qui était à l'origine un temple dédié à l'ancien géant Atinor, et qui avait été par la suite converti en église du Torancisme.

Ils pénétrèrent dans la nef : une simple salle haute de plafond plantée de quelques piliers de bois, aux murs percés de beaux vitraux. Des bancs luisants de lumière accueillaient les fidèles. Sur l'autel, un prêtre en costume traditionnel devisait avec quelques visiteurs. De part et d'autre de la grande pierre de grès ronde s'élevaient deux statues. Celle du jeune Saint-Cristin et celle du vaillant Pirius : deux parmi les plus importants compagnons du Prince messager Torance.

Ils saluèrent humblement des fidèles venus pour prier et acceptèrent, avant de monter les degrés menant à la « pierre du sacrifice », de s'incliner devant le jeune Torance sculpté dans une position bien inconfortable : celle du sacrifié.

Les signes extérieurs du Torancisme étaient rares dans cette église. Mais l'énergie en suspension dans l'air, murmura Solena, était de qualité. À son avis, des générations d'hommes et de femmes ayant dans le cœur les qualités enseignées par le Torancisme avaient défilé sous ces voûtes. La force de leurs âmes réunies vibrait encore dans l'espace subtil de la nef.

D'autres fidèles entraient. Peut-être serait-il bientôt l'heure de célébrer le *mistel* ou messe durant laquelle le prêtre parlerait du Prince messager, de sa mission, de son message de paix ?

Solena ne pouvait s'empêcher de sourire.

Après tout, leur mission à Torance et à elle avait surtout, à l'époque, consisté à réveiller chacun des chakras de la Terre afin de nettoyer les égrégores. En même temps, Torance avait certes parlé à des foules tandis que, plongée dans une transe profonde, Shanandra avait quant à elle purifié l'air autour d'eux pour que chacun puisse écouter, comprendre et ressentir les paroles que Torance prononçait sous la dictée de son Âme supérieure – ce que les légides du Torancisme avaient pris par la suite pour la voix de Gaïos, le « Père ».

En vérité – et c'était là le plus drôle –, toute cette religion, le Torancisme, reposait sur des interprétations erronées de leur véritable mission. Les Premius avaient fait réécrire les véritables Évangiles. Ils avaient gardé ce qui servait leur cause et balayé du revers de la main les récits ou les principes purement philosophiques qui allaient à l'encontre de « l'idée » ou de la « direction » qu'ils voulaient donner à cette nouvelle croyance émergente qu'était, à l'époque des premiers empereurs de la lignée des Sarcolem, le Torancisme.

Torance ne savait trop pourquoi Solena l'avait attiré en ce lieu.

— Viens, dit-elle, je veux que tu regardes cette pierre d'un peu plus près.

Plus Torance avançait, plus ses jambes devenaient lourdes et douloureuses.

Soudain, il se raccrocha au bras de la jeune femme. Ses lèvres tremblaient.

— C'est bien ce que je pensais, fit Solena.

Il la dévisagea sans comprendre.

— Regarde ce garçon qui souffre. Regarde ses membres écartelés, noués sur cette pierre. Dis-moi encore ce que tu ressens.

Le prêtre vit cette femme et ce jeune homme, et il vint vers eux. Mais Solena lui fit signe de rester à sa place. Respectant la volonté de cette fidèle, il s'occupa d'une mère et de son garçon en pleurs.

— Alors? insista-t-elle en rivant ses yeux dans ceux du prince.

Torance avait mal dans tout son corps. Cet adolescent sculpté dans la pierre et lui vivaient le même mal. Un voile se déchira dans son esprit. Des pans entiers de souvenirs ressurgirent.

— Viens…

Solena le conduisit à l'autel, devant un lutrin en bois noirci par les ans. Dessus était posé un livre rédigé en ancien goréen – une langue qui n'avait plus cours au sein du peuple, mais qui demeurait, encore aujourd'hui, celle dont se servaient les clercs, les lettrés et les religieux.

Solena ouvrit la reliure, tourna les pages, s'arrêta devant une illustration montrant les disciples du Prince messager réunis devant ce qui ressemblait à une potence.

Elle lut :

« Et les méchants firent monter le Prince messager en compagnie des autres condamnés. Ils dénouèrent ses mains, les attachèrent à la roue de pierre. Enfin, après avoir fouetté son corps, ils lui passèrent le ver de *coriabe sacramentel* autour du cou. »

Malgré lui, le prêtre s'était approché. Les traits tendus, plus étonné qu'en colère, il écoutait Solena lire les psaumes sacrés.

L'église, à présent, était pleine de monde. Un diacre fit tinter le tocsin qui annonçait le début du mistel.

— Alors ? s'obstina Solena. Que vois-tu ? Que ressens-tu ?

Les serpents invisibles tournoyaient, virevoltaient, scintillants, murmurants, énervés.

Je touche un point sensible, devina Solena.

— La trahison est partout, balbutia Torance. Shanandra, Shanandra…

— La Princesse messagère t'accompagne, approuva la cristalomancienne. Mais encore !

— Nous avons été capturés, séparés. On m'a… jugé…

Ce mot était sorti avec difficulté. Les yeux rougis par les larmes, Torance était pris de frissons incontrôlables.

Solena reprit sa lecture :

« La pluie de grêle envoyée par Gaïos balaya les rues, chassa les badauds et les soldats. Un unique croyant demeura. Le sage légide Pélios Telmen assista, seul, au miracle envoyé par le Seigneur du ciel. Emporté sur les ailes dorées de Gaïos, son père, le divin Prince messager fut délivré du supplice et de la mort elle-même. »

Torance s'agenouilla sur les marches de l'autel.

— Mon fils, lui dit alors le prêtre en posant une main sur la nuque du jeune homme, tu souffres.

Le religieux ressentit une véritable décharge électrique, se plaça devant le prince, examina les traits de son visage qu'il compara à ceux de la représentation sculptée du Prince messager.

— Par Gaïos ! murmura-t-il, le souffle coupé.

Solena ignorait le prêtre. Le moment était fragile.

— Que vois-tu encore, Torance !

Le prince se dressa devant la pierre sculptée.

Il poussa un cri qui saisit la foule de stupeur. On entendit ensuite un craquement sinistre. Les fidèles reculèrent. La pierre du sacrifice venait de se fendre, brisant également en deux le corps de la statue suppliciée.

Solena essuya les larmes qui inondaient ses joues. Certains fidèles criaient au démon. « Morph est parmi nous ! » Mais d'autres, plus intuitifs, étaient pénétrés par l'idée plus céleste et lumineuse que le divin Prince messager venait au contraire de leur donner un signe. « Il est de retour ! », murmuraient-ils, les yeux brillants de joie.

Le prêtre présenta un pichet d'eau à Solena. Elle hésita entre donner à boire au prince ou bien lui vider le contenu sur la tête.

— Sais-tu qui tu es, à présent ?

Un vacarme épouvantable venant de l'extérieur de l'église empêcha Solena d'entendre la réponse du prince.

La foule semblait tétanisée. Talos et Thorgën se faufilèrent entre les gens immobiles.

— Qu'y a-t-il? s'enquit la cristalomancienne.

— Des soldats! haleta Thorgën. Ils ont envahi le plateau. Ils vont brûler l'église.

8

LUMIÈRES ET SERPENTS

Fait de murs en pierre et de bois massif, le bâtiment n'aurait pas dû s'embraser aussi vite. Mais Thorgën sentait des odeurs d'huile mélangée à de la tourbe. Les premières flammes jaillirent du toit.

La foule se rabattit comme un seul homme devant les lourdes portes. Hélas, elles étaient bloquées de l'extérieur ! Le temple ayant été construit sur le modèle d'une forteresse, une seule autre issue donnait sur le modeste logis du prêtre.

Les fidèles s'y rabattirent en hurlant. Ils crièrent de plus belle lorsqu'ils s'y firent tailler en pièces par des soldats.

Solena soutenait Torance. Le jeune prince était encore sous l'émotion des derniers événements. Il la regarda comme s'il la voyait pour la première fois, haussa les sourcils.

— Des soldats nous ont enfermés dans l'église, expliqua-t-elle.

Thorgën saisit Talos par le col de sa tunique.

— Va me…

Mais il se tut : l'enfant tenait un poupon dans ses bras. Un couple et un vieux soldat l'accompagnaient. La femme et son mari étaient en piteux état. Leurs riches vêtements étaient sales et déchirés. Leurs visages portaient les marques de l'épuisement et du désespoir.

— Mes maîtres, déclara dignement le soldat en masquant d'une main sa blessure au thorax, ont besoin d'aide.

Thorgën ne put s'empêcher de rire. Les flammes léchaient les colonnes, la fumée les prenait à la gorge, des cris de détresse leur perçaient les oreilles... et ce soldat inconnu requérait son aide !

Il se tourna vers Solena : il devait tout de même exister un moyen de sortir.

— Torance ! s'écria la cristalomancienne.

Elle le vit immobile devant les portes de l'église, échangea un regard avec Thorgën et dit mystérieusement :

— Il se rappelle qui il est.

Le prince se campa sur ses jambes et appela mentalement les serpents lumineux qui flottaient sans but au milieu des flammes.

Une bourrasque d'énergie repoussa les fidèles contre les murs.

Torance entama ensuite une série de mouvements gracieux avec les bras, les hanches et les jambes. L'art ancestral du srim-naddrah coulait de nouveau dans ses veines.

Les serpents réagirent aussitôt. Rassemblés en une véritable nuée devant les portes, ils se préparaient à livrer bataille.

Peu après, les battants explosèrent. Les débris des chariots entassés sous les colonnes par les soldats volèrent dans toutes les directions.

L'officier qui commandait les opérations avait ordonné à ses hommes de tuer quiconque sortirait de l'église. Mais l'épée au poing, les soldats se heurtèrent à un mur invisible. Jeté au bas de leurs montures, ils affrontèrent ce que les rares survivants appelèrent par la suite des «démons à tête de serpent et aux yeux cracheurs de flammes».

Phramir n'était pas en reste. Intrigué par le bruit, il était sorti de la tente. Il plongeait maintenant en piqué et saisissait les soldats terrorisés dans sa mâchoire.

Torance et Thorgën jaillirent de l'église, chacun armé d'un kaïbo, et se taillèrent un chemin parmi les fantassins à la force de leurs bras.

Pendant ce temps, Solena et le prêtre, assistés de Talos, s'occupaient des plus vulnérables. Le garçon avait confié le poupon à sa mère qui le réclamait malgré son état. La cristalomancienne pansait, bandait, désinfectait, consolait.

Une sorte de barrissement donna le signal de la retraite. Un soldat soufflait dans un cor. Entre deux techniques de kaïbo, Torance eut le temps d'entrevoir un groupe de cavaliers regroupés sur un monticule : sans doute les officiers.

Derrière eux se tenaient un rang d'archers.

Thorgën comprit le danger en même temps que le prince.

— Mettez-vous à couvert derrière les chariots ! ordonnat-il aux marchands et aux fidèles survivants.

Une volée de flèches assombrit le ciel.

Mais, parvenus à mi-course, les traits mortels furent subitement détournés de leur cible par un vent venu de nulle part.

Torance remercia les serpents invisibles. Puis, un cri déchirant retentit. Il courut vers Phramir qui venait d'être blessé.

✱

Le soir vint. Le plateau était parsemé de chariots renversés, d'étals brûlés et de cadavres. Thorgën avait réquisitionné le vieux soldat ainsi que quelques volontaires pour rechercher les officiers : en vain. Le prêtre soutenait Solena dans ses efforts pour soigner les blessés. Civils et militaires passaient entre leurs mains.

La cristalomancienne n'arrivait pas à chasser de son esprit l'image du Voyageur. Cet inconnu aussi déterminé qu'un chasseur avait-il, pour les arrêter, requis les services de l'armée du gouverneur d'Atinox? Quel homme pouvait ainsi sacrifier des civils innocents pour tenter de les abattre?

Talos la rejoignit. Les parents du poupon dont il avait accepté la charge se mouraient.

Solena prit leurs mains glacées. L'homme comme la femme souffraient de blessures légères, mais aussi de mauvais traitements. La cristalomancienne remit à Talos un baume de sa composition à base de beurre de kénoab blanc et d'huile de barbousier.

— Badigeonne leur nuque et leurs tempes, donne-leur à boire de l'eau tiède, rafraîchis leur front.

Elle se releva. La tête lui tournait. Le prêtre vint la trouver. Il avait le visage noir de suie, les yeux rouges, les mains et les bras barbouillés de sang.

— Vous êtes un vrai fils de Gaïos, le complimenta Solena.

Le religieux pleurait. Il ne comprenait pas pourquoi ce lieu de pèlerinage sacré, épargné par la guerre depuis des siècles, avait été si violemment pris pour cible.

Thorgën et Torance revinrent. Autour du prince se pressaient des fidèles. En voyant le jeune homme, le prêtre s'agenouilla et baisa ses mains.

— Mon Seigneur Torance, murmura-t-il, aussi ému qu'émerveillé.

Désireuse d'éviter tout débordement de ferveur hystérique, Solena rappela ses compagnons à l'ordre.

— Il est temps, dit-elle.

Ils empruntèrent un canot à un marchand, traversèrent le bras de mer et gagnèrent l'île d'Atinor. Parvenus à un quai, ils gravirent un sentier taillé dans la roche jusqu'à l'entrée d'une caverne. Le ruissellement incessant des cascades et des fontaines emplissait la nuit de sa mélopée profonde et apaisante.

Cinq cents ans avaient passé depuis que l'île avait surgi des flots après qu'ils aient, la première fois, tiré le temple des vingt-deux « mères » de son profond sommeil.

Solena marchait entre les statues comme une somnambule. Elle comptait dans sa tête.

Torance et Thorgën la suivaient, le kaïbo levé. Le prince se rappelait à présent son aventure en ce lieu. Le combat qu'ils avaient dû livrer contre Astarée, la cristalomancienne envoyée à l'époque par le roi Sarcolem pour leur barrer la route.

La caverne avait survécu aux siècles. Et hormis les bâtiments ajoutés par les Toranciens, tout était en parfait état.

Solena sourit. Les hommes de bonne volonté, qu'ils appartiennent à une confession ou à une autre, avaient le sens du beau chevillé au cœur. « C'est bien ! » se dit-elle en arrivant devant la dix-septième statue.

Nul n'avait osé, comme cela avait été le cas ailleurs, altérer à coup de burin les traits des statues qui, toutes, représentaient encore la déesse.

— Trente-deux, trente-troisième main, finit-elle de compter.

Elle avisa un des nombreux bassins qui ponctuaient ce que les prêtres responsables des lieux appelaient « la chapelle », et commença à se dévêtir.

— Tiens ! fit-elle au prince en lui tendant le collier terminé par la pierre du destin. À mon signal, place-la dans l'encoche située au dos de la trente-troisième main. N'oublie pas, quand tout sera accompli, de la retirer et de me la rendre.

Torance escalada la statue qui se tenait, comme ses consœurs, debout et bien droite, les bras tendus et les mains ouvertes présentées de face dans une attitude non pas de prière, mais de guérison.

Cachés derrière des rochers ou bien dans l'ombre des autres statues, les prêtres et quelques serviteurs, bien qu'outrés par la conduite de ces étrangers, restaient sagement sur leurs gardes.

La lumière argentée de la lune entrait de biais par un interstice ouvert dans les voûtes. À cette heure et en cette époque de l'année, elle tombait droit sur le bassin creusé devant la dix-septième statue.

— Éteins les torches, demanda Solena à Thorgën en laissant choir sur le sol sa dernière pièce d'étoffe.

Lorsqu'elle entra dans le bassin, Thorgën détourna les yeux. Mais Torance, hypnotisé par la blancheur et la beauté du corps de la jeune femme, ne put s'empêcher de la contempler.

— Maintenant! fit Solena en s'immergeant entièrement dans l'eau glacée.

Torance dut s'y prendre à deux fois. Enfin, le déclic net et argenté dont il se rappelait encore la musique retentit.

Quelques secondes s'écoulèrent. Solena tomba en transe.

L'opération était délicate. Il fallait qu'elle entre dans la phase active de sa méditation à l'instant précis où la pierre serait insérée dans son encoche. L'eau, son propre corps, son esprit déployé, la force contenue dans la pierre et le mécanisme secret du temple devaient s'imbriquer les uns dans les autres en une chimie digne d'un horloger de Goromée.

Pierre, chair, eau, esprit, se récita mentalement Solena.

Le temple frémit. Il semblait qu'un orage se préparait dans les entrailles de la Terre.

L'illumination, songea Thorgën, tous les sens en éveil.

Ainsi, où qu'ils aillent, ils régénéraient les centres énergétiques ou «chakras» de la Terre afin que les couches éthériques de l'atmosphère soient purifiées des scories accumulées par les pensées humaines depuis un demi-millénaire. Pour que les pèlerins puissent également, et à nouveau, trouver ici la paix, le réconfort, l'espoir et la guérison.

Mais ce n'était pas tout.

Thorgën assistait, émerveillé, à la « renaissance » du temple. Les yeux de chacune des vingt-deux statues de la déesse se mirent à luire. L'eau des bassins bouillonna, devint translucide. Les rochers alentour brillèrent d'une lumière blanche insoutenable.

Demeurés sur la côte, les survivants pouvaient voir scintiller l'île, tel un joyau au milieu des ténèbres !

Thorgën ne devait pas se laisser distraire par l'exquise sensation d'équilibre et d'harmonie qui baignait à présent le temple. À contrecœur, il guetta un son clair, mais net, qui se produisit tel que prévu quelques secondes plus tard.

Une alcôve s'ouvrit dans le socle du bassin. Thorgën déposa son sac de cuir, se pencha…

Avant que Torance n'ait pu sauter au sol et se pencher sur son épaule, le guerrier blond avait fini de rouler dans une couverture le « trésor » qu'il venait de trouver.

Solena se rhabillait. Déjà, les prêtres venaient à elle, s'agenouillaient, cherchaient à baiser ses mains. Torance refusa tout net d'être adoré.

— Partons, maintenant, dit la jeune femme en tirant son compagnon par le bras.

Ils regagnèrent le continent. Talos les y attendait impatiemment.

Derrière eux, l'île illuminait toujours le firmament, et, sur la petite plage les gens se mettaient à prier et chantaient des psaumes.

Le garçon exhiba le poupon qu'il tenait toujours dans ses bras.

— Ses parents viennent de mourir, fit-il tristement.

Le vieux soldat agonisait, lui aussi. Solena le soutint par la nuque. Il voulait parler : elle lui demanda de se reposer. Mais ce qu'il avait à dire était trop important.

Malgré sa propre fatigue, la cristalomancienne colla son oreille contre les lèvres desséchées du militaire.

— Kessaline de Mylandre, haleta le soldat. Son Altesse Royale la princesse Kessaline de Mylandre…

Mylandre était le nom d'un petit royaume situé au sud de la province d'*Orvilé*. Apparentée à la famille impériale de Gorée, le roi et la reine de Mylandre avaient en fait la charge de gouverneurs, mais drapés d'oripeaux royaux.

— J'ai entendu dire, fit Thorgën, que la paix dans ce royaume a été troublée, dernièrement. Des émeutiers ont jeté le roi et la reine en prison.

— Les parents de la petite ? questionna Solena.

Le vieux soldat hocha la tête. Il avait fui en compagnie du roi, de la reine et de leur unique enfant. Sa compagnie de gardes du corps avait été décimée. En arrivant sur le plateau de Ravagna, ils n'étaient plus que quatre, affamés, perdus et sans ressource.

Solena récita la prière des morts. Puis, une main posée sur le front du vieux soldat, elle assista à l'envol de son âme.

— Nous prendrons soin de la petite princesse, promit-elle.

Talos lui présenta le poupon. Solena fixa la fillette au fond des yeux pendant quelques instants. Puis, souriant, elle déclara :

— Je suis très heureuse de te retrouver, mon amie !

Le prêtre de l'église s'occupa des corps du roi et de la reine de Mylandre. La dépouille du soldat eut droit aux honneurs d'un bûcher funéraire.

Phramir avait reçu deux flèches dans les ailes. Autant dire une égratignure! Torance insista pourtant pour rester près de lui le reste de la nuit.

✳

À l'aube, les cavaliers qui avaient échappé aux recherches entreprises par Thorgën se regroupèrent sur une butte qui dominait le plateau.

Le Voyageur serrait ses rênes. Une fois encore, il avait échoué. Ses hommes gardaient le silence. Heureusement, il se moquait de ce qu'ils pouvaient bien penser ou ressentir. Dans cette aventure, son avis seul comptait!

Un cavalier s'approcha d'eux; il venait du nord. Le Voyageur s'attendait à cette visite qui lui avait été annoncée par le biais de son cristal bleu de communication morphique.

Une jeune femme à peine sortie de l'adolescence, aux mains et au visage sans grâce, ôta sa capuche. Son manteau et ses vêtements étaient gris de poussière. Elle remit un rouleau d'ogrove au Voyageur et attendit, la tête baissée.

Le guerrier reconnut le sceau – la spirale en forme de serpent dans son pentacle, un symbole que lui-même portait tatoué dans sa chair.

Il sourit brièvement en parcourant la missive. Ainsi, il devait «disparaître», se fondre dans le décor. Poursuivre sa mission, mais agir de l'intérieur comme une taupe ou un caméléon.

Cet ordre lui révélait à la fois l'ampleur du pouvoir de celle qui lui avait confié cette mission, et sans doute aussi la piètre opinion qu'elle avait de lui.

Le Voyageur grimaça sous son masque, puis il brûla le rouleau.

— C'est bien, dit-il. Bridine, tu diras à ta maîtresse que sa sagesse est grande. Il sera fait selon sa volonté.

La servante piqua des deux et s'éloigna dans le petit jour.

Peu après, le Voyageur fit ses adieux à ses compagnons. Dorénavant, il cheminerait en solitaire et sous une fausse identité...

9

LA CITÉ DE SABLE

Talos serrait consciencieusement dans sa main les trois draks d'argent que Solena lui avait remis. L'œil aux aguets, il marchait entre les tentes et les abris de fortune montés à la hâte par les pèlerins. Le soleil s'était couché sur le célèbre champ de ruines *d'Orma-Doria*, mais un brouhaha diffus emplissait toujours l'air froid et sec du désert. Dominée par une demi-douzaine de dunes, l'ancienne cité mythique ressemblait à une fourmilière.

Des torches plantées dans le sable le long des bâtiments, des arcs, des colonnades éboulées et sur des avenues bordées par les fameux bassins de guérison créaient, avec leurs reflets ocre et orangé, d'inquiétants jeux d'ombres et de lumières.

Chaque chariot avait sa lanterne, son petit comité d'hommes, de femmes et d'enfants, et son feu de camp. Depuis la résurrection de la cité par le Prince messager Torance et en souvenir de son « Monologue sur les dunes », quantité de fidèles venaient chaque année à Orma-Doria pour méditer et se baigner dans les bassins de sable chaud dans l'espoir, pas toujours réalisé, de guérir de maux physiques ou émotionnels.

Furetant entre les chariots, Talos achetait ici des galettes de quimo, là une jarre de vin épicé, ici des *gomoves*, ces sortes de fruits secs très nutritifs qui se conservaient longtemps. Là, enfin, du lait de brebis, de chèvre ou d'évrok pour la petite Kessaline qui n'avait pas encore un an.

Croisant des miséreux à la mine sombre et des hommes qui en soutenaient d'autres, le garçon avait l'impression de marcher dans quelque ville issue d'un lointain passé peuplé de spectres.

Il marchanda un lot de galettes rancies – c'était tout ce qui restait au vieux marchand édenté ! En même temps, il se demandait pourquoi Orma-Doria avait tant besoin d'une garnison de soldats.

Curieux de tout, il découvrit que durant des siècles, les gouverneurs d'Ormédon avaient perçu une taxe sur chaque pèlerin. C'était le prix à payer pour avoir accès à la cité et peut-être pouvoir guérir. Mais depuis un siècle environ, des bandes de pillards organisées se partageaient le désert de *Pélos*. Et on ne savait jamais quand ils pouvaient surgir.

Frissonnant sous son manteau léger, Talos s'arrêta devant un chariot duquel s'élevaient des pleurs de nourrisson. Leur restait-il un peu de lait pour nourrir une petite princesse ?

Il avait exhibé sa dernière pièce d'argent. C'était bien trop cher payé pour une cruche de lait ! Mais les denrées manquaient et les devins de pacotilles – il y en avait toujours dans les caravanes – prédisaient que la lune se lèverait rouge, cette nuit : signe indubitable de problèmes à venir.

Heureusement, il y avait aussi des prêtres et des légides. Ceux-ci, comme d'ailleurs bien des aventuriers, recherchaient les uns des reliques sacrées ayant appartenues au Prince messager ou à ses proches disciples, les autres les légendaires richesses de la belle Orma-Doria, la célèbre courtisane qui figurait au panthéon des dieux et autres créatures immortelles.

Un bruit attira l'attention du garçon. Il se retourna brusquement. Une silhouette se fondit dans les ténèbres.

Il longea l'allée des bassins de pierre. Même tard dans la nuit, des malades attendaient leur tour pour s'y plonger. Certains prétendaient qu'il fallait la chaleur du soleil pour rendre au sable son pouvoir curatif. D'autres assuraient au contraire que l'énergie de la lune et celle des étoiles décuplait les facultés thérapeutiques du sable.

Les Évangiles du Torancisme restaient vagues sur l'origine miraculeuse des sables d'Orma-Doria. Certains écrits apocryphes osaient même prétendre que le passage seul du Prince messager ne suffisait pas à expliquer la chose. Par le passé, de grands maîtres en philosophie avaient enseigné que Shanandra, cette fille de rien qui avait tenté de séduire le Prince messager, possédait elle-même des pouvoirs magiques. Entre autres, celui d'hypnotiser les foules rien qu'en fixant les gens avec ses yeux de sorcière.

Quant à connaître le pourquoi et le comment de la résurrection de la cité elle-même, personne n'en savait rien.

Talos finit par trouver une mère qui accepta de partager gratuitement son propre lait. Gravement malade, son mari avait guéri aujourd'hui, et c'était sa façon à elle de remercier la bénédiction accordée à sa famille par le Prince messager.

Le garçon gravit la dune située la plus au sud, et se guidant à la lueur projetée par la longue torche plantée près du camp par Thorgën, il rentra auprès de ses compagnons.

Ils étaient tous harassés. Phramir lui-même, qui les transportait sur son dos durant le jour, sommeillait. Torance avait chassé pour lui des barnanes sauvages: les seuls mammifères, avec les rats, qui vivaient dans ces contrées désertiques. Thorgën avait de son côté tué quelques serpents. Leur viande grillait doucement sur le feu.

En passant devant ses amis, Talos salua Torance qui brossait les plumes grises de sable de l'éphron, et Thorgën qui berçait la petite Kessaline. Le prince vérifiait le bâillon placé sur la mâchoire de l'éphron pour l'empêcher de trahir leur présence.

— Désolé, mon ami, c'est une question de sécurité, tu comprends? s'excusa le jeune homme.

Solena se tenait quant à elle un peu en retrait, agenouillée sur une natte faite d'écorce de kénoab blanc.

La cristalomancienne dialoguait une fois de plus avec l'invisible. Une présence ne la quittait pas depuis quelques semaines. Il s'agissait d'une énergie à polarité masculine, forte et bienveillante, mais un peu trop envahissante à son goût.

«Nous nous connaissons, tous les deux», lui soufflait-il à l'oreille tandis qu'elle tentait de prendre contact avec Mérinock.

«Il est prévu, dans le Grand Œuvre du Mage errant, que je renaisse à la vie. Tu verras, tu m'aimeras.»

L'Être riait doucement.

Solena entra enfin en contact avec l'âme de son père.

«Nous avons successivement rallié Nivène, Éloria et le temple aquatique d'Atinor. Nous nous trouvons actuellement devant les ruines d'Orma-Doria. Quels sont les indices, cette fois-ci, père?»

Car elle avait beau chercher dans les souvenirs de Shanandra, Orma-Doria demeurait dans une zone nébuleuse. Des images lui venaient, éparses et imprécises. Une longue marche dans le désert en compagnie d'esclaves ou de compagnons. La statue colossale d'un éphron d'or au pied de laquelle se trouvait une entrée secrète déblayée à grand-peine. Une vaste caverne angoissante remplie de fantômes et de bassins en pierre.

« Que devons-nous exactement trouver, ici ? »

Elle le prévint que le Voyageur envoyé à leurs trousses par Keïra – elle ne pouvait, connaissant les lois célestes, l'appeler réellement « leur ennemie » – avait récupéré à leur place le « trésor » qui se trouvait dans le temple d'Éloria.

Pourraient-ils « retrouver » le chevalier de cristal sans ces pièces essentielles ?

Elle obtint quelques réponses imprécises, comme si le Mage errant hésitait à lui communiquer l'information, s'énerva, perdit le contrôle de ses nerfs et entendit encore, avant de sortir de sa transe, le rire de cet Être qui ne la lâchait pas d'une semelle.

✦

Durant la nuit, Torance refit de la fièvre. Solena se leva malgré son épuisement et lui massa la poitrine et les pieds. Puis, comme le jeune homme n'arrivait pas à se réchauffer, elle se lova contre son dos et lui enlaça le torse. C'était chez elle une sorte de réflexe. N'avait-elle pas dormi ainsi, contre Abralh, des années durant ?

Dans sa fatigue, elle confondait le passé et le présent, et dans un même élan de tendresse ces deux hommes qui, censément, n'en faisaient qu'un.

« Torance se souvient de Torance, avait-elle dit à son père, mais pas d'Abralh ni de nous. »

Patience, amour, compassion, lui avait répondu Mérinock. Ce voyage, qu'ils effectuaient au cœur de l'Empire de Gorée, avait entre autres choses le mérite de les mettre constamment en présence l'un de l'autre. Une nécessité essentielle, aux dires du Mage errant, pour que Torance se souvienne d'elle et de leur histoire d'amour.

Solena posa par habitude une main sur le ventre du jeune homme. Abralh adorait la sentir ainsi dans son dos. Après quelques minutes, ne voulant pas trop l'exciter, elle déplaçait sa main sur la cuisse de son compagnon. Ensuite, elle s'endormait.

Mais cette nuit, elle se sentait nerveuse. Malgré son mal de tête – ou bien à cause de lui –, le sommeil ne venait pas. Elle était consciente d'enlacer la réincarnation d'un Abralh amnésique, mais aussi l'authentique Prince messager vénéré par des millions d'hommes et de femmes à travers les siècles.

Elle sentait le dos musclé du jeune homme contre sa poitrine, ses fesses contre son bas-ventre.

Depuis combien de temps n'avait-elle pas fait l'amour avec Abralh ? Elle se rappelait que la veille de l'empoisonnement de son compagnon, ils s'étaient aimés tendrement, puis avec fougue et passion.

Ce souvenir lui ramena celui de ses deux petits garçons qui étaient depuis devenus des hommes. Elle savait bien qu'à cause du saut temporel, vingt-cinq années s'étaient écoulées dans le monde « normal ». Pour elle, cependant, ses fils ne lui avaient été arrachés que depuis à peine quelques semaines !

Que faisaient Vorénius et Cristanien en cette heure ? Elle avait tenté de les joindre par télépathie. En vain. Mérinock lui avait assuré qu'ils grandiraient « protégés par Évernia ». Que Frëja serait près de Vorénius. Que Ulricia et Greblin, de vieilles connaissances, s'occuperaient de Cristanien.

Solena serra les dents. L'affection que ses fils recevaient ne venait pas d'elle, leur mère ! Cette injustice de plus jetait de l'huile sur le feu de sa colère. Car si elle était une messagère, elle se sentait aussi une mère. Et, en ces instants brûlants dans la nuit glacée, collée contre Torance, elle était également une femme.

Soudain, le prince se retourna, l'allongea sur le sol et la couvrit de son corps. Ils se contemplèrent à la lueur orangée de cette lune pleine annoncée par les devins.

Leurs lèvres se frôlèrent.

Solena sentait leur bas-ventre battre tels deux cœurs. Mais battaient-ils à l'unisson comme Abralh et elle autrefois?

Elle ferma les yeux.

Lorsqu'elle les rouvrit, Torance se relevait.

— Excuse-moi, bredouilla-t-il. Je rêvais que je…

Elle se dressa sur un coude.

— Oui?

— C'est idiot.

— Non, parle!

Elle posa une main sur son épaule, l'encouragea d'un tendre sourire.

— Je rêvais que j'étais avec Shanandra, termina à mi-voix le prince.

Puis, il s'enfuit honteusement en direction de Phramir.

Solena éprouvait un nouvel étourdissement. Elle avait l'impression d'étouffer.

Je ne peux pas lui en vouloir, se répéta-t-elle.

En même temps, elle se traitait d'idiote, et lui d'imbécile.

Décidée à trouver quand même le sommeil, elle s'enroula dans le manteau blanc de la déesse. Mais la fuite de Torance lui rappelait d'autres frustrations. Combien de temps allait-elle encore supporter l'amnésie de son bien-aimé?

Elle glissait enfin dans une sorte de béatitude ouatée quand des torches éclairèrent le camp.

Elle battit des paupières et reconnut, hébétée, Thorgën qui menaçait un homme à la pointe de son kaïbo.

— Ce brigand s'est introduit dans le camp, rugit le guerrier blond.

Torance et Talos surgirent. Kessaline pleurait dans les bras du garçon.

— On m'a suivi, déclara ce dernier, navré. C'est bien ce que je craignais !

L'inconnu rabattit sa capuche. Solena approcha une torche de son visage.

— Vous êtes le légide de Nivène ! s'exclama-t-elle.

L'homme hocha le menton.

— Après votre passage, ma tête a été mise à prix par le Voyageur. J'ai dû m'enfuir. J'ai longtemps erré. Je me suis finalement mêlé à une caravane de pèlerins.

— Et vous nous retrouvez ici !

— Quel heureux hasard, ironisa Thorgën d'une voix sourde.

— Pas un hasard, avoua Amim Daah. Je vous cherchais. J'ai étudié de nombreux rouleaux d'ogrove. Je sais ce que vous êtes venus quérir à Orma-Doria. Et je sais comment vous y mener…

LA RELIQUE

— Voici ! déclara l'ancien légide de Nivène.

Solena, Thorgën et Torance contemplèrent la poterne, encombrée de débris, creusée dans la paroi d'un mur à moitié éboulé.

Ils avaient laissé Phramir, Talos et la petite Kessaline au camp – le garçon devait veiller à la fois sur le bébé et sur l'éphron : à moins que ce ne soit le contraire. La nuit était profonde. Les pèlerins, même ceux qui désiraient à toute force guérir, étaient allés se coucher.

— Bien sûr, ajouta Amim Daah, il faudrait dégager l'entrée.

Solena l'observait du coin de l'œil. Le légide devait avoir dans les quarante ans. Il était grand et sec comme un bâton de berger. Son crâne commençait à se dégarnir et ses traits reflétaient l'homme qui avait tout à la fois aimé et haï son métier.

De temps à autre, il lançait des œillades au prince. Se demandait-il – en fait, il semblait littéralement dévoré de curiosité – si Torance était bel et bien la résurrection du Prince messager ?

Thorgën s'arcbouta contre un énorme bas-relief posé contre la poterne.

— Attends! fit Torance.

Au lieu de lui prêter main-forte, le jeune prince se campa sur ses jambes et entama quelques mouvements de srimnaddrah. Un souffle glacé frôla leur nuque, puis l'amas de débris tressaillit. Les plus gros morceaux s'élevèrent en silence dans les airs sous la lueur des torches. Thorgën déplaça à la main ceux qui restaient.

Torance ferma le poing : le panneau de grès qui bloquait la poterne se fractura.

— Et où allons-nous comme ça? s'enquit Solena tandis qu'Amim Daah était en extase devant les pouvoirs du prince.

— Il s'agit d'une grande statue, murmura l'ancien légide.

La cristalomancienne lança un regard aigu à Thorgën. Au cas où il y aurait d'autres entrées cachées plus loin, celui-ci dégaina son sabrier et fit peser sa lame sur les reins du légide.

— Passe donc le premier!

Sous les ruines de la cité subsistaient des pièces, des souterrains et des corridors faisant autrefois partie des bâtiments d'Orma-Doria.

Ils parvinrent à une ancienne salle de cérémonie. L'air était sec et froid. Une poussière vieille de plusieurs siècles les fit tousser.

Solena se remémorait les souvenirs de Shanandra. Lors de sa précédente visite aux ruines d'Orma-Doria, ils avaient trouvé un amas de morceaux en grès et en argile ayant autrefois constitué les membres arrachés de nombreuses statues.

La jeune femme considérait le légide. « À Orma-Doria, lui avait dit Mérinock, j'enverrai un messager pour vous guider. »

Amim Daah les mena devant une grande statue qui prêtait à rire, car elle représentait une femme dotée d'une foisonnante barbe de patriarche.

— La déesse, souffla Solena en s'agenouillant. Mais une déesse mutilée et grimée par des artistes à la solde des Toranciens.

Elle s'excusa auprès d'Amim Daah.

— Sans offense !

Elle ajouta aussitôt :

— Cependant, ce n'est pas une statue que je…

Elle se tut, demanda qu'une torche balaie le sol, retint son souffle…

— Voici la main que nous cherchons, déclara-t-elle en souriant.

La statue de Gaïa/Gaïos reposait sur un socle étrange en forme de main. Solena demanda à Torance de la déplacer en utilisant les serpents de lumière. Apeuré, Amim Daah vit léviter l'œuvre d'art. Le visage de pierre semblait sourire. Ce n'était sans doute qu'une illusion, mais Amim Daah voulait croire que Dieu était présent à leurs côtés.

Solena examina la paume géante de cette main qui avait autrefois appartenu à la « reine des mères ».

Une gravure représentant un éphron d'or voisinait avec des lignes tracées dans la pierre. Au-dessus, soit à l'endroit précis où avaient été posés les pieds de la statue, se trouvait une petite encoche.

Solena ôta de son cou le pendentif de la pierre du destin et déposa la gemme dans le trou. Un petit son net et cristallin retentit.

La jeune femme se prépara ensuite à entrer en transe. L'illumination de chacun des temples drainait d'énormes quantités d'énergie. Aussi, devait-elle se mettre en condition.

— Ce lieu va se réveiller, expliqua le prince, un peu gêné, à Amim Daah.

Celui-ci lui adressa un regard de vénération qui mit Torance encore plus mal à l'aise.

La pierre scintillait dans son écrin. La lumière allait en s'amplifiant. Un « ééé… » grave et rond s'éleva.

Ils restèrent comme pétrifiés, touchés au cœur par cet « instant de grâce sublime » tel que le décrivit par la suite Amim Daah.

Soudain, un chuintement vif troubla le silence. Deux flèches fusèrent coup sur coup à leurs oreilles. Thorgën poussa violemment Torance, puis il grogna de douleur. Amim Daah, qui se trouvait devant Solena, fut touché à l'épaule.

— Un homme, là ! s'écria le prince.

Et il s'élança à la poursuite de l'agresseur.

★

Les corridors baignaient dans une lueur verte qui ne devait rien aux torches visées aux parois. Le son « ééé » se répercutait en écho ; signe que s'amorçait le réveil du temple. En courant après l'archer, Torance se rappelait les paroles de Solena. « Après l'illumination, ce temple pourra de nouveau accueillir les plaintes et les suppliques des pèlerins, prendre sur lui leurs maladies, leurs souffrances morales, et leur rendre en échange l'amour pur et vibrant qui imbibe ce lieu. Mais ce sera son désir réel de guérir qui rendra à chacun la santé. »

Un éclair rouge troua la pénombre et fit exploser la roche au-dessus du visage du prince.

Torance plaça ses serpents invisibles entre lui et les éclats de granite.

Dans une longue galerie, il aperçut la silhouette de l'archer et lui envoya deux serpents lumineux. Déséquilibré, le Voyageur glissa sur les dalles. Il recouvrit son équilibre, ralluma son cristal d'attaque, prononça la formule adéquate.

Torance courait dans sa direction.

Le choc de l'énergie issue du cristal et des serpents de lumière les envoya l'un et l'autre contre des parois opposées.

Lorsque le prince reprit connaissance, le Voyageur avait disparu. Ne restaient sur les dalles qu'un sac de cuir abandonné et les fragments brisés d'un cristal rouge.

★

Torance regagna au plus vite la salle de la statue.

— Thorgën! gémit Solena, en le voyant arriver.

Amim Daah aussi souffrait. D'un pan de tissu arraché à sa tunique, il s'était fait un pansement.

— La plaie est trop profonde, déclara la cristalomancienne quand Torance s'agenouilla près de Thorgën.

— L'archer s'est enfui, répondit le jeune homme, dépité.

Solena avait recouvert l'ancien officier goréen avec le manteau de la déesse. Malgré cela, elle persistait à dire que, hélas! cela « ne fonctionnerait pas ».

Il leur semblait entendre des plaintes et des cris en provenance de l'extérieur. Thorgën bredouillait des paroles incompréhensibles.

Sa vie entière passait devant ses yeux. Il revivait ses courses vagabondes dans les rues de Goromée en compagnie de son jumeau. Revoyait distinctement une chaloupe retournée sous laquelle, pour échapper à des gardes-chiourmes, ils s'étaient cachés en compagnie d'une fillette brune au regard hypnotique. Il revécut aussi son entraînement d'officier et ses campagnes militaires. Le saut involontaire qu'il avait fait dans le Feu bleu au sommet de la plus haute tour du temple-école d'Éliandros. Enfin, il revit les visages aimants de Cléminandre et de Chimène penchés sur lui.

D'une main tremblante, il tendit le jouet en bois qu'il sculptait patiemment depuis leur départ de Wellöart. Torance pensait qu'il n'était pas très doué. Pourtant, la détermination du guerrier forçait l'admiration.

Le prince prit le jouet – un évrok grossièrement taillé dans un morceau de kénoab gris.

— Pour mon fils… balbutia Thorgën.

Torance ignorait que le guerrier avait un fils. Solena expliqua que Cléminandre attendait un enfant. Que ses visions lui avaient annoncé un fils.

Amim Daah savait que le Goréen avait été élevé dans la foi du Prince messager. L'ironie du sort voulait qu'à l'instant de sa mort, Torance lui-même soit présent à ses côtés en chair et en os !

La force de l'habitude amena le légide à proposer au guerrier ses services en tant que prêtre. Mais Thorgën choisit plutôt de saisir la main de Solena. Amim Daah respecta sa décision.

La cristalomancienne entonna la prière des morts telle qu'elle était récitée depuis des siècles dans le culte des *Fervents du Feu bleu*. Les paroles incitaient le mourant à se défaire du poids de son corps de chair et l'exhortaient surtout à ne pas s'encombrer de celui de ses remords, de ses peines, de ses actes inachevés.

— Cléminandre ! gémit le blessé.

— Ta femme est « éveillée », le rassura Solena. Elle sait que la vie sur Terre n'est que la pointe à peine visible d'un temple immense. Vous vous reverrez à Shandarée. Vous vous retrouverez et vous aimerez de nouveau dans une vie future.

Thorgën riait, grimaçait et toussait tout à la fois.

Il avait combattu le Ferventisme. Et après s'être converti à la foi de ses anciens ennemis, il les avait défendus avec sincérité. Sincérité. Voilà quel avait été le maître mot de sa vie. Le fait qu'il ait « trahi » la foi dans laquelle il était né ne le dérangeait pas. Ce qui comptait davantage à ses yeux était les choix éclairés que l'on était amené à faire au cours d'une vie, l'opiniâtreté et la sincérité que l'on mettait dans toute chose ; que l'on suive une quête, que l'on défende des amis, que l'on aime sa femme et ses enfants, le ciel, le soleil, chaque brin d'herbe, et la vie même !

Bercé par la justesse et la profondeur de cette dernière pensée, il sourit.

L'instant suivant, il mourut.

Solena se laissa tomber sur le sol. Épuisée par sa nouvelle transe, elle n'avait plus la force d'assister à la libération du corps spirituel de Thorgën.

Torance creusa la tombe de cet homme rustre qu'il avait, au cours de leur voyage, appris à respecter, et l'ensevelit au pied de la statue du « père et de la mère ».

Un éclat de lumière jaillissant du gros sac de cuir dans lequel Thorgën avait caché les « trésors » qu'ils avaient trouvés à Nivène, puis à Atinor, attira le regard du prince. Il l'ouvrit et en sortit l'épée que Solena venait, pendant qu'il était parti à la poursuite du Voyageur, de découvrir dans une niche creusée non loin de la main de pierre.

— C'est *Ershebah*, murmura-t-elle. L'épée légendaire du géant Gorum. Quiconque est éveillé et la manie est investi d'un pouvoir extraordinaire.

Enfin, frissonnant de tous ses membres, elle s'évanouit.

Un groupe de pèlerins envahit la salle souterraine. Accouru avec eux, Talos révéla à Torance que peu avant le lever du jour, une troupe de brigands avait attaqué la cité, tuant certains fidèles, réduisant les autres en esclavage, incendiant tentes et chariots.

Une dizaine de réfugiés entourait à présent le prince et Amim Daah. Kessaline babillait dans les bras de Talos.

— Que s'est-il passé ici? demanda celui-ci.

— Le Voyageur, lâcha Torance. Qu'est devenu Phramir?

— Il s'est battu contre les brigands, assura Talos. Ensuite, je ne sais pas.

— Une tempête de sable ravage la cité, déplora un fidèle qui tenait contre lui sa femme et une jeune adolescente.

Amim Daah réclama le silence.

— J'ai ici une carte des ruines, haleta-t-il.

Un homme encore jeune qui se prétendait médecin soignait un lieutenant de l'armée du gouverneur d'Ormédon, tardivement envoyée pour protéger la cité. Il s'approcha d'Amim Daah qui souffrait toujours de sa blessure à l'épaule.

— Si tempête il y a, poursuivit ce dernier, elle peut souffler pendant plusieurs jours. Je peux nous conduire dans ces souterrains.

Torance chargea sur son dos les deux sacs de cuir – celui de Thorgën et celui abandonné par le Voyageur. Puis, il souleva Solena dans ses bras. Les réfugiés emboîtèrent silencieusement le pas à l'ancien légide…

LE LIT DE MOUSSE

Le fracas de la tempête de sable résonnait au-dessus de leurs têtes. Sa violence se ressentait jusque dans la mine inquiète de la poignée de rescapés. Certains songeaient peut-être à ce qu'ils avaient perdu à la surface – père, frère, amis ou simples biens terrestres. D'autres se demandaient avec effroi où les conduisaient ces dédales de roches polies ponctués de gouffres grandioses et de salles semées d'impressionnantes concrétions de lave durcie.

Solena avait repris connaissance. Depuis, elle cheminait en silence aux côtés de Torance. Lorsque le prince peinait sous le poids de son gros sac, la cristalomancienne prenait la relève.

En comptant Torance, Talos, Kessaline, Amim Daah et Solena, ils étaient dix. Il y avait là une famille composée du père, de la mère et de leur fille, un jeune officier blessé appartenant à l'armée ormédonnienne répondant au nom de Silophène, et un apothicaire-médecin nerveux nommé Mulgor. Quand Torance leur demanda comment leur était venue l'idée de se cacher dans les souterrains, les jeunes hommes lui répondirent « l'instinct ». Les autres avouèrent, un peu gênés, avoir entendu une voix douce, mais ferme, leur murmurer à l'oreille, tandis qu'ils dormaient, de se mettre vite à l'abri.

Solena redoubla d'attention en entendant le commentaire de l'adolescente qui parlait rêveusement de la « voix » dans sa tête.

Ils trouvèrent un surplomb rocheux assez confortable, entre stalactites et stalagmites, et s'y reposèrent. Les échos de la tempête n'étaient plus qu'un murmure. L'ancien légide tenait encore sa carte entre les mains. Cependant, personne n'était dupe. Si la carte les avait guidées dans les souterrains, ils étaient désormais livrés à eux-mêmes.

Ils établirent une sorte de camp afin de permettre au légide blessé de reprendre des forces. Solena s'occupa un peu de Kessaline. L'œil rivé sur le sac – il avait transvidé celui, à moitié vide, du Voyageur dans celui de Torgën –, Torance tournait comme un lion en cage.

La cristalomancienne comprit tout à coup que cette grotte au décor baroque et théâtral convenait parfaitement à ce qu'elle avait en tête. La « voix » qui chuchotait à son oreille ne le lui disait-elle pas ?

Elle se leva, emprunta une torche, demanda au prince de la suivre.

— Ne vous éloignez pas trop ! leur recommanda Amim Daah tandis que l'apothicaire désinfectait sa plaie.

Torance et Solena quittèrent le groupe. Guère rassuré, et cependant dévoré de curiosité, le prince se chargea du sac.

— C'est bien lourd, plaisanta-t-il afin de briser le silence.

— Ce sac t'intrigue depuis Nivène, avoue !

Solena se guida au son d'un fin écoulement d'eau – ce lieu précis dont lui avait parlé la voix de l'Être qui hantait ses transes depuis quelque temps.

— Attention, dit-elle, nous allons emprunter une corniche glissante.

Torance retint son souffle. Ils progressèrent à tâtons le long d'un étroit surplomb. La lumière de la torche n'éclairait qu'une partie du précipice – *et c'est tant mieux !* se dit Torance en plaçant le sac sur son dos et en écartant les bras pour maintenir son équilibre.

— Tu n'aimes pas les souterrains, les grottes, l'obscurité, n'est-ce pas ? Te sentir enfermé te terrifie.

— Je n'aurai pas utilisé ce mot, maugréa Torance.

— Tu réagis comme un Baïban.

— J'en ai connu, avoua le prince.

Solena rit, car il avait fait plus que cela.

— Les loups t'effraient-ils également ?

— Ne me dis pas qu'on va en croiser ?

Ils se sourirent.

— Nous avons longtemps voyagé en compagnie d'une fratrie de loups.

— Nous ?

Ils parvinrent au pied d'un impressionnant agrégat de roches polies et luisantes au centre duquel s'écoulait une cascade d'eau pure. Un rayon de lumière du jour éclairait la grande salle. Ils admirèrent les piliers, les ponts, les rosaces, les arches suspendus, les parois incurvées – toute une architecture royale et secrète sculptée dans un silence de cristal par la nature et les siècles.

— Loin de la furie du monde et des hommes, s'extasia Torance en posant le sac.

Solena s'approcha d'un bassin situé à quelques pas de la cascade.

— Par les dieux, mais que fais-tu ? s'enquit Torance.

— Je prends un bain. Et, franchement, tu devrais en faire autant.

— Tu es folle.

— Tu n'as pas idée à quel point.

Elle se dévêtit sans éprouver la moindre gêne. Ne se connaissaient-ils pas depuis des siècles? N'avaient-ils pas eu deux enfants ensemble?

De temps en temps, Solena grimaçait. Torance demanda, pour la forme, si elle avait mal quelque part – il venait en effet d'avoir l'occasion de se rendre compte qu'elle ne portait aucune blessure sur le corps.

La jeune femme conservait son silence et son mystère. Pourquoi avouer maintenant que la voix de « l'Être » ne cessait de murmurer dans sa tête? « Fais ceci, fais cela, ne dis pas ça, etc. » Au bout d'un moment, elle lui demanda carrément de se taire.

— Quoi? s'étonna Torance en entrant lui aussi dans le bain.

Solena rit.

« Alors, fit l'Être en bougonnant un peu, agis au mieux. Mais n'oublie pas que nous allons nous retrouver, que forcément vous allez m'aimer et que je… »

L'eau était fraîche, mais pas aussi glacée que Torance s'y était attendu. Il se rappelait les massages qu'il recevait dans le corral des princes du palais royal d'Éloria. L'image de Messina, son esclave rousse attitrée, lui revint en mémoire durant un bref instant.

Solena songeait de son côté à la caverne de guérison du temple-école d'Éliandros, à ses bains érotiques en compagnie de Noem, son premier amant, qui avait, depuis, reçu de Mérinock une nouvelle mission, loin, très loin de la Gorée.

Torance zieutait du côté du sac.

— Eh bien? déclara-t-il brusquement. De quoi voulais-tu me parler?

Solena inspira profondément. Le moment était venu.

— Tu as réveillé chaque temple, reprit le prince, mais ce n'est pas tout ce que tu voulais, n'est-ce pas ?

Elle hocha la tête.

— Thorgën m'a avoué, une nuit, que nous ne recherchions ni la fille qui vous a volé cette formule magique, ni même Shanandra, mais plutôt…

— … le chevalier de cristal ? C'est vrai.

Ils restèrent quelques minutes à se contempler en silence.

Quand Solena sortit du bain, Torance ne détourna pas la tête. La cristalomancienne s'enroula dans le manteau blanc de la déesse, marcha jusqu'à un contrefort tapissé de lichen. Une anfractuosité lointaine laissait entrevoir, au-dessus de leur tête, la lumière des étoiles.

Elle indiqua le sac du doigt.

— Nous avons accompli notre mission.

— Vraiment ?

Torance la rejoignit, les reins enveloppés dans sa tunique froissée.

Solena sortit un cristal de cornaline mordoré de la poche de son manteau et le posa sur le front du jeune homme. Un pan du manteau glissa, dévoilant un sein rond, ferme et blanc.

— Concentre-toi sur ton intérieur, dit-elle.

Torance tenta en vain de cacher les plis qui déformaient son bas-ventre. Tous deux éclatèrent de rire.

— Je suis sérieuse !

Le contact fut bref, mais intense. Le prince avait mûri depuis leur départ de Wellöart. Peu à peu, le voyage et les épreuves partagées les avaient rapprochés.

Torance revisita la vie d'Abralh. Son enfance au palais impérial de Goromée, son évasion en compagnie de son ami Solinor, leur arrivée sur les côtes de Vorénor avec l'armée goréenne. Sa première rencontre avec Solena alors âgée de douze ans. Il revécut chaque étape, en accéléré, de sa quête de la pierre du destin, de leur retour à Éliandros juste avant que Farouk Durbeen ne lance l'assaut final... Et puis les loups, leur présence au sein du couple qu'il avait formé avec Solena durant leur mission de guérison à travers toutes les Terres de Vorénor... La signature du fameux Testament des Rois. Les rires et les pleurs de Vorénius et de Cristanien... Les efforts d'Abralh pour les éduquer convenablement... Leur transport miraculeux, depuis les ruines d'Éliandros, jusqu'au village légendaire du Mage errant.

À ce stade-ci de sa transe, Torance poussa un cri de douleur et de colère, et arracha le cristal de cornaline de son front.

Haletant, crachant, étouffant, il mit un certain temps à retrouver son calme. Un violent éblouissement le saisit.

Il fixa Solena au fond des yeux et balbutia, terrorisé :

— Je suis mort... empoisonné !

Elle prit ses mains, baisa ses paumes, lui rendit son regard.

— Shanandra..., bredouilla-t-il d'une voix étranglée.

— Tu es enfin revenu à la vie, mon amour, souffla-t-elle.

Le manteau de la déesse glissa de ses épaules. Elle se lova dans les bras du jeune homme, leurs lèvres se soudèrent dans un long baiser de retrouvailles. Enfin, la main de Solena trouva seule son chemin sous les plis de la tunique, en un geste cent fois répété à la fois complice, tendre et doux.

Torance ne résista plus. Il avait tant de fois eu envie d'elle durant leur périple qu'il s'étendit sur le lit composé de lichen et l'attira contre lui.

Ils firent l'amour doucement, avec les hésitations propres aux jeunes amants. Puis, avec plus de fougue, en souvenir de leurs nombreuses vies passées ensemble et de leur trop longue séparation.

★

Pendant ce temps, Amim Daah faisait les cent pas. Mulgor l'avait pourtant prévenu que la contrariété n'arrangerait pas son état. Silophène, l'officier, dormait paisiblement.

— Je vous trouve bien jeune pour avoir de telles croyances, fit l'ancien légide.

— L'âge n'a rien à voir avec la véritable expérience, rétorqua Mulgor.

Goréen sans être de Goromée, l'apothicaire voyageait, disait-il, afin de parfaire son art de guérisseur. À l'ouest d'Éloria, sur les rives de la mer intérieure, il avait étudié dans un village de Baïbans. En Terre de Vorénor où il avait séjourné, il avait côtoyé des *Hurelles*, ces sorcières du peuple *brugond* qui dialoguaient avec des arbres. Dans le royaume méridional de Mylandre, il avait appris le maniement des potions inspirées de la tradition *midrikienne*.

Il avait beaucoup voyagé, ces derniers temps. Il coula une œillade à l'adolescente qui écoutait sans en avoir l'air pendant que ses parents se disputaient.

— Parlez plus bas, s'il vous plaît, demanda Talos. Kessaline vient de s'endormir.

L'adolescente était une petite brunette sans relief si ce n'étaient un visage mutin, des lèvres roses, des yeux noisette et une gestuelle charmante qui faisait oublier ses kilos en trop. Elle s'appelait Galice et venait de la cité marchande de *Véronia*.

Mulgor évoquait à présent les Terres sauvages et glacées de *Dvaronia* où vivaient des magiciens qui n'avaient rien à envier, pour leur talent divinatoire, au fameux Mage errant dont on parlait tant en Gorée.

— Vous avez voyagé si loin ! minauda Galice.

Mulgor, qui devait avoir dans les vingt-cinq ans, feignit d'ignorer l'adolescente. Au lieu de se vexer, la fille redoubla d'intérêt pour ce grand jeune homme qui rivalisait de beauté – ils se ressemblaient beaucoup – avec celui que l'on appelait Torance.

Un drôle de garçon, celui-là ! Car en plus de porter le même prénom que le Prince messager – ce qui était déjà une preuve manifeste de mauvais goût –, il se donnait volontiers des airs prétentieux que Galice n'aimait guère.

Justement, en parlant de ce garçon présomptueux ! Que faisait-il donc avec la femme blonde et merveilleuse que tous traitaient avec tant de respect ?

Le visage de Galice se froissa en une grimace puérile. Elle avisa ses parents qui après s'être disputés se mettaient à bouder – une attitude dont elle avait plus qu'assez.

Soudain, Amim Đaah poussa un juron qui étonna tout le monde.

Le père de Galice dégaina un court sabrier. Silophène geignit et réclama son épée. Mulgor bondit près de Galice pour la protéger. L'ancien légide brandit une torche devant l'inconnu qui avançait entre les colonnes de grès.

— Halte-là ! clama-t-il.

Un rire cristallin parcourut le vaste surplomb rocheux. Solena se glissa derrière l'apparition.

L'homme portait une armure coulée dans un matériau qui paraissait à la fois rigide et souple, et qui scintillait doucement dans la pénombre. À ses hanches battait une épée impressionnante.

— Je vous présente le chevalier de cristal, fit la cristalo-mancienne en inclinant respectueusement la tête devant ledit chevalier.

Amim Đaah n'en revenait pas. Ce guerrier de légende, expliqua-t-il, était annoncé par les Servants du Mage errant dans toutes les parties de l'Empire de Gorée – et sans doute ailleurs – depuis environ un quart de siècle.

— Il est venu pour protéger des rois et des peuples, approuva Solena.

Elle portait sur son épaule le grand sac de cuir – vide.

Torance ôta son heaume.

— Alors ? s'enquit Solena.

— Tu as raison. L'armure paraissait lourde et inconfortable. Mais finalement, elle est assez légère et se porte presque aussi bien qu'un surcot de velours.

Il ajouta néanmoins à voix haute qu'elle avait un point faible : un interstice de quelques millimètres, entre les plaques de cristal, situé dans le dos au défaut de l'épaule gauche, par lequel une lame de sabrier pouvait s'introduire et atteindre le cœur.

— Elle appartenait au géant Gorum, un des fils préférés de la déesse, le fondateur de la Gorée, répondit Solena sans relever la remarque. Aujourd'hui, elle est à toi.

Devant les réfugiés ébahis, la cristalomancienne embrassa le prince sur la bouche.

— La tempête est terminée, déclara-t-elle. Il n'y a plus de danger.

Elle ajouta, pour Torance : « Phramir nous attend. »

Amim Daah avait toujours sa carte. Mais Solena connaissait à présent le chemin qui menait vers la lumière.

Elle prit la main de son amant. Le gantelet de cristal était aussi tiède que de la peau. Torance baissa la tête, sans doute pour cueillir un nouveau baiser, quand elle lui annonça sur le ton de la conversation :

— Tout à l'heure, nous avons conçu un nouvel enfant. Ce sera un prince puissant. Il veut être prénommé Honario.

LA CONFRÉRIE SECRÈTE

Bridine était une jeune fille très occupée au château de la comtesse de Plessac. Elle se levait à l'aurore pour plumer la volaille, remuer la soupe, préparer le pain et les sauces. Elle aidait ensuite les lavandières à laver, puis à battre le linge. Elle ne parlait pas beaucoup et les autres domestiques, qui la tenaient pour étrange, l'évitaient et la traitaient avec mépris. Mais Bridine s'en moquait. Grâce à son don de divination et à sa discrétion exemplaire, elle avait la chance, parfois, de partir en mission – comme dernièrement dans la province d'Atinox. De plus, elle avait l'oreille et la confiance de la comtesse, et cela suffisait à son bonheur.

Ce matin-là, elles étaient plusieurs, dans le potager, à cueillir des simples pour confectionner les tisanes du soir, quand les signes avant-coureurs d'une nouvelle transe s'emparèrent de Bridine. Elle se raidit. Son visage devint de marbre. Son cœur se figea. Enfin, une chaleur de fournaise et une sensation d'évanouissement gagnèrent sa tête.

Affolées, les autres filles hurlèrent, puis déguerpirent.

L'intendant du château avait des instructions précises. Il prévint la comtesse en toute hâte.

Le salon privé où la comtesse Bellissandre recevait était lambrissé des murs au plafond. De lourdes poutres noires couraient au-dessus des têtes et de luxueuses tapisseries pendaient devant les portes. Malgré la douce odeur des huiles aromatiques, la pièce transpirait le travail et la détermination – l'acharnement impitoyable, disaient même certains – que la Dame mettait en toute chose.

Elle renvoya ses collaborateurs et fit amener la jeune domestique sur une litière.

Bridine vivait ses transes comme des rêves ou des cauchemars : avec son cœur et ses tripes. Elle en sortait souriante ou bien épouvantée. Ce matin-là, il lui semblait avoir visité plusieurs endroits. Certains étaient calmes et paisibles, d'autres plus inquiétants.

Son âme voyageait loin de son corps. La jeune fille, sans éducation et en vérité plus timide que mystérieuse, adorait ainsi s'élancer dans les ciels subtils. Avec le temps, elle avait appris à se tenir éloignée des nuages noirs et lourds chargés des pensées humaines de haine et de frustration, et à rechercher plutôt ceux, légers, parfumés, colorés et vivifiants, bleus, jaunes ou roses des égrégores de paix et d'amour.

Une main rêche secoua son bras.

Bridine battit des paupières.

Dame Bellissandre se tenait si près de son visage que ses yeux aussi sombres qu'un trou dans la terre l'effrayèrent.

— Tout doux, mon enfant, murmura aussitôt la comtesse pour atténuer la fixité de son regard.

Elle posa un linge humide qui sentait la fleur d'oranger et la lavande sur son front.

— Ainsi, tu as voyagé de nouveau ?

Bellissandre laissa sa voix en suspens et réprima une grimace. Elle aussi, durant sa jeunesse, avait possédé le don. Mais avec l'âge, les responsabilités, un mari et une famille, elle avait dû délaisser certaines habitudes et en épouser d'autres.

— Raconte…

Bridine avait d'abord vu un magnifique jeune homme. Un prince. Il était nu, dans une caverne, penché au-dessus d'un bassin dans lequel il observait son visage.

— Il croyait y voir son reflet, Ma Dame. C'est un homme viril aux longs cheveux noirs tirant sur le bleu. Ses pupilles sont de braise ardente, sa bouche est forte, il a la peau blanche même si elle a été tannée par un soleil ardent. Mais…

Bellissandre était suspendue aux lèvres de sa servante.

— Oui?

— Mais il a crié en voyant son reflet dans l'eau. De surprise et de frayeur, car le visage qu'il voyait se refléter à la place du sien était celui d'un noir, Ma Dame. Un noir aux cheveux crépus et aux yeux effrayants.

Bridine frémissait. Mais était-ce de frayeur ou bien d'excitation? Ces jeunes vierges, malgré leurs dix-huit ans bien sonnés, avaient parfois des rêveries coupables.

— Ensuite, reprit Bridine, le prince a plongé son regard dans les yeux d'une femme blonde, et il a crié de nouveau, s'exclamant: «Shanandra! Shanandra!» comme un possédé.

Sans le vouloir, Bridine interrogeait silencieusement sa maîtresse. Qui était ce jeune prince, cet homme noir et cette femme blonde aux yeux bleus?

Agacée par la présomption de sa servante, Dame Bellissandre la gifla.

— Excuse-moi, bredouilla-t-elle aussitôt, l'air navré. Qu'as-tu vu ensuite?

Bridine palpait sa joue blessée par les lourdes bagues.

— Ensuite, renifla-t-elle, le chevalier est venu.

Ces mots donnèrent des frissons à la comtesse.

— Le chevalier portait une armure scintillante et douce, poursuivit Bridine. La femme blonde l'a appelé « mon chevalier de cristal ».

La comtesse en avait assez entendu.

Elle renvoya la jeune visionnaire sans égard à son état. Mais Bridine, comme tous les gens du château, craignait trop la Dame pour se plaindre. Même si elle se sentait encore étourdie, elle prit ses jambes à son cou et quitta le salon.

Bellissandre de Plessac fit les cent pas devant son lourd bureau de chêne. Depuis la réapparition de ses ennemis, près d'un an auparavant, elle s'attendait à l'arrivée du chevalier.

Dès que Bridine lui avait annoncé qu'ils « marchaient à nouveau dans le monde », Bellissandre avait pris des mesures. Elle avait envoyé des mercenaires ainsi que son meilleur homme à leur tête pour les stopper. À défaut de réussir, le Voyageur avait au moins retrouvé avant eux, à Éloria, les cuissardes et les épaulières de l'armure de Gorum.

Que s'était-il passé, depuis, pour que le chevalier apparaisse revêtu de son armure au complet ?

Elle songea, avec un sourire crispé, que le Voyageur ne lui avait pas donné signe de vie depuis qu'elle avait envoyé Bridine lui remettre de nouveaux ordres.

Un mal de tête la gagnait.

On cogna à sa porte. Son intendant lui annonça que son mari, le comte, ainsi que ses deux fils étaient prêts à quitter le château.

Rappelée à ses devoirs d'épouse et de mère, elle les rejoignit dans le grand vestibule de pierre. Ictus, son mari, était un grand roux sans beaucoup de cervelle, mais doté d'un grand cœur. Ne l'avait-il pas épousée ? Quant aux fils qu'elle avait eus de lui – quatre en tout, mais deux d'entre eux étaient morts en bas âge –, ils étaient aussi niais que leur père. Tout dans les bras et l'estomac, rien dans la tête ou dans le ventre.

Elle les baisa au front et leur souhaita bonne campagne.

L'empereur faisait mander tous ses seigneurs à Goromée pour une importante campagne militaire. Dans un sens, Bellissandre était soulagée de les voir partir.

La maisonnée serait plus facile à gérer, car avec eux s'en iraient également une multitude de soudards plus ou moins sergents ou soldats de leur état, mais qui passaient le plus clair de leur temps à vider ses tonneaux de bière et de vin, et à trousser ses filles.

Oui, Bellissandre pourrait à nouveau vaquer à ce qu'elle appelait « l'œuvre de sa vie ».

La petite armée du comte Ictus de Plessac se rassembla dans la cour d'honneur du château. De son balcon, la comtesse et ses dames d'atour secouèrent mouchoirs et foulards tandis que s'ébrouaient les destriers et se redressaient les hallebardes. La poussière soulevée par le départ de la troupe était à peine retombée que Bellissandre s'enfermait de nouveau dans son salon.

Là, elle tira toutes les draperies et demanda qu'on la laissât seule.

Elle ouvrit un coffret de métal, en sortit un lourd parchemin qu'elle posa sur un lutrin.

À la vue du document, une foule de souvenirs l'envahirent. Une nuit, près de vingt-sept années plus tôt, elle s'était évadée de prison et elle avait rencontré un jeune prince. Tous deux s'étaient échappés de Wellöart sur les ailes d'un animal de légende. Poursuivis par des paysans ignares, ils s'étaient réfugiés près d'une chute d'eau. Là, ils avaient fait l'amour. Des fruits de cet amour illicite était né son premier enfant. Son fils secret. Une arme bien à elle, en quelque sorte, dont elle avait l'usage en ce moment même !

Elle résista à l'envie de contacter ce fils si utile en employant le cristal bleu de communication, car elle sentait autour d'elle la présence suffocante du Mage errant. Ce vieux devin décati cherchait désespérément à percer ses secrets.

Cette preuve d'intérêt à elle seule constituait un aveu de faiblesse de la part d'Évernia. Une raison supplémentaire, pour celle qui juste avant ses épousailles avec le comte Ictus avait changé d'identité, de penser que son « œuvre » était décidément sur la bonne voie.

Elle brandit le document qu'elle avait jadis volé au Mage errant, et sourit. La formule inscrite sur ce parchemin, appelée formule « d'attrape âmes », permettait à un cristalomancien de rappeler à la vie n'importe quelle âme libre défunte.

Bellissandre rit tout haut à cette idée, car elle détenait en vérité une sorte de passeport pour l'immortalité.

Aussi fallait-il bien le protéger !

Grâce à l'enseignement que lui avait prodigué son père, le grand légide Farouk Durbeen, elle avait enveloppé le parchemin d'un charme morphique qui le rendait indétectable. Ainsi, malgré ses efforts – et le Mage errant en déployait depuis tout ce temps ! –, Mérinock était incapable de le localiser.

Cependant, il ne fallait pas trop tenter Morph. Elle devait se montrer très prudente dans l'usage des cristaux ; notamment avec celui qui laissait des traces dans l'éther – le cristal de communication.

Forcée d'agir comme une simple mortelle, elle rédigea plusieurs missives qu'elle ferma en utilisant le sceau de sa confrérie secrète.

Elle appela ses coursiers, puis se laissa retomber sur ses coussins.

L'empereur Brasius, deuxième du nom, était le fils aîné de Dravor III, le précédent monarque. Brasius, bien conseillé par des gens placés dans son entourage par

Bellissandre, se décidait à «bouger». Il reconnaissait enfin que les royaumes nordiques de Vorénor et de Reddrah, pacifiés par des monarques ayant fait allégeance à Évernia, constituaient aujourd'hui plus que jamais une menace directe pour la Gorée et pour le Torancisme. Voilà pourquoi l'empereur rappelait ses vassaux et leurs armées.

Voilà pourquoi aussi Bellissandre redevenait, en secret, Keïra Durbeen.

La confrérie qu'elle avait mis un quart de siècle à constituer était composée d'hommes et de femmes influents dans tous les domaines. Commerces, banques, universités, armées, cénacle politique. Chacun d'entre eux avait été choisi et formé par elle.

Aujourd'hui, l'humble et discrète comtesse de Plessac tenait entre ses mains les véritables rênes du pouvoir, ou presque.

Elle sourit de nouveau.

La récente révolte, les pillages et la petite révolution qu'elle avait dernièrement orchestrée en sous-main dans le royaume de Mylandre avaient été un test concluant. N'avait-elle pas fait chasser le roi et la reine? N'avait-elle pas mis la main, par l'entremise de ses propres vassaux, sur leurs terres et leurs richesses?

Ce qui est petit est semblable à ce qui est grand, se plaisait à répéter autrefois Farouk Durbeen.

Keïra/Bellissandre avait défait un royaume sans bouger de chez elle. Elle avait forgé, pour des milliers de gens ignorants, une nouvelle réalité.

Une dernière missive restait à envoyer. Le cachet de cire terminait de sécher.

La spirale dans le pentacle. Ce symbole personnifiait à lui seul tout ce qu'elle avait en tête pour l'avenir de la Gorée, mais aussi pour celui des autres royaumes.

La pensée que son premier fils marchait en secret au milieu de ses ennemis la rassura davantage encore.

Elle possédait le secret de l'immortalité. Elle était à la tête d'une puissante organisation clandestine. Et elle allait bientôt manœuvrer les rois dans une bataille qui dépasserait de loin leur pauvre entendement des choses du monde et de la vie.

Le chevalier de cristal avait eu beau réapparaître. Le Mage errant pouvait bien crier victoire. Bellissandre de Plessac savait qu'elle seule détenait réellement les clefs de l'avenir pour l'ensemble des terres de Gaïa.

Deuxième partie
Le sauvetage des rois
An 550-552 après Torance

« Les guerres qui se préparent ne sont pas naturelles. Y en
a-t-il seulement de par les siècles ? Le moment est venu
de rester forts et fermes dans vos décisions. Vous avez été
placés sur vos trônes par la volonté d'Évernia afin de restaurer, dans les églises du monde et dans le cœur de vos sujets,
la simplicité et la douceur des préceptes de vie originaux. Je
vous envoie le chevalier de cristal annoncé par mes prophéties. Il repoussera l'assaut des ombres et vous permettra de
maintenir vos peuples dans la sécurité, la paix et l'amour ;
toutes choses dont les âmes ont besoin pour continuer à
évoluer sur le chemin de leur lumière intérieure. Ayez foi
en vous et en Évernia, et le Torancisme ne sera plus une
religion sclérosée par les abus et les quêtes de pouvoir
personnelles, mais pour chacun de vous une philosophie
libre et éclairée. »

Missive envoyée aux rois par le Mage errant

Les trajets en pointillés représentent le parcours des Messagers de Gaïa et de leurs opposants dans leur invasion des Terres de Vorénor.

Le trajet en pointillé représente le parcours des Messagers de Gaïa jusqu'en Terre de Reddrah.

LA BÊTE

Fin de l'été, mois de Milosis, 550 après Torance, forêt de Welwand.

Le loup jaillit des fourrés. Depuis des heures, il suivait l'odeur de l'homme et celle, plus inquiétante encore, de la bête. Les traces étaient fraîches, la forêt murmurait. Il ne s'agissait pas du chant léger du vent ni de celui des oiseaux ou des insectes, mais une complainte sourde et grave qui résonnait de tronc en tronc et qui battait sous ses pattes, entre les pierres et les racines. Soudain, le loup fit un bond de côté. Avait-il vraiment vu la racine du grand kénoab gris tressaillir ? Heureusement, l'homme approchait...

Il était vêtu d'un kaftang de peau d'ours et il avançait, courbé en deux, à l'affût du moindre bruit dans le silence glacé et brumeux de l'aurore. Le loup remarqua qu'il tenait son kaïbo au ras du sol, comme s'il craignait la charge d'un sanglier sauvage. Mais, le carnassier le savait, les sangliers, comme les autres prédateurs de la forêt magique de Welwand, se terraient. Après les terribles événements des dernières nuits, seuls marchaient les hommes déterminés, malgré le danger, à venger les enfants et les vieillards tués par la bête.

Le loup suivit le guerrier sans se montrer. Il entendait, sans le comprendre vraiment, le langage mystérieux des

Sentinelles – ces arbres doués de conscience qui étaient les gardiens de la forêt. D'ordinaire, en effet, c'était eux et non les animaux qu'il fallait craindre…

Le carnassier frissonna. Il faisait froid, certes, mais c'était la peur, surtout, qui incommodait le loup.

Car la bête n'était pas loin. Il la sentait aux alentours, traquée, furieuse, rassasiée, mais également prise au piège.

Elle s'était égarée. Chassée de son clan à cause de son caractère ombrageux, poussée à la cruauté par la faim, elle errait loin des steppes glacées de Reddrah où elle vivait d'habitude. Il lui avait fallu du courage et une rage tenace pour oser sortir de sa toundra natale. Aujourd'hui, elle réalisait que tout lui était étranger : les montagnes, les arbres, les buissons, les animaux, l'air qu'elle respirait. À vrai dire, seul l'homme demeurait le même : farouche, orgueilleux, sans pitié. Depuis des siècles, l'homme avait chassé ceux de sa race. Depuis qu'elle se sentait seule et effrayée, la bête avait décidé que l'homme était le seul véritable responsable de sa déchéance.

Aussi l'avait-elle attaqué.

L'odeur d'un autre animal vint se mélanger à celle du guerrier qui osait la pister. La mâchoire de la bête se crispa. Ses pupilles jaunâtres se dilatèrent. Elle sentait autour d'elle poindre d'autres sources de danger. D'autres hommes menaient battue, non loin, et les arbres – du moins certains d'entre eux – la surveillaient et tentaient de sonder son esprit. Mais que savaient-ils d'elle ?

Un bruit suivi d'une étincelle surgit d'un fourré voisin. La bête ne s'y trompa pas. Le soleil était encore loin de se lever et la brume épaisse et collante qui l'avait protégée toute la nuit flottait dans les clairières.

Le son, métallique, parvint jusqu'à la bête. Une lame en métal venait de heurter un rocher. L'homme, décidément, n'était qu'un vulgaire insecte. Et celui-ci était un bien piètre guerrier. La bête se ramassa et mit toute sa colère et sa force dans ses membres postérieurs. Ses naseaux se gonflèrent. Elle guetta sa proie…

L'homme fit de nouveau tinter la pointe de son kaïbo contre une pierre.

Soudain, la bête chargea.

Il se campa sur ses jambes, releva sa lame…

Le loup sauta à son tour. L'homme crut être fauché par une vague monstrueuse. Sans s'en rendre vraiment compte, son instinct lui sauva la vie. Pivotant sur ses hanches, il évita le choc initial et fut renversé non par les cornes de l'*aurork* sauvage, mais par son flanc laineux.

Un craquement terrible retentit. Le chasseur sentit son fidèle kaïbo se briser net. Une des lames pénétra dans le poitrail de la bête, l'autre lui resta entre les mains.

L'homme battit des paupières, hébété.

À trois pas de lui, l'animal se débattait furieusement tandis que le loup, accroché à son encolure, cherchait à l'égorger.

Le chasseur plongea sous les redoutables pattes griffues de l'aurork et taillada son torse pour frapper le cœur.

Fauché par une des redoutables pattes, le loup vola dans les branches d'un kénoab. La bête se ressaisit et chargea le chasseur.

L'homme roula sur lui-même et planta solidement sa seconde lame dans le flanc de l'animal. Celui-ci geignit, mais fit encore une fois volte-face. Il s'apprêtait à piétiner le chasseur désarmé quand le loup se jeta sur elle et la déséquilibra.

L'homme souleva une grosse pierre et l'abattit violemment sur la tête de la bête. Un dernier grognement secoua les frondaisons ; suivit le concert aigrelet des corbeaux affamés. Au loin, on entendait le galop de plusieurs destriers, l'ahanement des hommes et des chiens de chasse.

— Éclair! s'écria le guerrier en se portant au secours du loup.

L'animal gisait à quelques pas de l'aurork.

Voyant que son fidèle compagnon léchait déjà ses plaies, l'homme s'arcbouta contre la bête agonisante. Puis, il dégaina un sabrier. Avant de l'égorger, il posa sa main sur son crâne poisseux de sang.

— Je te délivre. Va en paix à présent, et…

Il tentait de se rappeler les paroles jadis prononcées par son propre père lorsqu'ils allaient tous deux à la chasse. N'y parvenant pas, il poussa un soupir, ferma les yeux de l'aurork et enfonça sa lame.

La traque était terminée.

Fourbu, le guerrier s'affaissa. Il avait quitté ses compagnons au crépuscule, marché dans la forêt durant toute la nuit.

Un souffle de vent glacé le transperça sans pour autant faire frémir les lambeaux de brume qui flottaient autour de lui.

Sachant qu'il se trouvait sur le territoire des Sentinelles, il se releva, encouragé par Éclair qui, tout en boitant, lui léchait joyeusement le visage.

Cette forêt, cette brume, l'humidité ambiante et l'odeur même de la terre lui rappelaient son enfance et un certain bonheur perdu. La sensation de froid disparut, de même que le souvenir idéalisé de son père.

Des voix parvinrent jusqu'à lui.

Des chasseurs et des soldats surgirent, mais aussi des courtisans, ces hommes de salon qui hantaient les palais. Ils mirent pied à terre et le félicitèrent. Des dames portant tuniques, gants de chevreau, voilettes diaprées et manteaux de vison louèrent son courage et son panache. Les paysans qui avaient suivi la battue tombèrent à genoux et lui baisèrent les mains.

Des officiers en armure se rassemblèrent et plantèrent leurs épées en terre devant lui. Son page rapporta les deux moitiés de son kaïbo, tandis que les paysans commençaient à dépecer la bête.

Le chasseur échangea un regard complice avec le jeune homme et avec Éclair qui l'avait suivi et protégé durant la nuit.

Enfin, le chambellan du palais royal de *Berghoria* inclina la tête.

— Votre Majesté, dit-il, la bête ne pouvait tomber que sous les coups de votre très noble épée.

Vorénius ôta son lourd capuchon. Il donna ensuite une tape amicale dans le dos du fonctionnaire, et s'adressant à ses gens déclara que les villages brugonds de la région de Welwand étaient saufs. La bête était morte. Il fallait désormais rentrer à Berghoria.

Cette déclaration rassura les hommes de cour qui en avaient assez des tentes et des feux de camp, mais déçut les soldats. Vorénius serra Éclair contre lui – un geste qui n'échappa ni aux courtisans ni aux officiers.

Le haut souverain monta ensuite sur l'étalon dont on tenait la bride. Il y aurait un festin dans la cité rupestre de *Gwolan* pour célébrer la mort de l'aurork. À cette occasion, il rencontrerait les chefs brugonds et les Hurelles, puis ils repartiraient aussitôt après pour Berghoria.

À en croire Frëja, sa mère adoptive, il n'était pas bon pour Vorénius de s'éloigner trop de sa capitale, de sa reine et de son héritier…

✸

Vorénius déposa son hanap de bière et déclara que la soirée était assez avancée pour appartenir maintenant aux femmes.

Cette déclaration fit sourire les seigneurs attablés autour de lui. La salle de réception du palais de Berghoria résonna longtemps des rires soulevés par la plaisanterie du haut souverain, et tous s'inclinèrent respectueusement quand il se leva.

Les courtisanes et les dames de la cour le suivirent des yeux. Certains barons se forçaient à faire bonne contenance, d'autres paraissaient soulagés. D'autres, encore, discutaient à voix basse. Quelques militaires, hommes de robe et plusieurs fonctionnaires grimacèrent quand le loup du roi se dressa à son tour et trottina derrière son maître.

Vorénius monta l'escalier de pierre qui menait à ses appartements. Peu à peu, les rires et le brouhaha des conversations s'estompèrent, happés par le silence monacal de cette ancienne forteresse transformée en palais à grand renfort de draperies coûteuses, de statues et de meubles grossièrement taillés par des artisans locaux.

Au moment d'entrer dans la chambre de la reine, Éclair dressa les oreilles. Vorénius caressa la tête de l'animal et le rassura : « Ce soir, je ne crains rien... »

Éclair hocha la tête. Malgré tout, il savait qu'il ne dormirait que d'un œil.

Un bruit de pas furtif retentit dans le corridor. Le loup tourna la tête, puis la baissa en signe de soumission. Une grande femme drapée dans une robe noire et un capuchon de velours mauve liseré d'or le rejoignit. Son visage était pâle et osseux. Ses yeux sombres posés sur toute chose avec sagesse et gravité, et ses longs cheveux de jais semés de fils argentés impressionnaient tout le monde dans le palais. Mais Éclair savait que Dame Frëja était l'amie de son maître.

— Il est entré? demanda-t-elle avec circonspection. C'est bien.

Ce qui ne l'empêcha pas de coller son oreille contre le battant de la porte comme une jeune effrontée. Éclair le lui reprocha d'ailleurs d'un grognement sourd.

— J'en ai le droit, rétorqua-t-elle, je suis sa tutrice.

Vorénius avait à peine trente ans. C'était un homme comme les aimaient à la fois les hommes et les femmes : solide, vertueux, autoritaire, énergique et mystérieux. Cette dernière qualification étant plus au goût des courtisanes que des officiers et des fonctionnaires.

Frëja sourit.

En cet instant, Vorénius était auprès de Frisandre, sa femme, une ravissante noble d'origine *drumide*, blonde, douce, racée et obéissante. Elle avait déjà donné un fils à Vorénius. Frëja avait hâte de voir la famille royale s'agrandir. Cette pensée à elle seule suffisait à expliquer la joie qui brillait ce soir dans ses yeux.

Vorénius avait enfin décidé de rentrer à Berghoria. En vérité, traquer cette bête qui dévastait les villages brugonds n'avait été pour lui qu'une autre excuse pour fuir sa capitale. Mais que se passait-il depuis quelque temps dans la tête et le cœur de ce garçon qu'elle aimait et qu'elle avait élevé comme son fils? Pour la première fois, elle ne parvenait pas à le comprendre, et cela lui faisait peur.

Vorénius était une énigme pour bien des gens. Le mystère et la manière dont on le distillait étaient aux yeux de Frëja une chose essentielle pour exercer et – surtout – conserver le pouvoir. Mais Vorénius se renfermait trop sur lui-même. Cette attitude causait à sa tutrice bien des tourments.

Des larmes montèrent à ses yeux, qu'elle sécha d'un vif mouvement de bras. Éclair la dévisagea, perplexe.

— Ne me fais pas ces yeux-là, le loup, le réprimanda-t-elle. Tu sais aussi bien que moi que j'ai raison.

Dialoguer avec Éclair était devenu pour elle aussi naturel que parler avec ses dames d'atour ou bien avec les diplomates étrangers. Depuis son enfance, Vorénius était aimé et entouré par les loups. Il jouait avec eux lorsqu'il sillonnait les Terres de Vorénor et de Reddrah avec ses parents. Et ils le protégeaient depuis que Mérinock l'avait amené à Berghoria, vingt-six années auparavant.

Éclair descendait de la glorieuse lignée de Douceuse et de Vif-Argent. Vorénius l'avait choisi dès sa naissance. Depuis, même si d'autres loups vivaient en liberté dans les forêts entourant Berghoria, Éclair était son plus proche compagnon à quatre pattes. Les citadins, les paysans et les hommes d'armes trouvaient sans doute l'inclinaison du haut souverain pour les loups étrange, sinon morphique. Mais comme aucun homme n'avait été attaqué par des loups depuis l'avènement de Vorénius, beaucoup se réjouissaient en secret de cette puissance qui permettait à leur roi de communier avec les bêtes.

Des éclats de voix filtraient sous la porte de la chambre de la jeune reine.

Frëja s'écarta, mais ne put échapper au regard du roi qui sortait brusquement.

— M'espionnes-tu? s'enquit Vorénius.

Ils étaient presque de la même taille – et le jeune souverain était grand pour un *Vorénien*! Mais la ressemblance s'arrêtait là. Les années et les soucis avaient amaigri l'ancienne enseignante d'Éliandros, alors que le fils de Solena et d'Abralh était devenu un guerrier accompli. Si sa peau sombre, ses sourcils et sa mâchoire trahissaient ses ascendances baïbanes, le reste de sa noble personne rappelait la physionomie de Solena. Ses yeux verts brillaient d'un éclat farouche comme ceux de son père autrefois, mais ils avaient la profondeur de ceux de sa mère.

Quelques secondes s'écoulèrent dans le silence.

Frëja se lança :

— Tu rentres à peine et tu désertes la couche de ta reine ?

— Frisandre est ta reine plus que la mienne, ne put-il s'empêcher de rétorquer.

Frëja accusa le coup. La jeune souveraine était entre eux une pomme de discorde.

— Ton fils ? hasarda alors Frëja.

— Je l'ai vu.

Vorénius se détourna, Éclair s'apprêta à lui emboîter le pas.

— Il n'est pas bon pour un roi d'avoir des fils adultérins, ajouta Frëja.

Vorénius sourit. Aucune de ses maîtresses n'était enceinte, il y veillait.

— Évernia, commença-t-elle...

Le jeune roi leva sa main puissante. Frëja ravala ses paroles.

— Évernia m'a volé mon enfance et mes parents, lâcha-t-il froidement.

Il fit claquer son manteau de peau et s'éloigna. Au bout de quelques pas, cependant, il revint sur ses pas et embrassa Frëja sur la joue. Puis il repartit.

Tu souffres, je le sais, songea celle qui le gardait depuis si longtemps. *Et tu m'en veux, aussi, de t'avoir imposé une reine. Mais Évernia...*

Ce mot était maudit entre eux.

Pourtant, Frëja voyait dans ses transes l'ébauche d'événements terribles à venir. Mérinock lui-même la mettait en garde.

« Que Vorénius redouble de prudence ! » répétait-il.

Hélas, depuis quelque temps le jeune homme avait du mal à se concentrer sur son travail de souverain. Les réunions du conseil l'ennuyaient. Malgré sa carrure et son apparente assurance, il était vulnérable. Frëja le sentait aussi fragile qu'un bloc d'argile plongé dans l'eau.

Elle l'apostropha, lui répéta qu'Évernia avait des choses à lui révéler.

Mais Vorénius allait retrouver un semblant de sécurité et de rêve dans les bras d'une de ses maîtresses.

Mérinock! se lamenta silencieusement Frëja, *pardonne-moi, j'ai failli à ma tâche.*

LA VISION

Le mausolée des Tahard, la famille royale qui avait régné sur les Terres de Vorénor avant Vorénius, était construit au pied d'un roc immense et trapu que l'on appelait autrefois avec un certain humour le « *nez de Vorénor* ». Des légendes circulaient sur ce lieu désolé où ne poussait aucune végétation. Le géant fondateur des Terres avait, disait-on, perdu ici même une grande bataille et avait failli se faire capturer par Gorum, son frère, qui tentait alors de s'emparer du territoire.

Beaucoup de nobles pensaient que l'endroit était trop funeste pour élever un mausolée. Mais Vermaliss Tahard, le précédent haut souverain, l'avait choisi comme lieu de sépulture, et Vorénius avait exaucé le vœu de son père adoptif.

Entre le petit garçon et le roi s'étaient tissés des liens étroits. À la grande surprise des courtisans et de la famille même de Vermaliss, celui-ci avait pris l'enfant d'Évernia sous son aile ; lui enseignant l'art de gouverner au détriment du reste de sa parenté.

La nef du mausolée était haute de plafond, ses murs de pierre et ses dalles glacées. Les rubans d'encens qui flottaient dans l'air parfumé à l'huile de *brénail,* cet arôme qui depuis des siècles imbibait tout espace dédié aux morts et aux dieux, invitaient au recueillement. Agenouillé avec la reine et les membres de sa cour devant le gisant de Vermaliss qui l'avait aimé – et non pas fait assassiner, comme l'avait craint Frëja –, Vorénius se perdait dans des séquences précises de sa jeunesse.

Une fois, Vermaliss et lui s'étaient regardés droit dans les yeux. C'était un beau jour d'été, au coucher du soleil, sur la plus haute tour du palais. Le haut souverain était heureux et au sommet de sa force. Ses anciennes douleurs, sa maladie débilitante comme l'avaient surnommée certains, n'étaient plus que souvenirs.

« Ta mère, la dernière cristalomancienne, est venue un jour me voir, petit, et tout a changé pour moi. Elle m'a tiré de mes souffrances. Je ne l'ai jamais oublié. »

Vorénius devait avoir six ans. Il avait senti l'inquiétude de Frëja, restée en retrait avec les dames de cours et les sentinelles. Douceuse elle-même, sa fidèle louve, était demeurée couchée non loin sur les dalles tièdes, alanguie, mais néanmoins attentive.

Craignaient-elles que Vermaliss ne précipite l'enfant du haut de la tour ?

Ils s'étaient donc regardés, et Vorénius avait compris qu'il existait un lien entre cet homme et lui. Frëja enseignait que l'on ne vivait pas qu'une seule fois. Que les âmes d'un même groupe de gens, famille ou communauté, se connaissaient et se retrouvaient au fil des siècles.

Ils s'étaient souri. Vermaliss avait hoché le menton en direction des membres de son clan, les Tahard – oncles, cousins, petits-cousins et la ribambelle de leurs vassaux –, et lui avait dit tout bas :

— Ceux-là ne t'aiment pas. Ils détestent l'idée d'un roi imposé par Évernia à cause d'un stupide testament et d'une signature. Ils chercheront à te nuire. Mais rassure-toi, tant que je vivrai je veillerai sur toi, moi aussi. De ton côté...

Vermaliss s'était abaissé à la hauteur de l'oreille du petit garçon et avait ajouté qu'il espérait bien, par cette conduite irréprochable, gagner après sa mort son droit de passage vers les sphères célestes promises par le Prince messager Torance.

Vermaliss avait vécu et régné pendant quinze autres années durant lesquelles il avait tenu parole. La vie ne lui avait apporté ni reine ni enfants, car le haut souverain avait tenu à ne rien faire qui puisse nuire à Vorénius ou à Évernia. Pourtant, de graves événements suscités par certains seigneurs de Vorénor épaulés en secret par l'empereur de Gorée ou par le Premius de Goromée – révoltes, cabales, attentats, incidents diplomatiques, pillages et autres – avaient à maintes reprises tenté de rompre le fragile équilibre instauré par Vermaliss entre politique et religion, susceptibilités des peuples de Vorénor et exigences des puissants.

Son règne avait été une lutte de chaque instant qui avait même mené à l'arrestation de deux de ses oncles et de trois de ses cousins, trouvés coupables de collusion avec des factions dissidentes. Les enquêtes entreprises par Vermaliss n'avaient jamais pu remonter jusqu'à l'empereur de Gorée ou jusqu'au Premius de Goromée. Malgré cela, le haut souverain restait persuadé que ces gens-là, et bien d'autres, étaient les véritables cerveaux des événements.

Il avait également sauvé la vie du jeune Vorénius à deux reprises au cours d'attentats directs perpétrés sur sa personne.

Durant ces longues années de lutte, jamais le Mage errant ne s'était physiquement manifesté pour prévenir ou pour défendre son pupille. Vermaliss se désespérait. Où était Évernia ? Une fois seulement, lors d'une chasse, Vorénius s'était réellement trouvé, seul, en danger de mort. Ni Frëja restée au palais ni Douceuse ou Vermaliss n'étaient présents quand un chasseur surgi de nulle part avait levé sa lance sur Vorénius, alors adolescent.

Le chasseur avait visé le cœur. Le cheval de l'adolescent royal s'était cabré dans les joncs d'un marais desséché. Mais à l'instant où la lame avait touché son surcot de cuir, un homme au visage recouvert d'un masque peint était apparu dans une lumière dorée. Il avait empoigné le chasseur et tous deux avaient disparu comme par enchantement.

Tout s'était passé si vite que Vorénius lui-même avait cru rêver. Pendant quelques secondes, il n'avait subsisté autour de lui qu'une pluie d'étincelles. Il avait tenu dans ses mains un peu de cette poussière d'or. Puis elle s'était dissoute.

Si des soldats venus en renfort n'avaient relevé des traces de pas autour de Vorénius, l'adolescent aurait pu facilement conclure à un rêve. Mais en cette occasion unique, Évernia s'était bel et bien manifesté dans sa vie.

Vorénius revint brutalement de sa rêverie.

Dans le mausolée s'élevaient les notes claires du chant entonné par des enfants de chœur qui célébraient l'anniversaire du « départ » de Vermaliss Tahard vers les sphères célestes de Gaïa.

Cela faisait une dizaine d'années, maintenant, que Vermaliss était mort, une nuit de délires et de fièvres. Les médecins avaient parlé d'une insolation aggravée d'une indigestion qui aurait mal tourné. Mais Frëja avait reconnu, dans l'air de la chambre du roi, les miasmes de la *gentionne étoilée,* une herbe rare qui, jointe à d'autres, avait le pouvoir de tuer. Un simple utilisé autrefois par les Hurelles, les prêtresses des anciennes croyances.

Devant Vorénius, Frisandre, Fröja et les membres de la cour parlait le prêtre : un ancien Fervent ayant épousé par nécessité la robe brune des officiants du Torancisme.

Agenouillé sur un coussin de velours posé à même les dalles, le couple royal commençait à se fatiguer. Autour, dans la nef éclairée par de grands vitraux, se recueillaient également les membres survivants de la famille Tahard. Dehors attendaient les soldats de l'escorte royale.

Lorsque l'office prit fin et que les courtisans eurent salué Vorénius, le jeune roi posa une main sur le gisant de son père adoptif.

La statue était en marbre clair. L'artiste avait représenté Vermaliss au sommet de sa forme, en trichant un peu avec la réalité. Cependant, il avait su capter la douleur mélancolique du précédent haut souverain – son doute constant de la réalité des mondes d'outre-tombe, sa peur de mourir et celle de la damnation éternelle de son âme promise par le Testament des rois si jamais un des Purs était trahi ou assassiné.

La jeune reine Frisandre toussota. Vorénius se ressaisit et prit son bras. Ils échangèrent un regard gêné, car le roi et son épouse avaient peu en commun. Malgré tout, ils ne se détestaient pas. Frisandre semblait même avoir accepté la froideur de son mari à son égard. Elle posa une main sur la sienne et lui sourit. En retour, le roi hocha la tête. Il ne l'aimait pas comme elle aurait souhaité l'être, mais il la respectait pour sa gentillesse et son tact en toute circonstance.

Dehors, respirer l'air frais leur fit le plus grand bien.

Isolé et subissant en permanence l'assaut des vents violents, le « nez de Vorénor » n'en était pas moins un lieu de culte. De nombreux villages s'étaient construits tout autour. Afin que le périmètre du Roc et du mausolée fût respecté,

Vorénius avait ordonné la construction d'un mur d'enceinte. Avant de repartir, Éclair sur ses talons, il en inspecta le pourtour avec ses architectes.

Le prêtre de la circonscription du Roc les suivait, de même que certains membres de la famille du défunt Vermaliss.

En les voyant s'éloigner, Frëja prit la main de Frisandre.

— Je n'aime pas ça.

— Quoi donc, mère?

Décidément, se dit l'ancienne enseignante d'Éliandros, soit je vois des tentatives d'attentats partout, soit ma bru est stupide, et Vorénius a alors raison de lui préférer des femmes plus vives d'esprit.

Elle secoua la tête, s'excusa.

Cependant, ses transes étaient claires. Un danger mena-çait les Terres de Vorénor. Le trône allait vaciller. Vorénius serait bientôt mis à l'épreuve par Évernia.

Un coursier à cheval arriva à bride abattue et tendit un rouleau d'ogrove à celle que tous considéraient comme la mère du roi.

Frëja lut le message et pâlit.

Vorénius fut rappelé en toute hâte.

★

Le camp avait été dressé sur le pourtour d'une vaste clairière en forme de cuvette. Vorénius en avait décidé ainsi contre l'avis de ses généraux qui voyaient d'un mauvais œil l'idée d'un campement aussi grand que le leur, étendu sur plus de deux cents mètres.

En cas d'attaque de l'ennemi…

— Justement, avait rétorqué Vorénius, dans une cuvette, nous sommes vulnérables. Sur son pourtour, l'organisation sanitaire peut être plus difficile, mais si l'ennemi charge et nous perce, sa cavalerie sera piégée dans la cuvette et nous pourrons facilement la détruire.

Force était d'admettre que cette stratégie originale comportait quelques bons points. Sauf que la rumeur de soulèvement des *Mélonets du Sud*, apportée au mausolée des Tahard par le coursier à cheval quelques jours plus tôt, restait confuse. Quand s'étaient produites les attaques décrites? Le sceau du prince Asthar était-il authentique? Et les guerriers goréens, qu'on aurait vus, étaient-ils réels ou bien des leurres uniquement destinés à entraîner Vorénius dans un piège?

Frëja avait insisté pour accompagner le jeune roi et son armée, et l'avait mis en garde:

— N'engage qu'une partie de tes forces. Laisses-en une autre partie à Berghoria pour maintenir l'ordre et museler nos ennemis. Masse le reste sur les côtes drumides.

Vorénius l'avait dévisagée. Frëja avait-elle eu d'autres révélations? Pourtant, lors de la dernière réunion du conseil, aucune nouvelle alarmante n'avait filtré de ses rencontres avec les ambassadeurs étrangers.

— Justement, tout est bien trop calme, avait insisté Frëja.

— Je vais y penser…

Le souvenir de cette conversation avait hanté Vorénius. Allongé près de Rufia, une esclave brune qui figurait au nombre de ses maîtresses, le jeune homme ne trouvait pas le sommeil. Le voyant contrarié, la femme offrit de lui masser les épaules et le torse. Puis elle s'installa sur son ventre et lui fit don de ses seins.

Éclair entra soudain sous la tente et vint grogner à l'oreille de son maître. Vorénius l'écouta et se rhabilla. Une moue sur le visage, Rufia regarda le roi suivre le loup.

Ils rampèrent sans bruit entre les sentinelles épuisées. Une brume fantomatique les aida à gagner les buissons.

Au couvert des grands arbres bordant la forêt, Vorénius prit Éclair contre lui.

— Tu es sûr?

Le loup posa ses yeux jaunes dans les siens.

— Alors, va. Je te suis.

Ils s'enfoncèrent dans le sous-bois et prirent la direction du sud.

Ils atteignirent un entablement de rochers semés de mousse et de racines. Au-dessus d'eux se balançaient les frondaisons de plusieurs Sentinelles battues par les vents du large.

Vorénius se rappelait les paroles de Solena, sa véritable mère. Ne disait-elle pas que certains arbres avaient ce qu'elle nommait «le pouvoir de vie»? Qu'en se concentrant, elle pouvait entrer en communication avec eux!

Le jeune homme, hélas, ne possédait pas les pouvoirs de la dernière cristalomancienne.

Plusieurs loups ne tardèrent pas à les rejoindre. Ils escortaient une très vieille louve qui boita jusqu'à Vorénius.

— Douceuse II, murmura le roi.

Cette louve était la fille de Douceuse Première qui avait vécu du temps de la quête du Testament des rois. Elle appuya sa tête contre son torse. Il la serra dans ses bras.

— Tu avais raison, fit Vorénius en souriant à Éclair. Ta mère est venue.

Il la caressa longuement.

Il n'avait pas peur. Depuis son enfance, un lien étroit existait entre lui et les bêtes. C'était dû sans doute aux pouvoirs de ses parents. Solena avait été une grande cristalomancienne et Abralh... Son père apparaissait à Vorénius tel un géant. Un homme à la fois intègre, courageux, doux et aimant.

Les oreilles d'Éclair se redressèrent.

Un étrange engourdissement saisit le jeune roi. Une voix parla à son oreille.

« N'aie crainte. Laisse-toi aller. »

— Évernia ? s'enquit Vorénius, haletant.

« Respire profondément. Je t'ai fait venir pour te montrer quelque chose. »

Silence.

« Viens », poursuivit la voix.

Il fut tiré hors de son corps par une force inconnue et se mit à rêver qu'il courait de rocher en rocher dans le bois, entre les taillis et les ronces, comme un loup. Ses bras étaient de véritables pattes, ses doigts des griffes. Son poitrail était recouvert de poils. Mille odeurs passaient dans ses narines et affluaient jusqu'à son cerveau.

Je suis un loup, se dit-il. Je cours comme eux, je respire et pense comme eux.

D'autres loups, dont Éclair, accompagnaient Vorénius. Il parvint devant un précipice qui dominait l'océan. La falaise tombait abruptement sur des écueils dressés balayés par le ressac.

« Vois, à présent… » dit la voix dans sa tête.

Peu à peu se dessina la silhouette de plusieurs vaisseaux. Leurs proues sculptées brillaient doucement et montaient en cadence avec les vagues. Toutes voiles tendues, une vingtaine de navires cinglaient vers les Terres. Le vent faisait claquer les toiles. Les coques grinçaient sous l'assaut de la houle. Vorénius sentit des effluves de vin et de viande, de sel et de transpiration.

— Une armada ! Est-ce ce que je devais voir ?

La flotte ennemie, l'océan, la côte, les loups, tout disparut. Le haut souverain changea brusquement de rêve.

Il se tenait debout dans une plaine aride et sombre, au sol craquelé. Le ciel était percé d'étoiles. Une silhouette se détacha du néant. C'était un chevalier. Le dos droit, les mains posées sur le pommeau de son épée plantée en terre, il fixait l'horizon.

Vorénius prononça la première parole qui lui vint à l'esprit :

— Père !

Il s'approcha de l'apparition, en fit le tour et fut saisi d'effroi.

— Que signifie ? s'insurgea-t-il.

L'armure était vide et tenait debout toute seule.

Vorénius tendit sa main vers la tête du chevalier. Son armure brillait comme si une lumière l'éclairait de l'intérieur.

À l'instant où sa main toucha la pointe du heaume, l'armure se disloqua et tomba sur le sol.

Vorénius se réveilla en sursaut.

Les loups étaient toujours près de lui. Douceuse II reposait, morte, sur ses genoux.

Quand elle vit le roi rentrer au camp, Frëja adressa une prière de remerciement au Mage errant qui avait veillé sur le jeune rebelle.

— Tu es fou d'être sorti en pleine nuit et sans escorte ! explosa-t-elle quand même.

Vorénius était blême. Il leva la main, signe que l'instant était solennel, et l'entraîna sous sa tente.

— Tu avais raison, murmura-t-il. L'ennemi est à nos portes.

Il demanda à Rufia de quitter la couche, fit mander ses généraux de toute urgence.

Quand ils se présentèrent, à moitié endormis, Vorénius leur annonça qu'une armada allait bientôt accoster. L'empereur de Gorée leur déclarait la guerre.

Il fit ensuite venir un scribe et lui dicta ses ordres.

La tempête

Cette nuit-là, l'océan était en proie à une guerre que se livraient les anciennes divinités. Les marins avaient travaillé d'arrache-pied pour amener les voiles et maintenir le navire amiral de la flotte goréenne « en panne ». Ainsi, malgré les vents et les vagues, les canots mis à la mer par les autres frégates pouvaient plus aisément se ranger le long de sa coque.

Accrochés aux échelles de coupée, plusieurs matelots arrimaient les embarcations et tendaient la main aux illustres invités. La houle et le sel creusaient les visages, fouettaient les silhouettes. Certains étaient aussi pâles que des cadavres. D'autres priaient à voix haute. Pourtant, il ne serait jamais venu à l'esprit des marins de sourire ou de se moquer de ces personnages.

Guidés le long du bastingage par des soldats chargés de les protéger au cas où une vague balaierait le pont, six hommes enveloppés de longs manteaux gagnèrent le gaillard d'avant.

La chambre de l'amiral ne valait sans doute pas les salles d'apparats des palais de Goromée, mais elle était spacieuse et meublée avec goût. Plusieurs lampes à huile se balançaient au gré du tangage et distribuaient une lumière parcimonieuse. Les invités saluèrent l'empereur Brasius II de Gorée et son fils qui les attendaient impatiemment et s'assirent lourdement sur de vulgaires bancs recouverts de cousins. Après avoir commandé du vin chaud épicé, l'amiral posta deux soldats de confiance à la porte, et referma le battant.

La flotte impériale avait appareillé l'avant-veille après des mois de préparatifs. Le port milosien d'*El-Dara*, choisi pour la profondeur de sa rade et la forêt de kénoab noir qui l'entourait, était un emplacement à la fois discret et stratégique. Des milliers d'ouvriers avaient défriché les bois, taillé les troncs, assemblé les navires. Dans une ville distante de plus de cinq cents verstes, l'empereur avait fait rassembler ses troupes et les avait entraînées. De toutes les cités de l'Empire avaient ensuite été acheminées des caravanes entières de denrées et de matériel, tandis que les chevaux et leur harnachement provenaient de cinq autres provinces. Ce plan ambitieux conçu et habilement exécuté dans le plus grand secret était l'œuvre du prince impérial Klébur.

L'empereur répondit brièvement au salut de ses invités. Il aurait pu s'excuser de leur avoir fait courir d'aussi grands risques en cette nuit de tempête. Mais s'excuser n'était pas dans le tempérament du monarque. Réputé autant pour sa férocité, sa détermination et son esprit retors que pour son manque total de savoir-vivre, Brasius avait l'habitude de ne pas tergiverser. Il avait conquis sa couronne de haute lutte après avoir successivement fait la guerre et assassiné ses deux frères, et cette férocité s'inscrivait tout naturellement dans son personnage.

Il bougea sur son siège, rapprocha ses vieilles mains du brasero, échangea un regard vif avec son fils aîné.

Les deux hommes se ressemblaient. Grands et maigres, ils avaient tous deux un visage en pointe, des joues creuses, une bouche fine, une peau tirant sur le jaune et de grands yeux noirs scrutateurs. Malgré cet aspect dénué de charme ou de noblesse, ensemble ils tenaient dans le creux de leurs mains la Gorée ainsi qu'un grand nombre de petits royaumes voisins. Alliant la ruse, les promesses et les menaces, ils avaient réussi à rassembler une armada comme le monde n'en avait encore jamais connu.

Plusieurs des invités toussotèrent et se raclèrent la gorge. Fort heureusement, le vin arriva. Un esclave sourd et muet remplit les hanaps, puis se retira. Le plancher de la pièce tanguait. Les parois de bois exhalaient des relents de sel et de sueur. Un grand légide plaça son mouchoir parfumé devant son nez, mais se ravisa lorsque le Premius, le pontife suprême du Torancisme, le réprimanda d'un geste discret.

L'heure était gravissime, car réunir autant de hauts personnages sur une seule nef était soit un acte de bravoure insensé, soit une gageure monumentale.

Sentant que la peur s'insinuait en chacun de ses invités, l'empereur sourit. Puis il déclara sur le ton de la plaisanterie qu'ils n'avaient rien à craindre des éléments. Gaïos le tout puissant et le divin Prince messager n'étaient-ils pas avec eux?

Après des années d'hésitations, de menées diplomatiques et d'actions conduites en sous-main, il convenait maintenant d'agir au grand jour. Les événements en étaient arrivés à une sorte de point d'orgue et la seule issue, comme toujours en ces pénibles circonstances, était la guerre.

Les raisons officielles qui menaient aujourd'hui à une nouvelle tentative d'invasion des Terres de Vorénor étaient connues de tous. Depuis l'affaire de la «dernière cristalomancienne» qui avait vingt-six années plus tôt sillonné les royaumes tourmentés de Vorénor et de Reddrah pour guérir les monarques et leur faire signer le Testament des rois, la situation politique s'était aggravée.

Non seulement les souverains de Vorénor et de Reddrah avaient-ils été remplacés par les « Purs » à la solde d'Évernia annoncés par les prophéties du Mage errant. Mais ses deux rois, Vorénius et Cristanien, entendaient maintenant former une alliance contre la Gorée. Politiquement, cette guerre avait pour but d'écarter la menace de cette alliance.

Brasius dévisagea Orthon IV, le Premius à qui il se sentit obligé de sourire pour souligner son courage. En effet, jamais dans les annales des douze anciens royaumes de Gaïa, le chef suprême d'une religion ne s'était déplacé en personne pour bénir les troupes à même le champ de bataille.

D'un point de vue religieux, le Premius soutenait cette guerre pour une raison précise. En prenant le pouvoir en Terres de Vorénor et de Reddrah, les rois dits « d'Évernia » s'étaient empressés de restaurer les principes enseignés jadis par les Fervents du Feu bleu. Pour des raisons diplomatiques, le clergé officiel avait, certes, été maintenu. Mais le grand légide de Bayût, détenteur de la plus haute autorité ecclésiastique en Terre de Vorénor, avait été obligé de nommer de nouveaux prêtres et légides en les choisissant parmi les mystiques Fervents.

Le point de litige principal tenait au fait que les Évangiles sur lesquels était basé le Torancisme avaient été falsifiés au cours des trois premiers siècles de leur ère. Point qui demeurait historiquement très discutable.

Depuis une quinzaine d'années, Vorénius et Cristanien avaient donc créé de toutes pièces une hiérarchie ecclésiastique entièrement composée à la fois de prêtres et de légides ayant accepté les nouveaux enseignements, et de nouveaux prélats issus du Ferventisme.

Décidé à protéger son Église de la dislocation en deux entités ennemies, le Premius Orthon avait choisi de financer pour un tiers cette ruineuse équipée navale.

Pour l'armée, représentée dans la pièce par un amiral et par un général proches de l'empereur, les choses étaient encore plus simples. On racontait qu'avant d'être anéantis par le vaillant grand légide Farouk Durbeen, les Fervents avaient caché dans des grottes d'énormes quantités de bijoux et de pièces d'or. Attirés par l'appât du gain et par la promesse de pillages faciles et de nombreuses prises d'otages, les militaires étaient tout disposés à se battre, peut importe les motifs politiques, socio-économiques ou religieux.

Les hanaps furent vidés. L'esclave revint et en servit d'autres. Chacun se dévisageait en hochant la tête. Ils retenaient leurs grimaces et leurs inquiétudes, car l'empereur n'avait encore prononcé aucune parole.

Aux peuples ignorants et manipulables à souhait avait été servi comme motif de cette guerre la traditionnelle nécessité, pour des gens biens et évolués tels les Goréens, d'aller civiliser leurs infortunés cousins du nord. Dépeints comme des rois barbares, Vorénius et Cristanien passaient en effet pour des monstres qui en changeant les croyances de leurs sujets condamnaient leurs âmes aux feux de l'enfer. En dignes défenseurs du droit et de la foi, l'empereur Brasius et le Premius Orthon se devaient donc d'agir et de réduire ces monarques indignes à néant.

Avaient également été invoquées les raisons commerciales. En «libérant» les Voréniens, leurs produits et la richesse de leurs industries et de leurs mines seraient disponibles en plus grande quantité et à moindre prix dans toutes les provinces de Gorée. Surtout si d'habiles marchands et financiers, venus en même temps que les soldats, prenaient possession des ports et formaient des milices armées pour « protéger » leurs civils venus commercer.

Restaient donc les raisons secrètes ou ésotériques : en fait, les véritables mobiles de cette invasion à grande échelle. Ce dont les huit hommes réunis avaient convenu de discuter à huis clos…

Le Premius Orthon lança la discussion en tendant un rouleau d'ogrove frappé de cet emblème que les puissants commençaient à bien connaître – la fameuse spirale noire enfermée dans un pentacle.

— Voici des informations collectées par mon secrétaire auprès d'un homme qui s'est présenté masqué et qui répondait au nom de « Voyageur », dit le Premius.

L'empereur connaissait ce mystérieux émissaire qui servait de médiateur entre le pouvoir officiel et le tentaculaire et ténébreux ordre financier appelé les *Spiraliens*. Ces gens étaient pour la plupart des banquiers, des bourgeois et même des grands légides et des officiers. Ils formaient depuis une vingtaine d'années une force occulte qui servait à la fois de réseau d'informations et de manne financière.

L'empereur avait mesuré la force de ce groupe ainsi que son utilité. Après maintes hésitations, il avait cependant décidé de le laisser vivre et agir, pour autant qu'il puisse conserver sur ces Spiraliens un certain contrôle, et aussi longtemps que ces derniers soutiendraient ses visées politiques et militaires.

Brasius prit le rouleau et le déplia.

— Notre « ami » le Voyageur nous met en garde contre les manœuvres occultes du Mage errant, déclara-t-il. Voici des informations pour abattre nos ennemis dès que nous aurons débarqué.

En entendant le nom du Mage errant, certains se retinrent de rire, car cet homme insaisissable et réputé immortel était selon certaines sources mêlé de près à nombre d'événements historiques ayant marqué tous les royaumes – spécialement la Gorée. Pourtant, nul ne l'avait jamais vu. En outre, ses prétendues apparitions ainsi que celles de ses Servants, ces guerriers au visage recouvert de masques en bois peint, de même que l'hypothétique existence de Wellöart, le village caché du mage, figuraient depuis longtemps au nombre des légendes ou des comptines pour enfants. Quant à savoir si Mérinock avait bel et bien paru en chair et en os au milieu des nobles voréniens et reddriniens, vingt-six ans auparavant, lors de la présentation des Purs, on pouvait en débattre encore de nombreuses années dans les universités de l'Empire de Gorée.

Brasius remit la feuille d'ogrove à son fils.

— Tu tiendras compte du contenu de ce rouleau lorsque le moment sera venu, mon fils.

Le prince impérial renifla en lisant ce dont les menaçait le Mage errant si la Gorée osait entreprendre une action militaire contre les Terres de Vorénor ou de Reddrah.

L'empereur surprit l'expression de mépris de son fils préféré et le sermonna.

— Il est sage que le peuple croie que le Mage errant ainsi qu'Évernia ne sont que des mythes, mon fils. Mais l'officier aguerri doit prendre en compte toutes les informations susceptibles de lui donner l'avantage sur le terrain. Ne l'oublie jamais.

Klébur inclina la tête sans broncher. Tous, pourtant, sentirent combien le prince, présomptueux de nature, détestait être rabroué par son père.

Alors que le plancher de la pièce se remettait à gîter, le Premius Orthon dit tout haut ce que chacun pensait tout bas :

— Je crois qu'il est vital de connaître les réels intérêts des Spiraliens dans cette guerre.

Brasius approuva. Il était clair que des banquiers et des financiers ne donnaient pas leur or pour la seule gloire de la Gorée ou pour la survie du Torancisme. Il convenait de mener une enquête discrète et rigoureuse.

— Et d'abord, découvrir qui se cache sous le masque de leur grand prêtre! ajouta Orthon.

Le Premius craignait-il de perdre sa place alors même qu'il devait son siège de pontife à l'or des Spiraliens? Trop de faveurs mettent mal à l'aise. Ce précepte connu de tous figurait justement au centre de leur débat.

Un officier vint annoncer que l'aube rosissait le ciel et qu'il convenait de remettre la flotte en mouvement.

— Gaïos nous sera favorable, déclara le Premius en se levant.

La tête lui tournait un peu, mais ses membres s'étaient réchauffés. Décidément, ce vin de marins avait du bon!

— Avons-nous réussi à maintenir le cap, commandant? interrogea le prince Klébur en étirant sa longue et maigre carcasse.

— La baie des *Garnutes* sera bientôt en vue, Votre Altesse!

— Bien, fit à son tour l'empereur.

Il brûla le rouleau d'ogrove. En le regardant s'évanouir en fumée, il songea avec la peur au ventre que, hélas! les Spiraliens devenaient si puissants qu'il pourrait avoir du mal, si jamais cette organisation prenait un jour trop d'ampleur et de poids, à s'en débarrasser.

Orthon demanda à regagner sa frégate. De là, il ordonnerait à ses grands légides demeurés en poste sur les autres navires de bénir les troupes avant le débarquement. Il était important que les hommes soient purifiés et gonflés à bloc.

Aux dires du prince impérial, les préparatifs d'invasion avaient été si bien menés qu'il était peu probable que le roi Vorénius ait été mis au courant. Les plages seraient donc libres, et il comptait sur un débarquement rapide et ordonné sans aucun combat ou presque.

— Que Gaïos et le Prince messager t'entendent, mon fils! l'encouragea l'empereur.

À l'évocation du mythique Fils de Gaïos, chacun se raidit. Les menaces que leur avait adressées le Mage errant ne prétendaient-elles pas que Torance en personne reviendrait si jamais les Terres de Vorénor étaient de nouveau en péril?

Leur hanap de vin entre les mains, les hauts personnages avaient ri. Mais alors que les légides entonnaient leurs bénédictions et que la côte s'approchait à vive allure, le Premius Orthon sentait ses certitudes fondre comme neige au soleil. Et si le Mage errant existait bel et bien et qu'il avait raison? Et si Gaïos ou Gaïa, comme l'appelaient les Fervents, se prononçait contre leur entreprise?

Et si, finalement, le Prince messager Torance réapparaissait soudain et apostrophait les soldats?

LA NUÉE DE CAUCHEMAR

Vingt frégates légères aux proues taillées en pointe pour l'abordage atteignirent la plage en même temps. Trois cents soldats goréens jaillirent en poussant des cris de guerre. Lance au poing, vêtus de la courte armure en cuir renforcée de plaques de cuivres, casqués et chaussés de la galva de campagne réglementaire, ils prirent le rivage d'assaut sans rencontrer de résistance.

Le soleil, qui perçait difficilement un ciel lourd et plombé, jetait ses paillettes roses et mauves sur l'océan encore houleux. Après quelques minutes, les hurlements cessèrent et les soldats s'entreregardèrent, hébétés.

Le prince Klébur avait chargé, encadré par deux gardes du corps qui tenaient leurs boucliers levés. L'officier commandant l'unité de pont grimaçait.

— Par le kénoab sacré des Sarcolem, s'exclama Klébur, rageur, je m'attendais tout de même à en découdre !

Malgré son assurance que les plages ne seraient pas vraiment défendues, le prince avait espéré une bataille qui l'aurait grandi un peu aux yeux de son père.

Le silence, impressionnant, n'était troublé que par les cris rauques des mouettes. L'aube pâle et froide de l'automne jouait avec les nombreuses poches de brume qui flottaient çà et là entre sable et galets, joncs et traînées d'algues.

L'officier goréen renifla. L'air marin irritait son visage pâle. La houle venue du large lui donnait le frisson.

Quand, soudain, un loup hurla à la mort.

D'autres lui répondirent tandis que de nouvelles embarcations chargées d'hommes atteignaient le rivage.

— Une carte ! beugla l'officier.

Les soldats reformèrent les rangs. Un cliquetis d'arme couvrit les dernières plaintes des animaux.

Le militaire se pencha sur le rouleau d'ogrove qu'une estafette dépliait sur le sable à ses pieds. Perplexe, Klébur l'imita.

— Ici, le rivage, expliqua l'officier. Derrière ces dunes s'étendent une plaine marécageuse, et au-delà une forêt. Plus au nord…

Une formidable explosion retentit. Les soldats levèrent la tête et restèrent médusés.

Une dizaine de boules de feu bleu décrivaient un arc au-dessus de leur position et fondaient sur eux en grondant et en vrombissant.

— À couvert ! ordonna l'officier.

Cent « carapaces » se formèrent aussitôt. Cette tactique de défense était constituée par un carré d'hommes très serré et par les boucliers que les soldats posaient à plat sur leurs têtes.

Les gerbes de feu éclatèrent en touchant le sol, répandant une sorte de tourbe huileuse qui enflammait le moindre vêtement.

La plage fut transformée rapidement en un enfer de flammes.

— Restez groupés ! hurlaient les officiers.

Klébur était recroquevillé derrière les boucliers tenus par ses gardes du corps. Il jeta un regard terrorisé à ses acolytes, et comprit ce qu'était le véritable courage.

Ces militaires restaient à découvert uniquement pour lui permettre de survivre ! Ils serraient leurs épées et cherchaient des yeux un moyen de se faufiler entre les hommes-torches qui couraient dans tous les sens, et la pluie de flèches et de lances qui s'abattait derrière les boules de feu.

Les soldats tirèrent le prince comme une marionnette et gagnèrent le flanc d'un des navires.

Klébur les suivit sans opposer de résistance. L'officier qui l'avait accompagné durant l'abordage fut soudain criblé de flèches. Plus loin, une gerbe de flammes dévorait un navire. Un craquement épouvantable retentit quand son mât s'abattit sur la plage et les hommes, à seulement quelques centimètres de Klébur.

Un de ses gardes tomba, une lance fichée dans la poitrine. Le second poussa le prince dans l'eau, au couvert de l'étrave de son navire, et se plaça de manière à lui faire un rempart de son corps.

Klébur claquait des dents. Trempé jusqu'aux os, il avait du mal à comprendre ce qui se passait.

Le temps semblait suspendu. Figé dans une douloureuse torpeur, Klébur se laissa dériver à l'intérieur de lui-même.

Tandis que ses troupes étaient taillées en pièces, sa mémoire le ramena à Goromée, au palais royal, dans ces pièces majestueuses, propres et ensoleillées où il avait grandi avec sa mère, l'impératrice, son frère cadet et ses sœurs.

La guerre, alors, avait semblé à Klébur une bonne occasion de se rapprocher de son père.

Leur ressemblance physique était une aubaine inespérée pour le jeune prince. Adolescent, il avait d'ailleurs étudié les mouvements et les attitudes de son père afin que tout le monde pense et dise combien il avait l'étoffe d'un empereur. Klébur avait également passé des années à analyser le caractère de son père. Le garçon avait de grandes ambitions. La plupart étaient reliées à sa soif d'être vénéré et obéi, car, il le savait, sa mère lui préférait de loin ses sœurs et son jeune frère.

Lorsque Brasius avait demandé à Klébur d'élaborer avec lui le plan d'invasion des Terres de Vorénor, le prince héritier avait enfin su que son heure de gloire approchait. Depuis, il avait tout fait pour mériter la confiance de l'empereur, allant jusqu'à se porter volontaire pour prendre pied le premier sur la plage.

Un effroyable fracas le tira de sa rêverie. Son navire était la proie des flammes. Des soldats tentaient vaillamment d'étouffer l'incendie, mais il était déjà trop tard.

Se rendant compte qu'il était à découvert, Klébur appela son second garde du corps. Il se retourna et lâcha un cri d'épouvante. Touché en plein front, le garde du corps gisait dans une eau rougie de sang.

Il se pelotonna alors contre le cadavre et fit le mort.

Du large lui parvenait le son des cors. Son père sonnait la retraite. Quelle humiliation ! Convaincu de périr sur cette grève étrangère, il ferma les yeux.

★

Vorénius n'était pas mécontent de sa manœuvre.

Sitôt rentré de sa nuit dans les bois au milieu des loups, il avait envoyé des estafettes dans les garnisons établies le long de cette côte que Frëja lui avait pointée du doigt, un jour de conseil.

— C'est là, sur le rivage des Garnutes, que les Goréens attaqueront.

Les courtisans et les officiers de Vorénius s'étaient esclaffés, car tous savaient que cet endroit était maudit. Les abords étaient semés de hauts-fonds et la plage était flanquée, à l'ouest, par une plaine marécageuse qui pouvait vite se transformer en bourbier. Pour terminer ce sombre tableau, les bois environnants étaient trop touffus pour permettre le passage des chevaux et fermés, au nord, par d'infranchissables entablements rocheux.

Fröja avait contemplé les seigneurs-conseillers et répété que les Goréens prendraient pied à Garnutes.

L'idée d'utiliser des meules de tourbes humectées d'huile auxquelles ses hommes mettraient le feu lui venait de ses lectures. Vorénius adorait en effet s'enfermer, pour lire, au sommet de la plus haute tour de son palais. Dans un vieux rouleau d'ogrove, il avait découvert le récit d'une très ancienne bataille durant laquelle les troupes ennemies avaient été mises en déroute par des boules de feu tombées du ciel.

Lorsque les premières troupes goréennes eurent été frappées d'effroi, Vorénius avait ordonné à ses archers de vider leurs carcans.

En un instant, le ciel avait été obscurci de sombres carreaux.

Le jeune roi était fier d'avoir su tirer le maximum du peu de temps qui lui était imparti. Heureusement, ses garnisons étaient prêtes. Composées de soldats mélonets bien entraînés, commandés par des officiers directement placés sous ses ordres, le haut souverain passait aujourd'hui pour un héros aux yeux de ces hommes qui, sans être des Berghoriens de souche, n'en était pas moins fiers d'être voréniens.

Les loups de la meute de Douceuse II veillaient également sur lui. Tandis que la bataille faisait rage, Vorénius était rassuré de les sentir près de lui, car sa garde rapprochée et un seul régiment de cavalerie exceptés, il était seul au milieu d'officiers mélonets. Des alliés, certes, mieux encore des sujets. Mais il ne devait pas oublier que ces peuplades avaient par le passé combattu aux côtés du grand légide Farouk Durbeen contre Éliandros.

En vérité, même si la bataille tournait à son avantage, Vorénius avait hâte qu'arrivent ses propres troupes.

Un messager se présenta.

— Votre Majesté ?

L'estafette pointa son doigt en direction de la forêt.

À l'orée des grands arbres se profilait un bataillon de cavaliers tout harnachés. Vorénius crut d'abord que ses propres troupes arrivaient en renfort. Mais, saisissant une longue-vue, il reconnut les fanions bariolés du peuple cirgond mélangé à ceux, noirs et jaunes, des Goréens.

— Le duc ! éructa Vorénius.

Le souverain des Cirgonds avait toujours, en effet, refusé de lui prêter serment.

— Le traître ! lâcha-t-il encore en faisant faire volte-face à son étalon.

★

L'empereur Brasius suivait avec soin les différentes phases de la bataille. Commencée dans un bain de flammes, la faveur des armes tournait maintenant à son avantage.

Il accepta le hanap de tisane que lui servait son esclave personnel. À ses côtés, sur la plate-forme de son navire amiral, se tenaient un général, un amiral, deux grands légides ainsi que le Premius Orthon. Agenouillés sur le pont mouillé d'embruns, les religieux priaient.

L'empereur dictait des dépêches envoyées par pigeons voyageurs ou par le biais de grands miroirs installés sur le gaillard arrière de sa galère. Le soleil pointait enfin le bout de son nez. Il était temps de connaître la position de l'armée de son allié secret…

Les premières embarcations revenaient de cette plage maudite où le gros de ses forces s'était heurté aux Voréniens. Les intendants dressaient déjà des listes de blessés. Des médecins-apothicaires s'empressaient de les soigner.

— Votre Majesté! appela un officier.

Il tendit une longue-vue sertie de pierres précieuses à l'empereur qui y colla son œil.

Le monarque éclata de rire.

— Bien! Bien! répéta-t-il. Ce lieu de débarquement, recommandé par le duc, était finalement un choix avisé.

Un moment vainqueur, les Voréniens se trouvaient à présent pris à revers par l'armée cirgonde. Obligé de se replier dans la plaine marécageuse, Vorénius avait les entablements rocheux dans son dos et l'impénétrable forêt sur son flanc droit.

Brasius se tourna vers ses officiers et décréta, fort satisfait, qu'il aurait sûrement la tête de cet impudent de Vorénius dans un panier avant le coucher du soleil.

Quelques secondes s'écoulèrent.

Comme il n'entendait rire ou plaisanter aucun des hommes qui l'entouraient, l'empereur suivit leurs regards interloqués et se figea.

Le ciel s'était de nouveau couvert. Une obscurité glauque recouvrait l'océan. Cette noirceur inquiétante avançait vers eux à toute vitesse.

Soudain, des cris à glacer le sang retentirent.

L'empereur colla de nouveau son œil dans la longue-vue.

— Par les foudres célestes de Gaïos! s'exclama-t-il.

Des dizaines de monstres à becs de crocodiles survolaient leur flottille à basse altitude, leur cachant le soleil.

— Ce sont des éphrons d'or, balbutia le Premius.

Ces volatiles d'un autre temps avaient été depuis des siècles relégués dans le folklore et les histoires pour enfants.

— C'est impossible! se défendit Brasius.

Mais force était d'admettre que ces éphrons existaient et qu'ils composaient une armée volante prête à fondre sur eux.

— Regardez! s'étrangla l'amiral.

Les grands légides et le Premius retombèrent à genoux, leurs rosaires entre les mains, le teint blafard.

— Je distingue un homme sur l'encolure d'un de ces monstres! assura le général en clignant des yeux.

Les premiers éphrons se détachèrent du peloton et fracassèrent voiles, mâts et haubans. Des hommes d'équipage furent happés dans leurs mâchoires et enlevés dans les airs.

— Un homme? répéta Brasius, interloqué.

Le Premius Orthon étendit ses bras et psalmodia une prière.

Devant la proue de leur navire, un homme chevauchait bel et bien un éphron majestueux. Cet homme, vêtu de pied en cape d'une armure étincelante, brandissait une épée de lumière.

— Le chevalier de cristal, bredouillèrent les grands légides terrorisés, en tombant face contre terre.

LA BATAILLE DES GARNUTES

L'éphron que montait le chevalier se dressa devant l'empereur. Dans l'œil de la bête brûlaient toutes les flammes de l'enfer. Brasius sentit son haleine le transpercer. Les serres du volatile se refermèrent sur les piliers qui supportaient son dais et les arrachèrent. Le claquement de ses ailes lui envoya au visage un souffle d'air qui le renversa.

Couché sur l'épaule de l'éphron, le chevalier contempla le souverain hébété. Ce regard sembla durer une éternité.

Tout bougeait autour de Brasius. Le ciel était assombri par le vol des éphrons, les soldats hurlaient ou tombaient à genoux pour prier. Beaucoup étaient happés par les créatures, puis recrachés comme de vulgaires noyaux d'olives. Le grand mat du navire amiral craquait. Pourtant, Brasius était suspendu au seul regard sombre et profond du chevalier penché vers lui.

Il repensa à la prophétie qui annonçait l'arrivée de ce chevalier. Des Servants du Mage errant en avaient distribué en secret des copies manuscrites dans tout Goromée. Avant de pouvoir les faire arrêter, ces insaisissables messagers s'étaient volatilisés. Puis l'empereur songea au rouleau d'ogrove livré par le Voyageur à la solde des Spiraliens. Étirant un bras, il tenta de récupérer son sabrier qui avait roulé sur le pont. Mais l'instant suivant le monstre se dressait sur ses pattes antérieures, poussait un cri strident et s'envolait.

Brasius courut à la dunette et, sa longue-vue en main, tenta de comprendre.

Un officier le rejoignit, un bras en sang. Il bredouilla que Morph, le seigneur des ténèbres, leur envoyait ses armées.

— Voyez!

Brasius n'eut cette fois pas besoin de longue-vue pour constater, épouvanté, que ses navires étaient repoussés vers le large par une force inconnue. Un courant sous-marin très puissant? Un vent dépourvu de rafales?

Le ciel était clair. Aucun nuage à l'horizon. Un soleil radieux. Pas la moindre houle.

Pourtant, ses navires étaient drossés loin du rivage. Si certains galions parvenaient à ne pas heurter ses voisins, d'autres étaient incapables de maintenir leur course et s'éperonnaient violemment.

Brasius contempla les éphrons qui s'étaient regroupés en haute altitude. Parmi eux se trouvait la créature que montait le chevalier.

— Le Prince messager, balbutia un grand légide.

Le Premius imposa silence à son homme cependant qu'il collait son œil contre la lentille de sa propre longue-vue.

Ses traits se figèrent.

— Que voyez-vous? l'apostropha l'empereur d'une voix blanche.

Le pontife restait sans voix.

Agacé, Brasius lui arracha l'objet des mains.

Des marins hurlèrent. Leur navire était lui-même emporté au loin.

— Accrochez-vous !

Soulevé dans les airs, le galion ricocha sur la crête des vagues comme un galet lancé par un enfant. La voilure se disloqua. Filant sur son erre, le bateau rejoignit le gros de la flotte et termina sa course en enfonçant le flanc d'une galère.

Brasius rejoignit le grand légide en rampant.

— Où est ton maître ? Qu'a-t-il vu dans sa longue-vue ?

Mais le Premius, comme d'ailleurs de nombreux hommes d'équipage, avait été englouti par les flots.

★

Klébur était fier de lui. Après quelques instants de panique, il avait rejoint une formation de soldats en « carapace ». On lui avait donné un glaive, un casque et une épée, et il s'était serré contre les autres.

L'officier commandant ce bataillon avait entendu les cors des troupes cirgondes. Les deux armées s'étaient rejointes devant la plaine marécageuse. Elles étaient prêtes, maintenant, à fondre sur les Voréniens qui avaient abandonné leurs catapultes.

— Ils se replient du côté des entablements, se réjouit Klébur. Ils sont faits comme des rats.

Le sergent de la carapace lui imposa le silence ; il ne l'avait pas reconnu.

— En avant !

Les soldats relevèrent leurs lances.

Par les interstices entre les boucliers, Klébur vit qu'une trentaine de carapaces semblables à la sienne prenaient pied dans la plaine. Gardée en réserve en arrière se tenait la cavalerie.

Désorganisés, les Voréniens n'étaient plus que des fuyards apeurés.

En réalité, Vorénius nous attendait avec peu d'hommes, se dit Klébur. Il nous a surpris avec ses boules de feu, mais derrière il n'avait pas grand-chose.

— Ça va être une boucherie, lança-t-il en boutade à ses camarades.

Embourbés jusqu'aux mollets dans une terre boueuse, ils progressaient en direction des entablements.

Certains fuyards essayaient d'escalader les rochers. D'autres tentaient de fuir par le bois. Si Klébur avait raison, le duc des Cirgonds devait avoir déjà envoyé quelques troupes pour pratiquer un encerclement de la forêt. Ainsi, il maintiendrait sa prise en tenaille. Avec un peu de chance, en deux heures tout serait terminé et Klébur se ferait un plaisir de pousser le haut souverain de Vorénor aux pieds de son père.

Soudain, des grognements féroces se mêlèrent aux cris des hommes. Les soldats eurent à se battre contre des loups.

Six grands carnassiers encadraient un groupe de Voréniens. Leurs armures garnies de pointes au niveau des épaules, de la gorge, des flancs et de la tête les protégeaient des lances et des coups d'épée.

Plusieurs soldats abandonnèrent la formation et furent déchiquetés par les crocs acérés. Klébur se retrouva à découvert.

— Vorénius ! s'exclama-t-il en avisant un guerrier qui arborait le heaume à cornes du haut souverain.

Le chef ennemi n'était entouré que par une demi-douzaine de chevaliers et de loups.

Klébur alla trouver son sergent et releva la visière de son heaume.

— Je suis Klébur, votre prince !

Impressionné, le sergent balbutia des excuses.

— Silence ! Cet homme, là-bas, c'est Vorénius. Capturons-le et notre gloire est assurée !

Leur compagnie était parvenue à un jet de pierre des Voréniens. Alors que d'autres formations harcelaient des cavaliers qui tentaient de se dégager, eux avaient marché droit sur le haut souverain.

Sur un ordre du sergent, la carapace se défit : la vingtaine de soldats survivants sauta à la gorge des chevaliers voréniens.

Demeuré en arrière, Klébur attendait son moment.

Deux soldats talonnaient un loup blessé. Deux autres achevaient un chevalier qui avait égaré son heaume et son écu. Ce trou dans la formation ennemie laissa Vorénius à découvert pendant quelques instants.

Klébur saisit sa chance. Tendant son javelot, il visa avec soin. Son trait atteignit le haut souverain à la cuisse droite. Glaive en main, le prince impérial se lança ensuite à la curée.

Il n'était plus qu'à quelques mètres de Vorénius, désarmé et plié en deux par la douleur, quand un nuage, surgi de nulle part, le plongea dans l'obscurité. Il se retourna et hurla.

Les serres de l'éphron d'or le ratèrent de justesse !

Un chevalier atterrit non loin de Vorénius.

Klébur crut avoir des visions : cet homme en armure volait-il vraiment dans le ciel ?

Jamais encore il n'avait vu une armure aussi étincelante et transparente que celle-là ; une épée aussi majestueuse.

Une idée folle lui vint en tête. Cette épée, il la voulait pour lui !

Tandis que le chevalier frappait tel un démon pour dégager Vorénius, Klébur avançait en zigzag, comme on le lui avait enseigné à l'école militaire.

Cette campagne allait être un triomphe. Avec l'aide de leurs alliés cirgonds, ils auraient tôt fait de remonter vers le nord et de prendre Berghoria. Le Premius Orthon serait alors en mesure de rétablir le Torancisme officiel dans toute la péninsule. Brasius nommerait des gouverneurs dans chaque province et lui, Klébur, serait placé à la tête des Terres de Vorénor avec le titre de vice-roi.

En attendant de devenir moi-même empereur...

Il parvint tout près du chevalier de cristal et se plaça derrière lui. Celui-ci combattait avec Vorénius deux redoutables soldats goréens.

Klébur laissa tomber son glaive, trop peu maniable, et dégaina un court sabrier.

Un claquement de mâchoire se referma brutalement sur son biceps droit. Klébur tourna la tête et rencontra le faciès d'un monstre de cauchemar.

Réalisant que son bras pendait, ensanglanté, dans la gueule de l'éphron d'or, il hurla.

Au loin sonnaient les cors. Incrédule, Klébur crut reconnaître la sonorité familière de ceux de sa propre armée... qui battait en retraite !

Le chevalier de cristal pivota et lui transperça le cœur avec sa lame.

★

Depuis combien de temps Orthon s'accrochait-il à cette planche de bois à la dérive ?

Au début, ils avaient été six. Certains étaient parvenus à se hisser dessus. D'autres, dont lui, trop lourds ou trop épuisés, ne pouvaient que se tenir du mieux qu'ils pouvaient. Ces hommes avaient-ils reconnu les signes de sa charge ?

Orthon en doutait.

Lorsque le choc l'avait jeté à l'eau, il avait perdu sa tiare. Puis, pour empêcher ses mains de geler, il avait dû arracher des pans entiers de sa longue tunique afin de les envelopper.

Pour meubler ses pensées et éviter de dialoguer avec les autres naufragés, il avait mis bout à bout, en esprit, tout ce dont il pouvait se souvenir. Malgré cela, pleurant en dedans, il revenait sans cesse à la même conclusion : Gaïos les avait abandonnés.

Pourquoi ?

Il n'avait fait que tenter de sauver le Torancisme. Cette foi et l'Empire étaient les fondements de leur civilisation. Les dogmes du Torancisme n'étaient peut-être pas parfaits ni fidèles – les Fervents n'avaient pas tout à fait tort – aux enseignements de base livrés jadis par le Prince messager. Mais tout monarque ou gestionnaire sait qu'on ne peut gouverner sans louvoyer. Les circonstances dictent les réactions de chacun et les décisions prises le sont souvent sur le vif.

Gaïos leur en voulait-il d'avoir accepté de composer avec leur temps et les puissants de leur époque ? Le bien ne consistait-il pas plutôt à permettre au plus grand nombre de gens de vivre dans une croyance qui protégeait la paix sociale tout en garantissant la plus grande prospérité ? À côté de cela, que pouvait vraiment représenter la rectitude parfaite en matière de « message », religieux ou autre ?

Orthon y songeait encore quand, un à un, ses compagnons d'infortune commencèrent à se laisser glisser dans l'eau. Si certains tentaient de s'entraider, par solidarité ou par esprit de charité, les autres ne songeaient qu'à leur propre survie.

Au bout de quelques heures, les paupières brûlées par le sel et le soleil, Orthon se posa une question toute simple : comment, alors que des marins plus jeunes et plus aguerris que lui se laissaient couler et mourir, pouvait-il encore s'accrocher et tenir ?

Le Premius n'était plus jeune. Ventru, il aimait la bonne chère et le confort.

Il ne sentait plus ses mains. Et cependant, elles le retenaient encore à la planche qui errait sur l'onde. Ses jointures étaient en sang. L'hypothermie le guettait.

Malgré tout, une sorte de chaleur vivait en son être. Sa foi ou bien sa volonté, il ne savait trop, le réchauffait. Entendait-il une voix parler dans sa tête ? Une voix douce de femme. Il songea à l'ancienne déesse Gaïa. Mais cette voix était sans doute davantage celle de Gaïos ou du Prince messager Torance.

Il battit des paupières. Le visage gonflé parsemé de plaques rouges, il rit.

Ses compagnons pouvaient bien le prendre pour un fou, Orthon savait que ce qu'il avait vu dans sa lentille n'était pas un leurre. La prophétie du Mage errant était formelle. Torance devait revenir pour sauver les rois en danger.

Orthon l'avait aperçu dans sa longue-vue juste avant que la force invisible ne jette les navires les uns contre les autres. Il avait vu le Fils de Gaïos, dressé sur le dos de cet éphron, les bras écartés, appelant…

Ne disait-on pas que Torance avait jadis possédé le pouvoir de manipuler les énergies invisibles à distance ? Que grâce à ce don, il avait pu terrasser les armées que lui envoyait Sarcolem le Grand ?

Orthon rit encore, puis il perdit connaissance.

Le face à face

Vorénius devait garder de cette journée une impression de victoire miraculeuse mêlée à de violentes émotions contradictoires.

Tout avait bien commencé, pourtant ! Persuadé de pouvoir tenir le rivage avec pour tout moyen son idée des boules de feu, un seul bataillon de soldats et ses fidèles catapultes en attendant qu'arrivent les renforts demandés par messager, il avait disposé ses forces sur une simple ligne qui courait sur plusieurs verstes.

La première phase de la bataille avait répondu à ses vœux. Terrorisés par les explosions, les soldats goréens s'étaient dispersés. De nombreuses carapaces s'étaient démantelées d'elles-mêmes. Les hommes s'étaient retrouvés vulnérables et Vorénius en avait profité pour mettre à profit tous les archers dont il disposait.

Il n'avait cependant prévu ni la trahison des Cirgonds ni la capture, par ces mêmes lâches, de ses émissaires.

Vite acculé aux entablements, il se voyait déjà pris et enchaîné. Quand soudain, le ciel s'était obscurci.

La suite des événements tenait du miracle.

Une trentaine d'éphrons d'or avaient surgi et plongé sur le champ de bataille. De plus, venant du sud était apparue une armée providentielle…

Blessé au thorax et à la cuisse, Vorénius allait succomber sous le nombre quand un homme avait *atterri* près de lui. Ce mot si inhabituel était d'ailleurs encore sur toutes les lèvres. Car celui que l'on appelait le chevalier de cristal avait bel et bien *atterri!*

Suant sang et eau, les officiers, les cavaliers et les fantassins voréniens survivants avaient assisté, médusés, à l'effroyable combat mené seul par cet homme revêtu d'une armure comme nul n'en avait encore jamais vu.

Les éphrons repartis, il ne restait plus devant les entablements rocheux qu'un monceau de cadavres, des loups blessés, quelques miraculés, une créature de cauchemar et ce chevalier.

Vorénius croyait encore à une vision. La fatigue des combats, cette fièvre qui s'emparait de l'âme et du corps expliquait peut-être ce qu'il convenait d'appeler une illusion d'optique.

Le chevalier s'avança et leva son épée pour saluer le roi.

Vorénius se rappela alors les prémonitions et les conseils de Frëja. Le mot prophétie vint à son esprit. Forcé de croire en la réalité de ce mirage qui, maintenant, lui souriait sous son heaume, Vorénius répondit au salut en croisant sa propre épée contre celle du chevalier.

Torance, alors, ôta son heaume. La masse drue de ses cheveux noirs aux reflets bleus retomba sur sa nuque. Les traits virils, la mâchoire solide malgré son extrême jeunesse – Vorénius lui donnait à peine vingt ans –, il se dégageait de lui une sorte de maturité surnaturelle doublée d'une rare insolence.

— Roi Vorénius, déclara le chevalier, vous avez le salut d'Évernia.

Hormis quelques lamentations de mourants qu'on achevait, de blessés que l'on chargeait sur des charrettes, de soldats ennemis que l'on enchaînait, un silence de mort planait sur le champ de bataille.

Vorénius savait qu'il devait répondre au salut officiel de son sauveur. Mais il avait la bouche sèche. Alors, sans doute pour apaiser son malaise, le chevalier prit une poignée de terre dans sa main, la porta à son visage et dit rêveusement :

— Mort, douleur ! Il sourit et ajouta : mais aussi, vie et lumière !

Se désintéressant de la réponse du roi, il flatta l'encolure de Phramir, plaisanta avec lui, l'appela « mon garçon », se laissa chatouiller l'épaule par la redoutable mâchoire.

Le malaise grandissait entre eux comme une tache d'huile. Les hommes aussi le ressentaient. Tous avaient les yeux fixés sur ce chevalier tombé du ciel et sur leur roi qui n'arrivait ni à détacher son regard de l'homme et de l'éphron ni à lui adresser la moindre parole de remerciement.

Éclair vint lécher ses mains. Reconnaissant au loup de lui donner quelque chose à faire de son grand corps, Vorénius caressa le flanc de la bête, lui ôta son harnachement, nettoya avec un pan de sa propre tunique un caillot de sang pris dans une touffe de poil.

— Ils se sont bien battus, dit Torance avec bonne humeur en parlant des loups. Vous avez un pouvoir sur les bêtes.

Cette fois, Vorénius répliqua sans gêne et sur le même ton que les éphrons d'or étaient des créatures extraordinaires.

Mille questions brûlaient les lèvres du roi qu'il n'osait, par pudeur ou méfiance, poser.

Des intendants s'approchaient pour lui parler. Des décisions devaient être prises. Au sud et à l'ouest, on se battait encore. L'armée du chevalier de cristal finissait de mettre en déroute celle du duc des Cirgonds dont on avait retrouvé le cadavre, non loin, sur la route – le lâche tentait de s'enfuir.

— Votre Majesté, insista un intendant, les officiers demandent de poursuivre les chefs cirgonds avant qu'ils ne se retranchent derrière leurs murs.

Vorénius entendait. Pourtant, il ne pouvait encore détacher les yeux du chevalier. Cette façon de se mouvoir, de poser son regard et même de parler lui était… familière !

Secouant la tête, il admit que les Cirgonds devaient être punis.

— Rassemblez l'armée et pourchassez-les. Mais gardez-vous bien de toucher aux civils. Quant à la famille du duc…

La gorge nouée par la présence de Torance, Vorénius remit cette dernière décision à plus tard et congédia l'intendant d'un geste de la main.

Plusieurs loups survivants l'entouraient. Vorénius se débarrassa de sa cotte de mailles et de ses gantelets. Un médecin vérifia l'état de sa plaie, désinfecta ses autres blessures. Le jeune souverain inspira profondément l'air iodé de la mer, contempla ses braves et leur adressa enfin le salut qu'ils méritaient.

Une ovation déferla sur le rivage. Soldats et officiers, cavaliers, chevaliers, arquebusiers et archets vinrent croiser leur arme avec celle du roi et du chevalier. L'épée de Torance scintillait d'un éclat particulier. Mais dans l'euphorie de la victoire, les hommes préféraient oublier le surnaturel de cette fin de bataille pour se concentrer uniquement sur leur joie d'être toujours en vie. Ce soir, le vin, la bière et l'hydromel couleraient à flot.

Peu après, une délégation venue de l'armée de secours se présenta devant le haut souverain.

Vorénius reconnut Frëja, majestueuse, assise dans une litière portée par quatre fidèles serviteurs. Il vint la trouver et baisa ses mains. Une nouvelle salve de cris salua cette preuve d'humilité et de bonté. Puis les yeux de Vorénius tombèrent sur une jeune femme blonde vêtue d'un manteau de laine blanc.

Quelques personnes l'entouraient, dont un officier à l'armure tachée de sang, un garçon d'environ treize ans, une sorte d'apothicaire qui se tenait voûté et en retrait, un légide et une jeune fille qui portaient deux bébés dans ses bras.

Vorénius se présenta devant cette femme belle, jeune et vigoureuse qui paraissait aussi douce que sage. La gêne qui l'avait envahi quand il s'était trouvé en face du chevalier de cristal l'étreignit de nouveau.

Comme nulle parole de bienvenue ou de remerciement ne sortait de sa gorge, Solena fit les premiers pas.

Les larmes aux yeux, elle tendit les bras.

— Mon fils, laissa-t-elle tomber en l'attirant à elle.

Phramir poussa un cri aigu repris en écho par les loups et par les hommes.

✳

Le soir venu, des lieutenants surveillaient le travail accompli par ceux que l'on appelait les « décrotteurs » de cadavres. Ils les détroussaient, remettaient la moitié de ce qu'ils trouvaient à l'intendance de l'armée et chargeaient les morts sur des charrettes. Un officier se pencha sur un cadavre en particulier. Il fit mander une litière pour charger le défunt.

Ainsi fut amené le corps mutilé du prince impérial Klébur devant le haut souverain.

Vorénius ordonna qu'il soit lavé, oint et préparé avec tous les honneurs dus à son rang. Puis, il le remit à Solena qui devait le renvoyer sur une galère vers Goromée.

★

Au coucher du soleil, la planche sur laquelle avaient dérivé le Premius Orthon et ses compagnons s'échoua enfin sur le rivage.

Un adolescent se pencha sur le pontife et déclara :

— Il vit encore.

— Donne-lui un peu d'eau, l'exhorta une femme.

Un homme se pencha à son tour, prit le pouls du vieil homme, compléta ainsi le diagnostic :

— Il vit, mais il est très faible.

— Était-il seul ?

— Il semble que les autres se soient noyés.

Talos parut surpris.

— Comment sais-tu qu'il y en avait d'autres ?

Solena sourit sans répondre.

Puis, elle s'agenouilla et posa son manteau de laine blanc sur le corps du Premius.

Quelques minutes s'écoulèrent. Orthon battit des paupières.

Le mugissement des vagues indiquait qu'il se trouvait à proximité de l'eau. Un feu de camp crépitait tout près. Il tressaillit, et en même temps goûta à la chaleur bienfaisante qui émanait de l'étoffe.

Un loup gronda.

Une voix de femme rassura ses compagnons :

— Il ne vous veut aucun mal. Il est simplement venu nous chercher.

Solena caressa l'animal qui se mit à couiner.

— Vous êtes étonnante, fit une voix d'homme.

Il s'approcha d'Orthon.

— Je me nomme Mulgor et je suis médecin, dit-il. Vous avez eu beaucoup de chance. Il semble que Gaïos (il adressa un clin d'œil complice à Solena) – ou Gaïa – vous tienne en haute estime.

La jeune femme rit doucement. Le pontife se redressa.

— C'est vous, murmura-t-il, la gorge en feu.

— N'essayez pas de parler, Premius Orthon, dit Solena.

Le prélat se crispa. Cette femme, il en était sûr, était celle qui avait parlé dans sa tête. Celle qui l'avait protégé et maintenu en vie. Elle était aussi son ennemie, celle que l'on appelait la dernière cristalomancienne.

Il contempla son visage si beau et si jeune à la lueur du feu, et ne put retenir une exclamation.

— Vous me trouvez jeune pour mon âge, n'est-ce pas?

Elle rit de nouveau, prit sa main qu'elle tapota gentiment.

— Il ne faut pas vous énerver, Premius. Je ne vous ai pas recueilli pour vous livrer au haut souverain de Vorénor, mon fils.

Les compagnons de la jeune femme s'étonnèrent de sa déclaration.

— Une embarcation va vous reconduire à Goromée chez l'empereur, reprit-elle. Il faut que vous viviez pour témoigner de ce que vous avez vu ici.

Elle frotta ses mains l'une contre l'autre, et massa avec de l'huile la poitrine du vieil homme autant pour le réchauffer que pour lui insuffler une force nouvelle.

— Votre tentative d'invasion a échoué. Vos alliés ont été vaincus par l'armée du chevalier de cristal. Torance, le Prince messager, est de retour. Et il n'est pas du tout content de ce que sont devenus les Préceptes de vie en son absence.

Ces derniers mots finirent de semer le trouble et la consternation dans l'esprit du Premius.

Il balbutia, mais Solena ajouta :

— Vous allez rentrer chez vous. Puis, si vous décidez d'organiser un conclave général réunissant tous les grands légides à Goromée, le Prince messager viendra peut-être et parlera de nouveau. Un Âge d'or, de paix et d'amour, est encore possible aujourd'hui, à condition que se taisent l'orgueil et l'ambition des puissants. Les peuples, las de vos batailles inutiles, aspirent à la réunion et au partage.

Elle se tut, rinça ses mains, prit de l'huile de myrrhe mélangée à de la poudre de kénoab blanc.

— Ceci va finir de guérir vos engelures.

Peu à peu, Orthon se détendait. Un conclave ? Une réforme ? La venue du Prince messager ? Il pourrait, lui, Orthon IV de Goromée, être le Premius qui accueillerait le Prince messager. Une gloire éternelle de même qu'une œuvre essentielle au bonheur des peuples lui tendaient les bras.

— Le ferez-vous, Premius ? demanda Solena.

Elle ajouta que Mérinock, le Mage errant, souhaitait que le Torancisme, inventé par les hommes bien après la mort de Torance, devienne non pas une religion rigide dominée par la peur de l'enfer, mais une philosophie ouverte dans laquelle chacun pourrait trouver sa propre lumière.

Orthon ne savait que penser.

Pour l'instant, il savourait l'immense bien-être que lui procurait la mixture odorante de Solena ainsi que les mains de la jeune femme sur lui.

Quant au reste !

Le voyant encore sous le choc de sa longue dérive en mer, Solena lui conseilla de dormir. Elle allait le remettre sur un navire avec des marins loyaux, quelques serviteurs, de la nourriture et la preuve, disait-elle, que leur conversation n'était pas le fruit de son imagination.

La dernière chose dont Orthon eut conscience fut une douleur diffuse aussitôt apaisée par un agréable flot de lumière. Un symbole s'inscrivait dans ses chairs. Celui du Wellön.

Il servirait de témoin à cette étrange et cependant magnifique conversation...

La route fleurie

Le surlendemain de cette bataille mémorable, après avoir pris soin d'envoyer des estafettes dans toutes les provinces de Vorénor et jusqu'en Terre de Reddrah pour annoncer sa victoire, Vorénius ordonna le départ.

Entouré des restes de son armée ainsi que par celle rassemblée par le chevalier de cristal, le haut souverain quitta la région des Garnutes sous les acclamations des nombreux villageois et paysans venus en grand nombre pour saluer leur invincible monarque.

Le convoi s'étirait sur près de trois verstes. Constitué de cavaliers, mais aussi d'une piétaille bavarde, de régiments de hallebardiers et d'archers ainsi que de nombreux chariots transportant le ravitaillement, les serviteurs, les artisans, les ingénieurs – ou manieurs de catapultes –, les médecins et apothicaires, les blessés et les habituelles filles à soldats, c'était une ville entière qui remontait vers le nord en direction des États du haut souverain. De loin en loin, cette mugissante caravane d'hommes était survolée par Phramir qui devait se montrer discret, et suivi par les congénères d'Éclair, le nouveau mâle dominant de la meute.

Les gens attachés au service du chevalier de cristal et de Dame Solena d'Évernia demeuraient en retrait, près du groupe d'officiers commandant l'armée de secours.

Juché sur un hongre rétif aussi noir que du jais, Mulgor, le médecin, considérait la longue troupe d'un œil de stratège. Il échangea quelques commentaires anodins avec Amim Daah, l'ancien légide de Nivène, ainsi qu'avec Silophène, l'officier ormédonien recueilli lors de l'attaque de la cité légendaire d'Orma-Doria. Petit, tassé sur lui-même et doté de traits ingrats, Silophène, peu bavard, ne payait pas de mine. Toujours soupçonneux et aux aguets, il avait décidé, nul ne savait trop pourquoi, de quitter l'armée et de suivre Torance et Solena. Était-ce l'attrait de l'aventure qui l'avait aiguillonné ou bien un sentiment plus fort, plus souterrain ?

Mulgor se força à lui sourire. Tout en devisant sur l'ordonnance de leur propre armée, il décida de faire preuve de plus d'indulgence. Après tout, n'avait-il pas, comme Silophène, la jeune Galice ainsi qu'Amim Daah, tout abandonné pour faire partie de la suite du chevalier de cristal !

Les cahots du chemin et la succession de plaines et de forêts de conifères se prêtaient à la rêverie. Mulgor se laissa aller aux souvenirs.

En vérité, se souvenir, recouper les événements et y mettre bon ordre étaient davantage dans sa nature que la pure rêverie « de jeune fille », comme il disait. Car organiser les différentes phases d'une vie signifiait aussi tenter d'en comprendre le sens.

Ils s'étaient donc tous rencontrés à la faveur de la tempête de sable qui s'était abattue sur Orma-Doria. Après l'escapade de Torance et de Solena dans la caverne et l'apparition – le mot était faible ! – du chevalier de cristal, ils avaient fait bien du chemin.

Au fil des transes dont Solena était coutumière et de vives discussions sur les «pourquoi» et les «comment» de la mission que devait accomplir le chevalier, il avait été convenu de faire route vers le nord.

Après un long chemin et des mois de marche, ils étaient parvenus au cœur des montagnes glacées, dites d'Évernia, dans les territoires sauvages que se disputaient plusieurs confréries de montagnards.

Ils avaient fait une halte forcée dans une forteresse centenaire nommée *Orgk*. Accueillie par le seigneur de l'endroit qui les «attendait», Solena y avait eu de longues transes. C'est là, également, qu'elle avait accouché de son troisième enfant, un fils qu'elle nomma, comme convenu, Honario – du nom, disait-elle, que l'âme incarnée avait choisi pour elle-même.

Bien des détails échappaient encore à Mulgor. Cependant, il s'était tenu si près de Torance et de Solena qu'il avait bonne conscience même s'il se livrait à des recoupements hasardeux entre ce à quoi il avait personnellement assisté – la naissance d'Honario, par exemple, puisqu'il avait lui-même accouché Solena –, et les événements qu'il était obligé de deviner en comblant intuitivement les zones grises.

Ainsi en était-il de l'extraordinaire facilité avec laquelle, somme toute, ils avaient recruté une solide armée.

L'argent utilisé pour payer tout ce monde leur avait été remis par un vieil homme étrange que Solena avait appelé un Shrifu, ou maître spirituel : un être pratiquement immortel qui, selon elle, vivait en retrait du monde. Un mage à sa façon qui soutenait les civilisations et la quête des hommes par ses pensées d'amour. Aux dires de Solena, il n'existait sur la planète entière qu'une douzaine de Shrifus, répartis dans toutes les Terres de Gaïa. Des êtres sans qui, avait cru comprendre Mulgor, le monde ne pourrait continuer à exister.

Cet argent, en pièces sonnantes et trébuchantes, était apparemment un don d'Évernia ou de Mérinock lui-même, aussi puissant et invisible que d'ordinaire.

Ensuite, ils avaient quitté les montagnes et cheminé vers l'ouest et la province de Milosis. Mulgor avait, pendant un moment, espéré que Solena et Torance l'amèneraient sur le plateau du Wellö, cet endroit d'où Phramir, l'éphron d'or, était originaire. L'endroit aussi qui donnait accès au légendaire village du Mage errant ainsi qu'à la non moins mythique *Géode sacrée*.

Mais à sa grande déception et à celle du légide Amim Daah, Solena décida d'aller plutôt quérir leur future armée en Terre de Milosis.

Et de fait, dans chaque ville ou village qu'ils traversaient, des hommes se joignaient à eux. Ils quittaient leurs familles et venaient grossir leurs rangs. C'est là que le jeune Silophène avait véritablement trouvé sa place au sein du groupe : en organisant tout ce monde, en répartissant les volontaires par unités, puis par régiments entiers. Amim Daah tenait les cordons de la bourse : autrement dit, il était responsable du ravitaillement et du « trésor » gardé dans une charrette surveillée nuit et jour et confiée à nul autre que le très jeune Talos qui avait donné maintes preuves de son honnêteté et de son efficacité.

Il faut dire que Phramir avait pris pour habitude de se coucher sur cette charrette, se laissant traîner par les bœufs, ne dormant que d'un œil et promenant son haleine fétide sur quiconque s'approchait d'un peu trop près.

Mulgor avait hérité du service sanitaire. Veillant à la bonne santé des hommes, il inspectait bouches, cheveux et oreilles, tâtait les pouls et les réflexes, soignait au besoin les diverses infections par des plantes ou des remèdes qu'il allait demander à Solena.

Mais, outre ces apparitions spontanées d'hommes, ce qui avait le plus troublé Mulgor avait été les navires, neufs, rutilants et prêts à prendre la mer qui les attendaient dans une anse déserte située au sud de *Milos*, la capitale.

Mulgor soupçonnait qu'Évernia avait des appuis secrets dans le gouvernement de la province, car aucun soldat goréen n'était venu les déranger. Pourtant, une armée forte de vingt mille hommes venus de cette même province, mais aussi d'ailleurs, avait de quoi étonner et même effrayer.

Force était donc d'admettre qu'Évernia et le Mage errant possédaient des connivences réelles et des moyens puissants pour contrecarrer les projets de l'empereur et du Premius.

Près d'un an après avoir quitté Orma-Doria, les voilà qui cinglaient vers la pointe méridionale des Terres de Vorénor. Là-bas, disait Solena, les attendraient d'autres recrues, aussi volontaires et enthousiastes que celles qui les suivaient déjà.

La grande surprise de Mulgor lui était venue un soir, peu avant l'embarquement général, alors qu'il dialoguait avec Solena, Torance, Talos, Silophène et Amim Daah.

L'ancien légide défendait l'idée d'une armée saine et pure constituée de ce qu'il appelait les soldats d'Évernia. Silophène, pour sa part, prétendait que si ces hommes avaient vu, en rêve, le Mage errant et le Prince messager Torance les inviter à rallier leur armée, ils n'en étaient pas moins des hommes et non des purs ou des anges. Et, à son avis, il était utile d'embarquer, au même titre que la nourriture, l'eau et le matériel, les indispensables filles de joie, point d'orgue de toute armée en mouvement.

— Les filles à soldats resteront, avait tranché Torance, plus pragmatique que ne le laissait croire son statut de légende ressuscitée.

Que la matérialisation magnifique du Prince messager – c'était la formule d'Amim Daah – défende l'idée d'une armée d'humains ordinaires avait un moment déstabilisé l'ancien légide. Mais Solena elle-même s'était rangée au côté de celui qui était devenu son compagnon. Leur armée était un véritable miracle, mais les miracles atteignaient leurs limites dans la nature humaine.

Parvenus devant les côtes de Vorénor presque en même temps que la flotte de l'empereur Brasius, un contingent de troupes fraîches les attendait comme prévu... de même que l'aide supplémentaire promise par le truchement des transes de Solena – la flottille d'éphrons d'or placée sous les ordres directs de Phramir.

Depuis, il y avait eu l'attaque générale, puis la victoire. Et, à présent, la lente remontée en direction de Berghoria.

Affaibli par ces réminiscences, Mulgor éprouva un éblouissement. Un jeune garçon passa près de son cheval. Il proposait une eau qu'il disait fraîche et coupée de citron.

— Donne-m'en un cruchon, petit! aboya le médecin-apothicaire.

En homme rationnel, la perfection de ce cheminement le dérangeait. Et maintenant, avait-il tendance à penser, qu'est-ce qui nous attend à Berghoria?

Torance et Solena cheminaient à l'arrière, près des familles des artisans et des filles dites de joie; en fait, des aventurières ou des malheureuses qui espéraient trouver à la fois une nouvelle terre ainsi qu'un mari. Certaines avaient déjà commencé. Et, comme Solena qui nourrissait Honario au sein, elles constituaient une compagnie de jeunes mères courageuses, idéalistes et volontaires.

Vorénius quitta la tête du convoi et vint trotter aux côtés de ces deux personnages de légende auxquels il devait sa victoire.

Frëja l'avait mis au courant des épreuves endurées par Torance et Solena. Mais, il devait bien se l'avouer, il était plus obsédé par leur réelle identité que par leur auréole mystique.

— Dame Solena…

Encore gêné, Vorénius ne pouvait s'habituer à l'idée qu'elle était véritablement sa mère. Quant à Torance, qu'il soit le père du petit Honario était une chose : qu'il fût aussi le sien restait à voir…

Il trouva Solena assise dans un chariot découvert au milieu de coussins et de soieries qui rendaient son voyage presque agréable. Elle s'occupait d'Honario et de la petite Kessaline, la princesse orpheline. Elle y recevait également toutes sortes de malades auxquels elle prodiguait ses conseils et ses soins.

De temps à autre, au fil de la conversation, Solena tendait sa main et Torance, qui cheminait à côté sur un pur-sang aussi blanc que la neige, la lui prenait avec tendresse. Dans ces moments-là, et lorsque Solena parlait guérison avec un déshérité ou une fille de joie, Vorénius avait ce qu'il appelait des « flashs ».

Mais pouvait-on parler de véritables réminiscences ?

Il ne pouvait rester près d'eux plus de quelques minutes chaque jour. Furieux contre lui-même, il éperonnait alors sa monture et rejoignait ses officiers en tête du convoi.

Après deux semaines de route, ils furent enfin devant les portes de Berghoria.

— Te rappelles-tu notre dernière visite ? s'enquit gaiement Solena en embrassant Torance sur les lèvres.

Honnêtement, les souvenirs du prince relatifs à sa dernière vie étaient encore flous et fragmentés.

— Je me souviens vaguement d'un chariot dans lequel nous étions cachés, et de Vorénius qui était malade.

Solena tapota sa main. C'était un bon début.

Ils entrèrent dans la cité, acclamés par des milliers de gens. La rue qui menait à l'esplanade du palais était pavée de pétales de fleurs. En revoyant la place et l'endroit précis où s'était dressée la potence de son amie Helgi, Solena sentit son cœur se serrer.

Mais il ne fallait pas. D'ailleurs, Helgi elle-même n'était-elle pas de retour parmi eux sous les traits de la jeune Galice ?

— Nous allons être heureux à Berghoria, annonça-t-elle à mi-voix à Torance. Notre fils aussi va se souvenir de nous, et il nous reste encore tant à accomplir…

L'amphithéâtre

Q ue fais-tu ?
— Solena rejoignit Torance sur le balcon. Dans
l'appartement mis à leur disposition régnait
un silence feutré troublé seulement par les respirations
d'Honario et de Kessaline qui dormaient dans leurs ber-
ceaux, et par le ronronnement des chats domestiques.

— La lune est haute, ce soir, répondit le prince.

— À quoi penses-tu ?

Torance sourit, car d'ordinaire Solena savait toujours à
quoi il pensait.

Elle se lova contre lui.

Leur suite donnait non sur l'esplanade, mais sur les jardins aménagés par Vermaliss Tahard. Au-delà des murailles
entourant la cité se découpaient la silhouette des futaies
ainsi que celles des montagnes. La lune baignait le plateau de
Berghoria d'un voile blafard. On voyait très loin, jusqu'aux
forteresses érigées à flanc de montagne et qui gardaient les
cols donnant accès à la capitale.

Un loup hurla.

— Je pensais, ajouta le prince en embrassant les cheveux de sa compagne, que tout se déroule toujours de la bonne façon dans une vie. Enfin, je crois.

Solena sourit à son tour. Ce « je crois » était chez Torance un signe nouveau et timide de maturité. Car auparavant il se serait contenté de répondre seulement par une affirmation.

— Tu n'as pas idée à quel point, mon amour.

Torance se retourna, fronça les sourcils, contempla le mannequin de bois sur lequel il avait installé les diverses pièces de son armure. Ershebah, l'épée de Gorum, scintillait dans son fourreau.

— Quelque chose te tracasse ? demanda-t-elle.

— Durant le combat, un soldat m'est arrivé par l'arrière, un sabrier levé, prêt à me frapper.

— Un sabrier ?

Torance hocha la tête d'un air entendu.

— Oui. Comme tu le sais peut-être, le sabrier est une arme d'appoint qui n'est pas recommandé en pleine mêlée.

Il se tut, inspira profondément.

— Ce soldat savait où me frapper. À l'arrière, au défaut de l'épaule gauche.

Solena s'agenouilla face à lui et posa ses doigts fins sur ses tempes.

Le prince accepta de se livrer une fois encore à ce que sa compagne appelait « la passe du souvenir ».

Depuis la caverne d'Orma-Doria, ils en avaient fait du chemin : sur les Terres de Gaïa en levant une armée, mais aussi dans les mémoires antérieures de Torance.

Le prince se rappelait à présent trop de scènes vécues sous les traits d'Abralh, l'esclave en fuite, pour nier la réalité. Accepter le fait que son âme avait donné la vie à Abralh était toute une révolution dans ses croyances. Surtout quand

Solena lui avait expliqué que ce transfert de corps avait été rendu possible grâce à une formule magique et l'aide d'Êtres de lumière. Que Mérinock ait par contre mené le bal n'étonnait pas Torance, car il se souvenait également de ses démêlés « existentiels » avec le Mage errant.

Lorsqu'il contemplait Solena, Torance voyait parfois, se superposant aux traits de la jeune femme ceux, bruns et sensuels, de Shanandra. Cette sorte de double vue l'avait beaucoup aidé, les premiers temps. À présent, sachant que les deux femmes étaient issues du même fragment d'âme, il n'avait plus l'impression de se trouver avec une autre.

Solena ressentait-elle la même chose de son côté ? Voyait-elle Abralh, le Baïban, lorsqu'ils faisaient l'amour ensemble ? Car après tout, les deux hommes n'avaient pas le même corps, les mêmes manières, la même odeur.

Cela ne les avait pas empêchés de concevoir Honario, et par la suite de faire l'amour régulièrement – et même irrégulièrement –, parfois avec fougue et passion ; à d'autres reprises plus doucement, avec davantage de sensualité et de baisers que de violence.

La pression des mains de Solena s'accentuait sur ses tempes. Des bouquets d'images se pressaient dans la tête de Torance, suivis par de véritables explosions d'émotions. Ces décharges, surtout, pouvaient être douloureuses. Lorsqu'il les sentait envahir son âme et son corps, Torance tremblait comme un nouveau-né. Solena arrêtait alors l'expérience et le serrait dans ses bras.

— Une fois, à Berghoria, je t'ai dit que le moment viendrait où ce serait toi et non plus moi qui agirais au grand jour.

— Je m'en souviens.

— Ce moment est arrivé.

Solena voulut poursuivre l'expérience, car il était essentiel qu'il ne subsiste aucune zone grise dans la mémoire de Torance.

Lorsqu'elle songeait au plan audacieux conçu par Mérinock, c'était à son tour de trembler…

Quand Torance l'interrogeait sur ce «plan», la cristalomancienne éludait la question. Elle pensait au Premius Orthon qu'elle avait renvoyé à Goromée. Si les choses suivaient leur cours, Orthon qui était lui aussi, mais sans le réaliser vraiment, un des messagers du Mage, poserait un geste de la plus haute importance. Et ce jour-là, Torance devrait être prêt à revenir sur le devant de la scène, non seulement en tant que chevalier de cristal, mais surtout comme le Seigneur Prince messager.

Autant de raisons pour lesquelles il était encore trop tôt pour en parler au jeune homme.

Torance embrassa Solena dans le cou. Une de ses grandes mains glissa sur son épaule, vint tour à tour soupeser chacun de ses seins, descendit sur son ventre.

À ce moment, hélas! Honario se réveilla et réclama sa mère…

La nourrice attribuée à la jeune princesse Kessaline entra dans la pièce. Prenant le parti d'en rire, Torance observa les deux femmes en train de s'occuper des poupons.

★

Les semaines qui suivirent permirent à chacun de trouver ses aises à Berghoria. Tous ne pouvant loger au palais, Mulgor et Amim Daah avaient décidé de louer chacun une soupente dans la cité. Mulgor parce qu'il aimait son indépendance et qu'il tenait à subvenir lui-même à ses besoins – il avait refusé la pension que voulait lui octroyer Solena. Amim Daah parce qu'il souhaitait se rapprocher du peuple, surtout des enfants défavorisés, afin de leur enseigner les Écritures ainsi que les véritables Préceptes de vie.

Un matin, Vorénius et Frëja parlaient entre eux après une importante séance du conseil, quand ils virent passer Torance dans une cour.

Le haut souverain éprouvait des sentiments mitigés vis-à-vis de ceux que Frëja appelait « ses parents ». Nul véritable rapprochement, entre eux, n'avait encore eu lieu. S'ils se voyaient le soir pour les repas et qu'ils se croisaient, le jour, dans les corridors ou lors de la chasse, c'était toujours en présence de nombreux témoins.

— Solena souffre de ta froideur, lui dit Frëja.

— Ne m'as-tu pas enlevé à elle lorsque j'étais enfant !

Frëja détestait s'entendre reprocher son comportement passé. Elle avait agi sur l'ordre de Mérinock pour le bien du Grand Œuvre. Solena ne perdait rien au change : on lui enlevait certes ses enfants et Abralh, mais Torance revenait dans sa vie et elle retrouvait ses fils un an plus tard... même si à cause de la porte dimensionnelle, dans le monde des hommes un peu plus d'un quart de siècle s'était en fait écoulé.

— Elle en souffre, répéta l'ancienne enseignante.

Vorénius zieutait par la fenêtre. Vêtu seulement d'un surcot de cuir beige, de jambières et d'une cape rouge vin liseré de lignes noires, Torance était salué par la foule des badauds. Beaucoup s'agenouillaient et tentaient même de baiser ses pieds. Le prince s'esquivait. Mais selon Vorénius, le mal était fait.

— Mon père, dit-il sèchement, était un demi-Baïban.

— Allons, tu connais les principes de spiritualité d'Évernia et les pouvoirs du Mage ! Abralh et Torance ne sont qu'une seule et même âme.

Vorénius s'inclina avec raideur et prit congé.

— Le doute est un poison, Vorénius! clama Frëja tandis que le haut souverain bousculait un groupe de courtisans.

✱

Torance reçut la requête avec un air mi-figue, mi-raisin.

Talos, qui se trouvait à ses côtés avec Galice – les deux adolescents étaient allés faire ensemble une virée dans la cité –, l'encouragea :

— C'est une belle occasion !

Galice était de son avis. Depuis quelque temps, elle semblait d'ailleurs toujours en accord avec celui qu'elle appelait avec force rougissements « son ami ».

Torance haussa les épaules. Que Vorénius veuille le voir le tracassait.

Jamais il n'aurait avoué qu'en fait cette requête du haut souverain l'intimidait.

— Que me veut-il ?

Talos tombait des nues. Comment ? Le Prince messager, le tout puissant chevalier de cristal, reculait devant ce qui n'était somme toute qu'une invitation !

Présent également, Silophène se contenta de hocher la tête. Vu les circonstances, la requête du haut souverain était à son avis suspecte.

— Où est Solena ? interrogea Torance.

Mais devant les mimiques de ses compagnons, il accepta finalement d'accompagner le courtisan envoyé par Vorénius.

Il fut conduit à travers une enfilade de corridors et de salles d'apparats. Parfois, en passant devant une fenêtre donnant sur l'esplanade, il se rappelait avec précision les aventures qu'il avait vécues, un quart de siècle plus tôt, lorsqu'ils étaient venus afin de guérir Vermaliss Tahard.

Le courtisan l'abandonna sur le seuil d'une salle étrange qui ressemblait à un amphithéâtre. Torance descendit plusieurs rangs de gradins tout en contemplant les arceaux et les colonnades, et les impressionnantes draperies qui pendaient des plafonds.

De forme sphérique, la salle ressemblait bel et bien à un théâtre, avec ses rangées de sièges – de vulgaires bancs de pierre –, ses loges plus luxueuses en bois vernis, ses arcades, son plafond en vitraux de couleur, et surtout sa scène dont les dalles étaient faites de minuscules mosaïques multicolores.

L'ensemble donnait une impression de grandeur sauvage. On voyait bien que les architectes voréniens avaient tenté de marier la rudesse des mœurs des seigneurs de Berghoria à la finesse, à la douceur et à l'esthétisme aérien qui faisaient le prestige des bâtiments de l'Empire de Gorée.

Torance avait à peine fini de s'imprégner du lieu, de sa froideur malgré le chatoiement des draperies et celles des fresques et des dorures, que Vorénius l'interpella.

— Prince Torance !

Le haut souverain se racla la gorge comme s'il était gêné ou ému.

— Est-ce bien là votre véritable nom, d'ailleurs ?

Torance crut entendre percer l'ironie sous les paroles de son « fils ».

— Je vois, rétorqua le prince, que vous honorez les messagers des anciens dieux.

Des peintures représentaient en effet des éphrons d'or se battant dans le ciel.

— Sauf que les éphrons de Gorée n'ont pas un plumage noir et que leurs serres sont en réalité des pattes de lion.

Vorénius rit nerveusement. Ses artistes avaient leur propre vision de ce qu'étaient des éphrons d'or.

— Nous croyions tous, avant que vous ne tombiez du ciel, que ces volatiles n'existaient que dans les fables pour enfants.

Torance dévisagea ce monarque qui avait tout de même, physiquement, dix ans de plus que lui.

— Est-ce ce que vous croyiez également cela, haut souverain ?

Vorénius suivait une allée, et Torance une autre. Les deux hommes se parlaient à vingt pas de distance.

— Je crois me souvenir qu'il y a longtemps, j'ai vu semblables volatiles dans le ciel, et que des hommes les chevauchaient.

Vorénius s'arrêta soudain. Sa mâchoire était crispée : signe que de fortes émotions l'étreignaient.

— Mon père était moitié baïban, reprit-il. Le saviez-vous ? Il était aimé des loups. Il avait le don avec eux.

Des grilles de métal tombèrent brusquement sur les portes en voûtes. Des grognements se firent entendre. Vorénius s'assit comme s'il se préparait à assister à un spectacle.

Peu après surgirent une douzaine de loups.

— Frëja, dit-il encore, affirme que vous êtes mon père. Je suis tout disposé à la croire.

Sur un signe du chef de meute, deux loups sautèrent à la gorge du prince...

La mise à l'épreuve

Torance plaça d'instinct ses mains devant son visage. Le grognement des bêtes se mua aussitôt en un râle de frayeur.

Suspendus en plein élan à trente centimètres du sol, ils voyaient de terrifiants serpents de lumière évoluer autour d'eux. Le prince tendit les bras et les deux loups furent projetés dans les airs.

Les autres carnassiers attaquèrent à leur tour. Torance esquiva un premier assaut.

Ensuite, ravi de donner une bonne leçon de savoir-vivre au haut souverain, il envoya tous ses loups flotter sous les plafonds.

Vorénius avait étudié les Évangiles du Torancisme ainsi que maints rouleaux d'ogrove rapportés de Wellöart par Frëja. Visiblement, le Prince messager avait possédé de grands pouvoirs. Des pouvoirs assez semblables à ceux manifestés par le ci-devant chevalier de cristal.

Il se leva et applaudit tandis que les loups lançaient des plaintes déchirantes.

— Il se trouve que j'aime aussi les loups, déclara Torance. Un de mes amis, Vif-Argent, était l'un d'eux.

Des éclats de voix filtrèrent à travers les grilles.

Les deux hommes entrevirent Frëja, mais aussi Solena et Mulgor, atterrés.

— Tu es fou, Vorénius! s'exclama l'ancienne enseignante d'Éliandros.

Elle ajouta, pour Solena, qu'elle pensait bien que Vorénius tenterait quelque chose pour dissiper ce qu'elle appelait « ses doutes ». Mais ça !

— Je ne crois pas que cela ait beaucoup insulté Torance, répondit la cristalomancienne en souriant.

Mulgor voulut ajouter qu'en effet, le prince avait l'air de s'amuser. Mais croisant le regard de Frëja qui ne l'aimait pas beaucoup, il contempla ses pieds.

Vorénius rejoignit Torance sur l'estrade centrale. En un geste plein d'assurance, il sortit de sa large tunique quatre moitiés de kaïbos qu'il emboîta les unes dans les autres.

— Mon père, dit-il, ne se débrouillait pas trop mal…

Il lança une des armes à Torance qui la soupesa.

Un à un, le prince fit redescendre les loups qui s'échappèrent, la queue entre les jambes.

Les deux hommes croisèrent ensuite leur kaïbo.

— Vous n'allez pas vous battre! lâcha Frëja.

Solena la rassura: à son avis, tout allait pour le mieux. Mais Frëja se lamenta:

— Je l'ai trop protégé. Je craignais tant qu'il lui arrive malheur !

— Tu as été pour lui la mère que je n'ai pu être.

Frëja reprit en se mordant les lèvres jusqu'au sang:

— Je savais que Vorénius avait été Camulos autrefois…

— Tu as accepté de donner une femme à ton ancien compagnon, reprit Solena. Tu as été brave.

— Trop savoir est une malédiction.

Dans l'amphithéâtre, Torance et Vorénius croisaient le fer. Mais, Solena le savait, chacun prenait en fait dans cet affrontement la mesure de l'autre. Ainsi s'apprivoisaient les hommes de qualité. Ainsi se créaient et se développaient les amitiés sincères.

Après quelques minutes de violent combat, ils se complimentèrent mutuellement et les grilles furent relevées par des serviteurs.

Contre toute attente, un petit groupe de femmes, alertées par le bruit, arrivèrent par un corridor dérobé.

Frëja reconnut Frisandre, accompagnée de ses dames et de son jeune fils.

Torance s'inclina devant la souveraine. Puis, le prince s'agenouilla devant l'enfant de quatre ans.

— Comment t'appelles-tu ?

— Torens, balbutia le petit.

Le chevalier de cristal le souleva dans ses bras.

— Mon petit-fils ! s'exclama-t-il en échangeant un clin d'œil avec Solena.

★

Le tumulte qui régnait dans la grande salle du conseil cessa dès qu'apparut Vorénius flanqué de Mulgor, de Solena et de Torance.

Tous les seigneurs des Terres de Vorénor avaient été conviés, avec leur suite, à Berghoria. Le motif coulait de source : la célébration de la grande victoire remportée sur la flotte goréenne. Mais Vorénius avait aussi dans l'idée de se servir de cet événement pour renforcer son emprise sur son royaume.

Afin de montrer à tous sa bienveillance, il avait fait grâce à la famille du duc des Cirgonds. Il laissait la régence à sa veuve tout en se réservant le droit de juger si, le moment venu, leur fils encore mineur serait digne de régner.

Par contre, il se montra intransigeant avec ceux qui étaient officiellement demeurés ses alliés, même s'ils avaient tardé à lui envoyer des secours.

Entré en grande pompe, vêtu des somptueux vêtements de sa charge, le haut souverain leur imposa à tous une sorte de constitution limitant leurs pouvoirs.

Certains seigneurs se levèrent, outrés. Torance les rassit de force d'un seul geste. Devant le chevalier de cristal qui brandirait au besoin l'épée Ershebah pour leur rabaisser le caquet, les autres se rangèrent sans discuter à l'avis du haut roi.

Désormais, il existait dans les Terres de Vorénor une constitution écrite, signée de la main de la dernière cristalomancienne et paraphée par le Prince messager en personne.

Les seigneurs avaient pleine souveraineté dans leurs fiefs en ce qui concernait les domaines de la gestion intérieure. Ils disposeraient également d'une armée locale. Mais tout ce qui touchait à la justice, à la diplomatie, à l'éducation, à la religion et à l'armée demeurait une prérogative réservée au seul haut souverain.

Cette constitution était, déclara Vorénius, la volonté du Mage errant qui parlait pour Évernia.

Afin de conclure ce qui ressemblait fort à un coup d'État, le roi Vorénius fit désarmer les seigneurs réunis. Puis il se rassit.

Torance fut alors invité à prendre la parole.

Devant Solena avec qui il avait scrupuleusement répété son texte, il ôta son heaume de chevalier et se fit

« reconnaître » par chacun des seigneurs présents. Auparavant, Solena lui avait transmis une partie non négligeable du pouvoir que possédait autrefois Shanandra.

Les seigneurs virent, en croisant le regard du Prince messager, leur âme percée à jour. En une fraction de seconde, ils eurent la certitude que l'homme qui se présentait devant eux était bel et bien celui qu'il prétendait être. S'ils en doutaient, Torance n'avait qu'à lever la main pour que le seigneur sceptique soit enveloppé par les serpents lumineux et se retrouve en apesanteur, aussi léger qu'une baudruche, au centre de la table des négociations.

Torance usait également de douceur. Étant, de par les hommes, Fils de Gaïos, il laissait entrevoir aux seigneurs toute la beauté de leurs Âmes supérieures. En un regard, certains parvenaient même à dépasser les limites de leurs ego respectifs. Ils entrevoyaient alors des intérêts bien plus essentiels que les leurs. Certains avouèrent même, par la suite, avoir aperçu Shandarée, la merveilleuse cité de lumière.

Vorénius discuta les termes du traité de paix que lui proposait l'empereur de Gorée.

— Brasius, déclara-t-il, ressort très affaibli de sa défaite. Aux yeux de tous, il s'est humilié sur nos côtes. De plus, son héritier est mort.

— Ce traité n'est qu'un leurre, approuva un des seigneurs. Brasius espère que vous le signerez afin de se donner le temps de fourbir de nouvelles armes.

Vorénius hocha la tête. Le raisonnement de ce duc était crédible.

— Les gens de Gorée craignent qu'avec mon frère, Cristanien de Reddrah, nous ne formions une alliance contre eux. Le clergé officiel du Torancisme est effrayé à l'idée qu'en soutenant notre propre Réforme du Torancisme, nous les rabaissions au rang de vulgaires menteurs.

Disant cela, il déchira le traité impérial.

— Ce en quoi, clama-t-il, ils ont parfaitement raison!

Un coup d'œil à Frëja, à Solena et à Torance l'aida à recouvrer son calme.

Il reprit:

— Mais l'Avènement d'un Âge d'or est à portée de main. Une union entre Vorénor, Reddrah… et la Gorée! Songez-y, mes seigneurs! La moitié du monde connu réuni!

L'annonce fit sensation. Torance lui-même chercha Solena des yeux.

Lorsque la séance fut terminée, les Terres de Vorénor étaient transfigurées à jamais et les puissants à la fois domptés, apaisés et repus.

En quittant la salle, Torance saisit sa compagne par un bras.

— Que signifie cet Âge d'or dont a parlé Vorénius?

★

L'heure était au repos dans le château… La lune entamait son premier quart dans le ciel. De loin en loin, les sentinelles faisaient leurs rondes.

Vorénius avait besoin de marcher seul, de faire le vide dans son esprit après cette journée si décisive pour son avenir. Il sortit d'une cavité de pierre, referma le panneau dérobé.

Au pied de la forteresse, côté jardin, se déroulaient des parterres de fleurs odorantes. L'air, même nocturne, ne se départait jamais totalement d'une certaine douceur. Les insectes et les grenouilles bourdonnaient dans les bassins.

Le roi n'était vêtu que d'un grossier kaftang de paysan. Chaussé de galvas fourrées, il se promenait entre les bosquets quand un bruit attira son attention.

Il marcha sur une sente à peine dessinée, gagna une clairière retirée adossée aux plus lointaines murailles, et s'y cacha.

Torance était seul en compagnie de Phramir. D'excellente humeur, les deux compagnons riaient et plaisantaient. Mais Vorénius était doué pour deviner les hommes. Il sentait bien que son père était tendu.

Une brindille écrasée révéla sa présence. Phramir bondit aussitôt. Il fallut toute l'autorité de Torance pour qu'il retienne ses griffes.

— Holà! s'écria Vorénius en dévoilant son visage.

Une fois encore, les deux hommes se retrouvaient face à face. Mais tout malaise semblait dissipé.

— Aujourd'hui a été un grand jour, dit Torance en caressant les flancs de l'éphron.

— Une nouvelle époque s'annonce, approuva Vorénius.

— Solena m'a dit que ton fils, Torens, a déjà été ton fils par le passé. Et qu'après toi, il sera un grand roi.

Phramir tendit sa mâchoire. Torance le caressa sous la gorge: un geste que le volatile appréciait tout particulièrement.

— Je n'ai jamais connu mon père, reprit Torance. Ni lorsque je vivais en Terre d'Élorîm ni, plus tard, quand je n'étais qu'un simple esclave travaillant dans le palais de l'empereur Dravor de Gorée.

Sa voix se fit lointaine.

— En fait, on peut dire que je suis orphelin depuis plus de cinq cent cinquante ans.

Il rit devant l'énormité de sa déclaration.

Vorénius aussi était songeur.

— Voudrais-tu essayer? lui demanda soudain Torance.

— Comment?

Le prince lui montra le volatile.

— Quand tu étais petit, tu voulais chevaucher les éphrons d'or pour imiter les enfants des Servants du Mage, à Wellöart.

Ce souvenir enfoui, mais qui ressurgissait avec force, amena des larmes dans les yeux de Vorénius.

— Allez! l'encouragea Torance en lui faisant la courte échelle.

Lorsque le roi eut terminé sa ballade dans les airs en compagnie de son père, il prit une décision. Finalement, il n'irait pas, cette nuit, comme il en avait eu l'intention, retrouver sa maîtresse. Il choisit plutôt de se recoucher auprès de sa femme et de lui faire l'amour.

Et, demain matin, pour la première fois depuis des semaines, il se pencherait sur le lit de son fils pour assister à son réveil.

Torance décida lui aussi de rentrer, mais pas pour les mêmes raisons.

Cet Âge d'or annoncé le laissait perplexe. Et puis, il y avait un traître parmi eux – la tentative d'assassinat sur sa personne, durant les combats, le prouvait.

Restait à savoir qui était ce lâche…

LA TRAVERSÉE

Les vagues frangées d'écumes battaient la coque du navire. Éclaboussés par les embruns, Torance et Solena se tenaient à la poupe, loin des oreilles indiscrètes. Cela faisait près d'une heure qu'ils discutaient.

Lorsque le bateau prenait une vague, la terre disparaissait pour réapparaître peu après à l'horizon. Du haut de son mât, la vigie veillait à ce que les navires de la flotte restent bien en formation. L'homme soufflait du cor ou se servait de messages lumineux pour communiquer avec les autres.

Silophène était l'officier senior à bord. Plus cavalier que marin, il n'aimait guère voir s'estomper le rivage. Quand cela survenait, il jurait que les anciens dieux se jouaient d'eux. Les cris familiers de Phramir retentissaient dans le ciel. Le volatile passait ses nuits sur le bateau, mais il survolait la flotte durant le jour pour leur servir de guide.

Tous se demandaient encore pourquoi Solena avait tant insisté pour quitter Berghoria.

De l'endroit où il se trouvait sur le pont, Talos ne voyait que les lèvres de Torance et de Solena bouger. Mulgor feignait de ne pas s'intéresser à leur conversation. Soit, il vaquait à ses occupations quotidiennes : depuis qu'ils avaient embarqué, il allait en canot de navire en navire pour soigner les malades ou les blessés ; soit, il restait le nez dans ses rouleaux d'ogrove.

Pour tromper son inquiétude, Silophène discutait avec le commandant ou maintenait le contact avec les officiers en place sur chaque navire. Au total, leur flotte en comptait quinze. Mais le gros de l'armée, rassemblée sous la bannière d'Évernia, faisait route par voie terrestre.

Ils avaient d'abord remonté vers le nord, puis obliqué vers l'est. Trois jours plus tôt, afin de ne pas semer la panique dans les cultures entourant Bayût, ils avaient contourné la cité. Silophène n'était jamais plus rassuré que lorsque, muni d'une longue-vue, il pouvait voir cheminer ses troupes. Torance et lui devisaient souvent. Pourtant, ces derniers jours, le prince lui semblait plus taciturne que d'ordinaire.

— Il se méfie, avait lâché un matin la jeune Galice.

Talos s'était aussitôt récrié. Mais il devait admettre que Torance avait changé depuis la bataille navale des Garnutes.

Ce qui expliquait pourquoi – qu'ils soient simples marins, soldats, officiers ou compagnons – les hommes étaient intrigués par le conciliabule entre Solena et le prince.

— Je ne te comprends pas, déclara Torance.

Solena inspira longuement l'écume qui semait le sel en poudre blanchâtre sur leur visage.

— Il te suffirait pourtant de les prendre un par un et de lire en eux, insista-t-il.

— Ce n'est pas une bonne idée.

Torance lui tourna le dos. Stratégique dans l'âme, il avait du mal à suivre le raisonnement de sa compagne.

— Il en va de notre sécurité ! S'il y a comme je le pense un traître parmi nous, je veux savoir qui il est.

Plus intuitive, plus fervente, Solena était d'un autre avis.

— Prendre chacun de nos amis et les soumettre à ce test est un manque flagrant de confiance en eux.

Torance se contrôla à grand-peine.

— Je n'ai pas envie que l'on me tranche la gorge pendant mon sommeil, figure-toi !

Solena rit de bon cœur.

— S'il y a un traître et que sa mission est de nous assassiner, il l'aurait fait depuis longtemps, tu ne crois pas ?

Torance ravala ses arguments. Il devait bien avouer que Solena n'avait pas tort.

Il sentit la main chaude de la jeune femme caresser sa nuque.

— N'aie crainte, mon beau chevalier. Mérinock veille sur nous. Il veut, sois-en sûr, voir l'accomplissement de ses prophéties.

Le prince la prit dans ses bras.

— Ce plan dont tu m'as parlé…

— Au sujet du retour du Prince messager à Goromée ? Voilà pourquoi il faut retourner dans notre cabine et travailler encore.

Torance soupira. Ces séances de transe au cours desquelles Solena tentait de rétablir le lien entre son conscient et son Âme supérieure étaient éreintantes.

— Autrefois, il a fallu que nous voyagions loin, ensemble, pour que ces voix, que tu ne comprenais pas, deviennent audibles.

Torance s'en souvenait vaguement. Plus exactement, il se souvenait de la sensation qu'il ressentait quand cette voix « passait par son corps pour parler par sa bouche ».

— J'ignore si c'était vraiment moi qui m'exprimais, répondit-il, troublé.

Une vague plus violente que les autres les éclaboussa. Solena éclata de rire.

Galice, qui servait de nourrice à Honario et à Kessaline, vint les trouver. Elle portait les bambins dans ses bras. Le troisième fils de la dernière cristalomancienne avait les yeux et les cheveux de son père et les traits fins et ciselés de sa mère.

Ils gagnèrent ensuite le gaillard arrière où était située leur cabine.

Torance et Solena jouèrent quelque temps avec les enfants. Ce spectacle eut pour effet de détendre l'atmosphère. Le prince oublia son traître pendant une heure entière, et Solena goûta simplement au bonheur d'être à nouveau maman.

Parfois, elle repensait à Vorénius. Son front se creusait alors d'une longue ride sombre. Elle s'était fait une telle joie de revoir son fils aîné! Pourtant, elle n'avait trouvé en lui que doutes, tristesse et suspicions. Bien sûr, Torance avait renoué avec son fils – d'une manière peu orthodoxe qui avait cependant donné d'excellents résultats!

« Nous l'avons laissé plus homme que nous ne l'avons trouvé », avait assuré le prince lorsqu'ils avaient rembarqué.

Vorénius et elle s'étaient enlacés un bref moment : instant trop bref pour une mère qui avait perdu son petit garçon pour le retrouver grand gaillard, couronné et maître d'un immense territoire.

— Et tes transes personnelles ? s'enquit subitement Torance en écartant Honario qui se cramponnait à ses cheveux.

Solena sourit malgré son chagrin. Même si Mérinock restait l'imprévisible personnage qu'il avait toujours été, il n'en continuait pas moins à lui donner des informations. Entre autres le fait qu'en Terre de Reddrah, ils seraient bien accueillis par Cristanien, sa femme et leurs cinq enfants.

Elle tendit sa main à Torance.

— Viens !

Sa compagne voulait-elle étudier encore, faire sortir cette « voix » qui devait l'aider à être le Prince messager devant les grands légides de Goromée ?

Ou bien avait-elle en tête des projets autrement plus agréables...

✱

Quatre jours plus tard, après avoir perdu une journée à lutter contre une tempête d'automne, ils atteignirent enfin la côte occidentale de Reddrah. Sur les quinze navires, un seul s'était égaré.

Torance mis pied à terre le premier. L'ombre de Phramir lui cacha un instant le soleil. L'oiseau atterrit sur un banc de rochers et poussa un cri effrayant.

Le prince était bien d'accord avec son ami ailé : la vaste plage de galets gris, lieu de rendez-vous avec l'avant-garde de leur armée, était déserte. Pour calmer sa faim et sa nervosité, Phramir donna de violents coups de bec entre les rochers pour en déloger des crabes et d'autres crustacés.

Torance surveilla avec attention le débarquement de ses troupes.

Solena, Mulgor, Silophène et Talos le rejoignirent plus tard sur la grève.

Accroupi, le prince avait ramassé une poignée de sable et la portait à son visage.

— Intrigues, adversité, sang.

Agacée, Solena rétorqua :

— Pourquoi ne parles-tu pas plutôt de joie, de retrouvailles, d'amour !

Mulgor capta le regard du prince et l'encouragea :

— Ah ! Les femmes !

Galice serra la main de Talos. Les deux bambins suivaient dans une petite litière couverte.

— Silophène! appela Torance.

Le jeune officier se présenta au garde-à-vous.

— Silo, reprit plus doucement le prince, prend dix cavaliers avec toi et parcourt le rivage. Demande aussi à nos vigies de sonner du cor et d'envoyer quelques messages lumineux.

Il désigna une éminence rocheuse.

— Place deux de nos miroirs là-haut.

Puis il se tourna vers Mulgor:

— Il doit y avoir des villages dans les parages. Avant de débarquer, j'ai vu des paysans s'enfuir à toutes jambes. Prends dix mulets, charge-les de nourritures et de cadeaux, et va rencontrer les chefs de ces villages. Instaurons entre eux et nous les bases d'un commerce profitable. Je ne voudrais pas qu'ils nous craignent.

Solena posa une main sur l'épaule du médecin.

— Ces gens peuvent aussi avoir besoin de soins, ajouta-t-elle.

Mulgor approuva. Il se joindrait à cette expédition.

Solena remarqua que Torance demeurait songeur. Au moins étaient-ils entourés d'hommes de valeur!

En une heure, la plage se couvrit de tentes. On alluma des feux de fortune. Des abris pour les chevaux et des enclos pour les animaux de basse-cour furent érigés.

Frëja avait tenu à leur donner des poules, mais aussi des coqs, des cochons sauvages, des chèvres et même des bœufs.

Solena chargea Galice d'aller fureter avec une dizaine de femmes – les traditionnelles filles à soldats – pour voir s'il ne poussait pas, comme ses transes le lui avaient annoncé, des plantes médicinales et nutritives le long de ces rivages désolés.

Torance s'envola sur les ailes de Phramir et fit une reconnaissance aérienne des lieux.

Solena le vit effectuer de nombreux cercles autour de la baie. Puis, il agrandit son champ d'action et disparut à l'intérieur des terres. De la butte de pierre, les vigies profitaient du soleil pour envoyer leurs messages.

Une petite voix murmurait à Solena que quelque chose ne tournait pas rond. Où était leur armée? Pourquoi le comité de bienvenue envoyé par Cristanien n'était-il pas déjà là?

Le soleil baissait à l'horizon quand Torance revint de sa promenade dans les airs. De l'endroit où elle se tenait avec les deux enfants, Solena ne put voir s'il était ou non satisfait. Autour d'elle, des marins et des soldats se remémoraient à voix haute la dernière tempête durant laquelle Torance avait chevauché l'éphron d'or, et utilisé le pouvoir de son épée magique pour écarter les vagues et sauver leurs navires.

Solena sourit en entendant parler du pouvoir d'Ershebah alors que Torance avait simplement appelé à son aide les serpents de lumière.

Elle courut vers lui. Sans qu'elle puisse se l'expliquer, cette absence de quelques heures l'avait profondément inquiétée.

Torance ouvrit grands ses bras.

Soudain, une douleur aiguë brûla le ventre de Solena et la plia en deux.

— Qu'y a-t-il? s'effraya le prince.

La cristalomancienne était blême. Ses lèvres tremblaient.

Revenu des villages voisins, Mulgor se précipita.

— Elle a certainement eu une nouvelle vision, expliqua le médecin en fouillant dans sa sacoche de cuir.

Solena murmura d'une voix à peine audible:

— Il vient de se produire un grand malheur...

Le CONCLAVE

Les chuchotements intempestifs de ses serviteurs agaçaient le Premius Orthon.

Comme si, songea-t-il, j'avais en ce moment besoin d'un surcroît de contrariété !

Tandis que le responsable de sa garde-robe tentait de nouer les boucles de sa toge de cérémonie, ses secrétaires lui lisaient les dernières dépêches.

Par les fenêtres entraient les fragrances sucrées des arbres fruitiers qu'il avait fait planter dans ses jardins.

On le revêtit de la cape d'hermine sacramentelle qui seyait aux souverains pontifes lors des grandes réunions. D'autres serviteurs préparèrent le *nappé*, le bonnet de tissu molletonné que l'on plaçait sur le crâne dégarni du pontife avant d'y déposer la tiare d'apparat.

Orthon écoutait le babillage de ses secrétaires et celui plus frustrant, car on n'en saisissait pas toujours le sens, des apartés de ses courtisans, légides, nonces et domestiques confondus.

Un moment, il leva sa main alourdie de bagues. Il souhaitait retarder, autant que possible, le moment où il devrait quitter son palais pontifical pour se rendre à la curie. On plaça le nappé, puis la *descente* de soie nacrée sur ses oreilles. Brutalement coupé du chant de ses perruches apprivoisées, il eut l'impression de pénétrer vivant dans son linceul.

Après un bref moment de panique, il retrouva son courage et cette énergie qu'il mettait en toute chose depuis son retour des côtes de Vorénor, et donna le signal du départ.

Son escorte se mit en branle. Il n'y avait qu'une vaste galerie décorée d'œuvres d'art et de colonnes à traverser. Mais, Orthon le savait, les plus courts chemins étaient souvent les plus pénibles.

— Votre Sainteté? le pressa le *nonce diacral,* son plus proche collaborateur.

Orthon sourit à son vieil ami. Devant l'expression inquiète et les sourcils tendus de l'homme, il lui assura que tout allait pour le mieux. Ils étaient à l'aube d'une nouvelle ère, et, comme pour toute nouvelle aube, la lumière semblait plus crue, plus vive et plus irritante.

Le Premius descendit les marches menant à la galerie. Une foule de religieux, certains vêtus de draps noirs – les simples diacres –, d'autres vêtus de la toge safran – les légides –, d'autres, encore, affublés du manteau gris perle rehaussée de bandes pourpres caractéristiques des grands légides, le suivait.

Orthon se remémorait les noms des grands légides accourus à sa demande, souvent de très loin, pour assister au conclave extraordinaire qu'il avait décidé de tenir.

Il plaça, selon une nouvelle habitude, sa main ouverte au centre de sa poitrine – l'endroit où la dernière cristalomancienne lui avait tatoué dans la chair le symbole du Wellön.

Tout ce chemin, songea-t-il...

Il y aurait foule dans la curie, aujourd'hui! Et chacune de ses paroles aurait son poids, sa mesure... et ses conséquences.

✶

Au même moment, l'empereur Brasius II Sarcolem se tenait sur la vénérable terrasse de ses ancêtres. En ce mois de Milosis, Goromée ressemblait à une serre à ciel ouvert. Ses canaux, célèbres de par les Terres de Gaïa, charriaient des tonnes d'eau vives et claires. Parcourus chaque jour par des centaines d'embarcations, c'était toute une fourmilière qui s'agitait au milieu des arbres à palmes ou à fruits.

Brasius aimait son ensemble de palais. De nombreux bâtiments, pourtant, avaient dû être délaissés ou vendus à de nobles familles, car l'Empire traversait depuis un quart de siècle une mauvaise période. Récoltes rachitiques, hivers trop rudes, famines, révoltes de marchands ou de paysans que Brasius et Klébur avaient tour à tour combattus ou contenus.

Mais son fils aîné était mort. Certes, son corps lui avait été rendu avec tous les honneurs. Mais qui porterait désormais l'espoir de la très noble famille des *Sarcolenides*?

Assis sous une tonnelle proche des frondaisons du majestueux kénoab blanc jadis planté par Sarcolem Premier, l'empereur souriait à son épouse qui babillait auprès de ses dames de compagnie. Ses filles, les princesses impériales, âgées de six et treize ans, jouaient non loin de là tandis que Brasius accordait ses audiences de la journée.

Sur sa table de travail, au milieu d'autres rouleaux d'ogrove et de parchemins se trouvait une missive inquiétante qu'il avait abandonnée avant de la relire plus tard à tête reposée.

En attendant, il voyait défiler les habituels quémandeurs : ces nobles oisifs qui se plaignaient les uns des autres et réclamaient son arbitrage.

Lui ne songeait réellement qu'à une chose : les conséquences désastreuses de sa récente campagne en Terre de Vorénor. Car il était illusoire de penser que rien n'avait changé. Si les arbres poussaient et que les marchés regorgeaient plus ou moins de nourriture, que le peuple était pour le moment rassasié et que les puissants gouverneurs étaient tenus en laisse, cette défaite avait terni son prestige. Les ambassadeurs des Terres de Lem ou de Dvaronia, ceux des îles unifiées de Midriko ou les princes des lointaines Terres de l'ouest ne voyaient plus désormais la Gorée comme le centre du monde.

Il se leva et fit les cent pas autour de l'arbre sacré. Il faillit buter contre Kal-Houré Vahar Sarcolem, son dernier fils et héritier direct âgé de trois ans qui jouait avec de minuscules carrosses taillés et des soldats de bois. Il le prit dans ses bras, continua à réfléchir sous les yeux médusés de ses courtisans.

Son fils se tenait tranquille. Brasius ignorait pourquoi le kénoab blanc avait ainsi le pouvoir de calmer ce bambin d'ordinaire tout feu tout flamme. Mais ce miracle lui permettait de poursuivre ses réflexions intérieures.

Moins de prestige pour sa Maison et ses royaumes équivalait à un regain d'agressivité ou de convoitise chez ses voisins. Vorénius avait raffermi son pouvoir en muselant ses barons et ses ducs, et avait osé déchirer son traité de paix.

Au même moment, le Premius Orthon s'agitait. Les espions placés par Brasius dans l'entourage du souverain pontife étaient catégoriques : il préparait quelque chose...

Brasius regrettait que le pouvoir temporel – le sien – soit si inextricablement lié à celui que détenait le Premius. Comme si l'Empire ne pouvait exister sans le Torancisme, et vice versa.

La Réforme religieuse qu'avait entamée Vorénius en Terre de Vorénor allait se répandre au royaume de Reddrah, tenu par son frère Cristanien.

Je dois impérativement me prémunir contre cette Réforme et cette alliance entre les deux frères, se dit l'empereur.

Cette décision allait d'ailleurs dans le sens des recommandations que lui adressait le grand maître des Spiraliens.

Ce mystérieux grand maître dont nul ne connaissait l'identité lui conseillait d'agir en toute hâte, en Terre de Reddrah, sans consulter le Premius trop occupé à de folles entreprises. Au pire, si cela pouvait tranquilliser l'empereur, les Spiraliens étaient prêts à envoyer là-bas leur propre tueur – en l'occurrence, le fameux Voyageur qui avait déjà fait ses preuves par le passé.

Mais Brasius hésitait.

Agir sans l'appui du Premius était risqué : surtout en matière de religion.

Fâché de ne pouvoir prendre une décision, l'empereur se rassit. Alors, le chambellan annonça le prochain quémandeur.

On apporta des fruits et des rafraîchissements. Brasius se servit un cocktail de son invention : un jus d'*amangoye* et de *barbouse* agrémenté d'un soupçon de *kephre* frais. Sarcolem Premier avait jadis eu le sien – le *mifrosyr royal* : pourquoi par lui ?

Il donnait à Kal-Houré une amangoye bien juteuse et s'apprêtait à répondre à la demande d'un obscur comte, quand un de ses secrétaires débaula sur la terrasse et chuchota à son oreille.

Brasius se redressa d'un bond. Une nourrice vint lui prendre le bambin des bras. Son impératrice le considéra, atterrée, et renvoya des femmes.

— Mon Seigneur ! fit-elle d'une voix tremblante.

— Que l'on rassemble ma garde personnelle ! ordonna Brasius, à la fois pâle et rouge de colère.

Il manda son armure à un chambellan et s'appuya sur son secrétaire pendant qu'on le revêtait de son plastron.

Puis il quitta la terrasse derrière ses officiers arrivés en toute hâte.

Du palais impérial à la curie, il n'y avait qu'une enceinte et cent mètres de bâtiments administratifs.

— Hâtons-nous ! gronda l'empereur.

Cette fois, songea-t-il, Orthon dépasse les bornes. Rassembler un conclave sans même m'avertir !

Les indiscrétions de ses agents lui revenaient en mémoire. Depuis son retour de Vorénor, le Premius agissait de façon inconsidérée. Il passait plus de temps en prière, seul, et son nonce diacral avait répété qu'il parlait durant son sommeil. Des mots revenaient souvent dans sa bouche, tels que Prince messager, conclave, nouvel Ordre, Âge d'or… et Mage errant !

Un officier à cheval se hissa à la hauteur de la litière impériale.

— Majesté ! Quels sont les ordres ?

— Si vous ne pouvez faire sortir tous ces grands légides par la raison, utilisez la force. Je m'occuperai moi-même du Premius.

★

Plus Orthon se rapprochait de l'extrémité de la galerie, plus son cœur cognait dans sa poitrine. Était-ce le poids de ses vêtements ou bien celui de l'émotion ?

Son nonce diacral le soutint. Plus que quelques mètres et ils atteindraient la cathédrale.

Orthon imaginait ses frères, les grands légides, en tenue d'apparat, assis sur les gradins de marbre dans la grande salle circulaire qu'ils appelaient la Curie. La lumière qui tombait des vitraux était en tout temps apaisante, diaphane, constellée de poussière d'or et d'argent. Par cette chaude journée ensoleillée, nul doute que la vibration, comme aurait dit le Mage errant en personne, serait propice au discours historique qu'Orthon s'apprêtait à prononcer.

Il avait écrit chaque mot de ce que la postérité ne pourrait qu'appeler une « bombe » dans la mare séculaire et déjà sclérosée du Torancisme.

Il voulut, avant de pénétrer dans la Curie, se recueillir seul dans une petite chapelle attenante.

Il disparut par une porte dérobée.

Il avait très chaud. Un moment, il retira sa lourde tiare et s'essuya le front. Le tatouage imprimé dans sa chair lui faisait un peu mal. Il atteignit la modeste nef par un escalier à vis. La traditionnelle pierre de grès ronde ainsi que la silhouette torturée sculptée dessus l'apaisa, comme toujours.

Ainsi, le moment était venu.

Il s'agenouilla, entama une prière.

En Terre de Vorénor, pendant l'effroyable combat naval, c'est le Prince messager glorifié en personne qu'il avait vu dans la lentille de sa longue-vue. Autour de lui scintillaient des nuages étoilés. À cet instant, la voix de Gaïos lui avait annoncé qu'il envoyait de nouveau son Fils pour remettre le Torancisme sur le droit chemin.

Depuis, les rêves d'Orthon étaient peuplés de voyages, tous plus sublimes les uns que les autres.

Dans un de ces périples nocturnes, Orthon avait marché côte à côte avec le légendaire Mage errant. Ils se trouvaient sur une plage merveilleuse, entre le doux reflux des vagues argentées et les murailles de nacre de la cité céleste de Shandarée.

Là, Mérinock lui avait confié que le Grand Œuvre de la déesse se confondait avec celui de Gaïos. Et que lui, le Mage errant, était leur fidèle exécutant.

De ces rencontres avait germé un plan audacieux. D'abord, Orthon devait réunir tous les grands légides. Puis, il devait leur annoncer la venue prochaine à Goromée du Prince messager qui vivait en ce moment à la cour de Vorénor. Là, Torance en personne édicterait un nouvel Évangile sur lequel seraient à l'avenir basés les futurs dogmes du Torancisme.

« À L'humanité d'aujourd'hui, pour préserver la paix des rois, avait assuré Mérinock, il faut un message plus clair et plus lumineux, dépouillé de toute redondance ou tout obscurantisme. »

Torance allait-il leur révéler que les principes sur lesquels se fondait la Réforme de Vorénius – autrement dit, les véritables Préceptes de vie originaux – seraient à l'avenir également les leurs ?

Orthon l'ignorait. Il avait été mandaté pour réunir le conclave, avertir ses frères et préparer la venue du Prince messager. Et c'était exactement ce qu'il entendait faire.

« Orthon, lui avait encore dit Mérinock, par le passé tu as fait preuve d'une certaine couardise. Il te faut aujourd'hui dépasser ta honte et ta peur, et reconquérir par ta démarche cette foi et ce courage qui délivreront ton âme. »

Le Premius songeait également à sa place dans l'Histoire. S'il parvenait à conduire à bon port cette importante entreprise, son nom serait à jamais nimbé d'une gloire éternelle. Orthon, l'homme qui accueillit le Fils ! Bien entendu, ses confrères légides voudraient des preuves de l'identité du prince. Torance serait mis à l'épreuve. Une crainte assaillit le souverain pontife. Beaucoup de légides, englués dans leur propre ego, tenteraient certainement de faire passer le Prince messager pour un usurpateur. Mais c'étaient là des risques à courir.

Il termina sa prière.

Il se sentait plus léger et étrangement ragaillardi. Ses idées étaient claires, sa respiration fluide.

— Il est temps ! s'encouragea-t-il lui-même.

À quelques mètres l'attendaient ses frères. Il les sentait à la fois anxieux et craintifs. Mais l'heure était venue de les tirer de leurs propres ténèbres.

Un froissement de tissu l'avertit d'une présence derrière lui.

Il se retourna et reconnut son fidèle nonce diacral.

— Votre Sainteté ?

— Allons-y, mon ami, répondit Orthon.

— Votre Sainteté, répéta l'homme, je m'excuse.

Le Premius écarquilla les yeux.

— Mon ami, répéta-t-il, étonné…

L'homme le frappa alors au cœur, à deux reprises. Puis, il s'enfuit.

On ne le retrouva jamais.

Seul resta, planté dans la poitrine du Premius, un sabrier savamment ouvragé, en or fin, dans le pommeau duquel était gavé un symbole ésotérique : une spirale noire liserée à tête de serpent dans un pentacle.

LA CÉRÉMONIE SECRÈTE

En automne, à l'approche de la nuit, le comté de Plessac prenait souvent des allures glauques, voire cauchemardesques. Durant la journée, le soleil réchauffait les anses, les labours et les pâturages, et les forêts se gavaient de ses rayons. Mais lorsque venait le soir, une certaine tiédeur ressortait du sol et formait entre les collines d'immenses poches de brume.

Près du château, aux pieds des éminences de grès dites «des Morts» s'allumaient, certaines nuits de pleine lune, d'étranges lueurs diffuses tirant sur l'oranger et le rouge. Les marins du coin évitaient cet endroit comme la peste. Ils rentraient chez eux, s'enfermaient avec leurs familles et priaient pendant des heures pour que les morts, ressortis de leurs tombes, les épargnent.

Par le passé, des habitants avaient disparu sans laisser de trace. Le comte de Plessac et ses fils étant morts durant l'invasion manquée des Terres de Vorénor, il ne restait plus au château que la comtesse endeuillée. Selon certains, la terrible perte subie par Dame Bellissandre la laissait trop chagrinée, malgré sa forte personnalité, pour qu'elle puisse s'occuper de lancer des troupes contre ces lumières fantômes qui capturaient les pauvres gens.

Le mugissement d'un cor perça les nappes de brouillard. C'était le signal. Apeurés, les habitants de la douzaine de villages entourant les renforts de grès se murèrent dans l'attente de l'aube prochaine.

Nul ne savait d'où venaient ces lumières. Mais si un paysan retardataire ou un homme plus courageux que les autres avaient pu se glisser près des éminences, il aurait assisté à un bien étrange spectacle…

Des gardes armés attendaient des visiteurs distingués. Ceux-ci venaient en carrosses ou en litières. Les roues des chariots étaient enveloppées dans des ballots de linge. Leurs essieux étaient soigneusement graissés. Les serviteurs qui portaient les litières allaient sans bruit et se guidaient grâce aux lampions allumés par les gardes.

✹

Dans les cavernes creusées sous les collines, à dix mètres sous terre une femme enceinte était allongée sur une large pierre de cérémonie. Sa robe de soie relevée sur son ventre, ses chausses de velours enveloppant ses jambes, elle respirait en cadence avec le gong qui résonnait à intervalles réguliers.

Il faisait froid. Heureusement, des feux rougeoyaient aux quatre points cardinaux. Des domestiques muets – ils avaient eu la langue tranchée – les entretenaient tandis que cent bougies et braseros, disposés un peu partout, répandaient dans la salle souterraine une lumière chaude et diaphane.

Installé devant la femme, le grand maître officiait. Sa coiffe sombre couvrait ses cheveux, un loup de velours occultait la partie supérieure de son visage. Seuls sa bouche et son menton blanc poudré avec soin étaient à découvert. Une trentaine de silhouettes pareillement cagoulées et revêtues de tuniques noires attendaient le début de la cérémonie.

Ils commencèrent par réciter, en ancien goréen, le *mémorom* ou raison d'être de leur ordre, qui commençait ainsi :

«Nous, Êtres choisis entre tous, œuvrons pour l'Avènement de la Spirale d'or et la formation, dans l'avenir, d'un monde unifié et harmonieux...» Leurs voix murmurantes s'élevaient sous les plafonds nappés de stalactites et tissaient dans l'espace une sorte d'aura musicale invisible. La vibration qui s'en dégageait plongea la future mère dans une transe paisible.

Toute peur devait être annihilée, toute inquiétude circonscrite. Car cette cérémonie n'en était pas une de mort, mais de vie.

Le grand maître leva ses bras. Ses mains étaient gantées. Sur ses deux majeurs scintillaient des gemmes à faire pâlir de jalousie les légides les plus fortunés.

Il entonna ensuite la formule tant attendue.

Certains, sous leurs cagoules, se retinrent de grincer des dents tant les paroles de cette formule étaient sèches, sinistres et dites d'une voix caverneuse. Prononcées en une langue encore plus ancienne que le goréen original, ils se plurent à penser qu'il s'agissait en fait d'un dialecte utilisé jadis par les douze géants : une langue secrète offerte aux hommes d'autrefois par la déesse-mère Gaïa.

Un frisson parcourut les participants.

Le grand maître les avertit que l'âme qui revenait était présente dans la caverne avec eux.

— Par le pouvoir de cette formule, par la puissance de mon cristal de vérité, clama le grand maître en brandissant un éclat de grenat incandescent, je rappelle à nous l'âme de notre bien-aimé compagnon...

Les membres de la confrérie avaient plus ou moins compris que le grand maître détenait le pouvoir de faire entrer dans le fœtus d'une femme enceinte l'âme d'un mort connu et choisi par lui.

Ainsi, ils ne mourraient pas vraiment. Leur âme vivait, après leur trépas, un certain temps dans un des mondes issus de leur propre imagination où elle attendait le moment d'être rappelée. Cette méthode révolutionnaire permettait aux plus proches collaborateurs du grand maître d'accéder à une forme d'immortalité, ce qui garantissait la pérennité de leur mouvement occulte.

La femme enceinte poussa un grand cri. Elle sentait l'âme de son futur enfant entrer en elle. Ce cri était la manifestation non de sa peur ou de sa douleur, mais de sa joie à l'idée d'accueillir dans son ventre celui qui deviendrait, après le grand maître actuel, le prochain chef des Spiraliens.

Elle tressaillit. Des femmes vinrent la réconforter. L'une d'elles passa un linge humide sur son front. Une autre sécha ses chairs brûlantes. Une troisième caressa ses cheveux moites de sueur.

Le grand maître tenait son éclat de cristal à deux mains au-dessus de sa tête. Le scintillement de la pierre augmentait d'intensité et menaçait à présent de les envelopper dans un halo aux reflets sanguinolents.

Cet aspect du cérémonial était-il ou non essentiel au « rappel de l'âme » ? Nul n'aurait pu l'affirmer avec certitude, mais ce rituel renforçait l'aura de mystère qui entourait le chef.

Soudain, le ventre de la future mère se contracta. Les participants jurèrent par la suite avoir vu la peau se tendre et le fœtus y inscrire l'empreinte de ses mains.

L'accouchée hurla de nouveau.

Cette fois-ci, le grand maître posa son cristal sur le front de la parturiente et récita ce qu'il convenait d'appeler une « contre-formule ».

Ses effets furent presque immédiats. Les spasmes diminuèrent d'intensité, la chair se rétracta.

Le grand maître soupira.

Il avait vu juste. À force de retarder la cérémonie pour être certain que le fœtus serait de sexe mâle, il avait pris le risque qu'il fût *déjà* habité par une âme. Ce à quoi ils venaient d'assister était en fait le combat opposant deux âmes se disputant un même corps.

Il ausculta la future mère et déclara que la chance était de leur côté. L'âme de leur compagnon avait chassé l'autre, et la femme allait survivre.

Un à un, les domestiques éteignirent les lampions. La cérémonie était terminée. Avant de sortir, chacun des participants signa son nom en code sur un rouleau d'ogrove préparé à cet effet. La future mère fut placée dans une litière à bras et emportée. Son époux la tenait tendrement par la main.

Le grand maître rempocha son éclat de cristal. Il tremblait et transpirait sous sa capuche. Pour lui aussi, l'épreuve avait été rude ! Plongé durant la cérémonie dans une transe douloureuse, il avait vu l'âme entrer dans le ventre. Puis, proprement effaré, il avait assisté au combat ectoplasmique qui avait suivi.

Les fidèles se retirèrent et le grand maître gagna une porte dérobée. Il titubait de fatigue. La formule avait drainé hors de lui d'énormes quantités d'énergie. Redonner la vie tout en la contrôlant n'allait pas sans danger.

Ce n'était pourtant pas la première fois qu'il utilisait la formule.

Il poussa la porte. Une servante l'attendait derrière.

— Bridine…

La jeune femme ôta la capuche de sa maîtresse.

Blanche comme un linge, la comtesse Bellissandre de Plessac haletait.

— Vous êtes fiévreuse, balbutia la jeune domestique.

Elle lui fit boire un élixir à base d'herbes, et frappa dans ses mains.

Deux serviteurs muets jaillirent d'une sombre galerie. Ils chargèrent Bellissandre à moitié évanouie sur une chaise à porteurs, et disparurent dans le corridor.

La comtesse fut ramenée jusqu'au château.

En chemin, elle fit mentalement le bilan de cette cérémonie et convint qu'elle était un succès. L'âme qu'elle avait rappelée cette nuit à la vie reprendrait, une fois adulte, le poids de sa charge. Aussi devait-elle s'assurer de sa fidélité, de son respect et de son amour.

Elle élabora des plans. Après la naissance, elle ferait assassiner la mère. Le père serait ensuite victime d'un « accident », ce qui permettrait à Bellissandre d'adopter l'enfant.

Elle leva soudain le bras. Bridine vint aussitôt se tenir près d'elle.

— Oui, maîtresse !

Bellissandre lui remit un éclat de cristal bleu foncé.

— Contacte qui tu sais, dit-elle, et charge-le d'une nouvelle mission.

Bridine approcha son oreille de la bouche de la comtesse, écouta, retint son souffle, ouvrit de grands yeux.

— Cela sera fait, maîtresse.

Bellissandre gagnait sur toute la ligne. Le Mage errant se croyait sans doute le seul à pouvoir manipuler les consciences, à faire et à défaire des royaumes et à manœuvrer les événements pour créer la trame de l'avenir : il se trompait.

N'avait-elle pas dernièrement contrecarré ses projets !

J'ai fait assassiner cet idiot d'Orthon. Et bientôt, j'empêcherai, de la même façon, Vorénius de former une alliance avec son frère Cristanien.

La confrérie secrète qu'elle avait mise sur pied commençait à acquérir du pouvoir et de l'influence ; sur les rois, d'abord, en leur accordant ou en leur refusant son soutien financier, mais aussi sur Mérinock et sur Évernia.

Et cela ne faisait que commencer.

Elle songea de nouveau à la cérémonie de cette nuit et sourit dans son délire.

« Riurgën, mon amour, tu seras bientôt de retour parmi nous… »

Les trois princesses

Phramir et un messager à cheval annoncèrent en même temps l'arrivée de l'armée qui avait cheminé par voie terrestre. L'éphron poussa un cri aigu, l'estafette souffla dans son cor. Resté auprès de Solena victime d'un malaise à la suite d'une transe violente, Torance se tourna vers Silophène :

— Prends cinq hommes avec toi et guide notre armée jusqu'au camp.

Le soleil baissait à l'horizon. La nuit tombait vite, l'automne, en Terre de Reddrah.

Peu après, le sol trembla sous les sabots de milliers de chevaux. L'intendance avançait derrière avec ses chariots, ses machines de guerre, la piétaille et une cohue de litières et de carrioles plus légères transportant le reste de l'équipage.

Fort heureusement, le jeune Talos, aidé en cela par Mulgor, avait organisé des battues dans les forêts environnantes et fait acheter, dans les villages, quantités de denrées pour nourrir les troupes.

Assis au chevet de Solena, Mulgor semblait inquiet. La jeune femme, en effet, tardait à reprendre connaissance.

— Elle doit vivre encore un de ses voyages de l'âme, annonça-t-il.

Honario pleurait. Kessaline avait beau le serrer contre elle, le bambin sentait peut-être sa mère en danger.

— Je ne peux risquer de la réveiller de force, déclara Mulgor en sortant de la tente. Le mieux est de s'armer de patience.

Le lendemain, alors que le rivage était transformé en une ville de bric et de broc, se présenta l'avant-garde de l'armée reddrinienne. Torance était partagé entre la perplexité et l'excitation. Tout semblait en effet se dérouler selon leurs prévisions. L'armée de terre était parvenue indemne au terme de son long voyage. Et Cristanien se présentait au rendez-vous.

Pourquoi, dans ce cas, Solena avait-elle parlé de catastrophe?

★

La cristalomancienne se trouvait en rêve sur une plage semblable à celle sur laquelle ils avaient abordé; sauf que cette grève-ci était belle, immaculée et faite d'un sable fin et chaud.

Mérinock se tenait à ses côtés, appuyé sur son kaïbo, sa luxuriante chevelure blanche et huilée lissée sur son front et sa nuque, son œil noir et profond fixé sur elle avec humour.

— Désolé pour la violence de mon appel, fille…

Solena fut tout de suite intriguée par sa voix qu'il laissait en suspens comme s'ils n'étaient pas seuls.

Une troisième personne se racla alors la gorge.

— Vous! s'exclama la cristalomancienne.

— Soyez assurée que je ne comprends pas moi-même, balbutia le Premius Orthon.

Le souverain pontife portait toujours la riche tunique de soie brodée d'or, le manteau, la cape d'hermine, les bagues et la tiare de sa charge. Et s'il palpait sa poitrine à la recherche du sabrier qui lui avait transpercé le cœur, il considérait, ébahi, les murailles et les bâtiments d'albâtre de la cité céleste. Il écoutait le doux reflux des vagues couronnées d'écumes, et avait du mal à croire en sa chance.

Mérinock lui tapota amicalement l'épaule.

— Bien des gens qui se croient des ennemis sur Terre font en vérité partie d'une même famille d'âmes. Ce que vous êtes en vérité, Premius Orthon, mais aussi Solena, l'empereur Brasius et tous les autres. La vie telle que vous la concevez n'est qu'un fragment de la vaste réalité céleste. Les véritables choses se jouent à des niveaux plus subtils.

Il les invita à marcher en sa compagnie.

— Ainsi, Orthon, vous venez d'être assassiné, reprit le Mage. Cet événement possible, mais non pas « écrit » m'oblige à modifier mes plans. Torance ne peut plus se montrer à Goromée et proclamer l'Âge d'or que j'entendais instaurer au bénéfice des peuples.

— Nous étions si proches de réussir, pourtant ! se lamenta Solena.

Orthon gardait le silence. Sa mort brutale le laissait momentanément égaré et confus. Ainsi, ce n'était pas le Prince messager qui recevait les âmes défuntes, mais… le Mage errant !

Mérinock lut en lui et rit de bon cœur.

— Ne croyez pas, messager, que j'accueille tous ceux qui « meurent » : j'y passerai mon éternité. Mais vous faites partie de ma famille spirituelle.

Il le prit amicalement par les épaules.

— Fixez mes yeux. Laissez-moi vous montrer qui vous étiez jadis…

Orthon reçut un flux d'images accompagné par de brusques décharges d'émotions. Le voyant tressaillir, Solena posa ses mains de chaque côté de ses tempes.

— Je vois, balbutia-t-il. Je me rappelle…

Il pleurait à chaudes larmes.

— Autrefois, vous faisiez partie de nos compagnons, lui dit doucement Solena. Vous vous appeliez Vérimus.

— Et sous ce masque, j'ai failli à ma tâche, geignit-il.

Mérinock lui remonta le moral.

— Nul ne peut se targuer d'un courage à toute épreuve. Solena et Torance eux-mêmes ont failli à un moment ou à un autre. L'important reste que vous étiez prêt, en tant que Premius du Torancisme, à accueillir le Prince messager.

Orthon allait s'accuser de nouveau, mais Mérinock insista :

— Peu importe que vous en ayez été empêché par la mort. Vous étiez prêt à le faire, et cela suffit.

— Et pour notre affaire ? reprit Solena.

Le Mage s'étira : il adorait laisser l'énergie de Shandarée lui vivifier l'âme et l'esprit.

— Keïra, comme Sarcolem autrefois, est aveuglée par sa quête du pouvoir. Maintenant qu'elle sait utiliser la formule qu'elle nous a volée, elle croit être en mesure de modeler l'avenir selon son goût. Immortelle ! Sarcolem croyait également pouvoir vivre et aimer vivre toujours. Mais l'éternité est longue. Surtout, comme l'ont dit bien des philosophes, vers la fin…

Solena n'appréciait pas toujours l'humour de son père. Là encore, il lui sembla qu'il prenait les choses trop à la légère.

— Mais concrètement, que comptez-vous faire ?

— Rassure-toi, ma fille, l'avenir est riche en possibilités. Keïra et les membres de sa confrérie voient le Grand Œuvre comme une sorte de bras de fer entre le bien et le mal, entre ce qu'ils veulent pour l'humanité et ce que veut la déesse par mon entremise et celle d'Évernia. Mais cette confrontation n'est qu'apparente. La lumière et son ombre projetée ont toujours travaillé de concert.

Orthon, qui avait été élevé dans la pure tradition des dogmes, était désarçonné par ce discours très libéral. Ainsi, tout « allait pour le mieux » et il n'y avait ni bien ni mal, ni bons ni méchants?

Le Premius songea que cette philosophie était certes élevée. Qu'elle convenait sans doute mieux à des esprits éclairés détachés de leur ego. Mais que valait-elle pour les gens du commun qui avaient besoin, pour vivre et demeurer fidèles aux lois des sociétés dans lesquelles ils vivaient, de craindre une force supérieure à la leur?

Mérinock sourit.

— Vous avez raison. Les hommes du commun n'en saisissent pas toutes les subtilités. Une bonne majorité d'entre eux, à l'heure où nous nous parlons, ont encore besoin de guides, de balises. Sans elles, ils seraient comme des aveugles dans le noir, des bêtes sauvages prêtes à se livrer à tous les excès.

Solena approuva d'un hochement de tête.

— Et pourtant, il est des hommes et des femmes qui trouvent leur chemin dans ce que vous appelez cette « philosophie ». Elle les fait grandir plus vite que leurs congénères. Après leur mort, ils arrivent ici, dans l'antichambre d'Évernia, et peuvent dès lors parcourir librement les mondes de lumière sans plus éprouver le besoin de retourner œuvrer dans la sphère terrestre.

Éclairé par les paroles du Mage, Orthon voyait très distinctement des âmes libérées à jamais du monde de chair. Ces âmes avaient, dans leur vie, vaincu la peur, ainsi que la peur d'avoir peur. Elles avaient su trouver la lumière sous les dogmes et se l'étaient appropriée à leur façon.

Mérinock approuva.

— Oui, Premius, les choses vont ainsi.

Ils étaient arrivés au bout de la plage. Faisant volte-face, ils revinrent sur leurs pas. Le sable était de nouveau immaculé. Mais Orthon était trop sous le coup de ce qu'il appelait « sa révélation » pour s'en étonner.

— À chacun la sienne, conclut Mérinock, satisfait.

Et pour Solena qui demeurait dans l'expectative :

— Nous trouverons un moyen de contrecarrer les rêves de grandeur de Keïra. Quant à ce traître présent dans vos rangs et qui inquiète tant Torance…

Solena se concentra. Elle devait absolument entendre la fin de la phrase de son père.

Hélas, son corps et les contrariétés mêmes de Torance la rappelaient impérieusement dans son temple de chair…

★

La jeune femme battit des paupières et se réveilla non pas devant son compagnon, mais face à face avec une femme brune au visage carré, aux yeux vert sombre et scrutateurs bordés de khôl.

— Dame Solena, lui dit l'inconnue en prenant ses mains.

Toutes deux étaient allongées sur des coussins et des couvertures de fourrure, dans une litière à porteurs drapée de soie et tendue de rideaux multicolores. Les vibrations et les soubresauts disaient à Solena qu'elles étaient « en route » vers quelque part.

Sa mystérieuse interlocutrice s'extasia :

— Tu n'as pas changé. C'est incroyable ! Tu es restée pareille à l'image que j'ai gardée de toi lorsque je t'ai vue pour la dernière fois.

Solena cherchait dans sa mémoire.

— J'avais quinze ans, ajouta la femme.

— Ulricia ! s'exclama alors la cristalomancienne.

L'ancienne reine de Reddrah, sœur aînée de Greblin, sourit.

— Suis-je bête ! ajouta Solena en la serrant dans ses bras. J'aurais dû reconnaître le *bourmouq* et les gants royaux en daim peints en rouge.

Un silence léger, tissé de doux souvenirs, emplit la litière.

Ulricia avait régné durant toute la minorité de Cristanien. Puis, comme elle s'était engagée à le faire en signant le Testament des rois, elle avait donné sa sœur au fils de Solena et d'Abralh pour qu'ils montent à leur tour sur le trône de Reddrah. Depuis, si elle demeurait à Reddrinor dans un palais séparé, Ulricia n'exerçait plus aucun pouvoir. Elle conseillait et agissait en tant que reine douairière lors des grands événements politiques et diplomatiques, mais elle vivait en retrait.

— Cristanien est un bon roi, dit-elle. Tu peux être fière de ton deuxième fils.

Solena sourit de nouveau, car Ulricia avait aussi incarné autrefois Oda, sa propre mère. Elle n'en gardait sans doute pas le souvenir, mais leur amitié, leur confiance mutuelle et le bien-être qu'elles ressentaient mettaient un baume sur leur relation actuelle.

— Je tenais à être celle qui vous accueillerait, dit Ulricia. Cristanien est très pris par des soulèvements qu'il mâte dans les Terres du nord. Greblin s'occupe à temps plein de leurs enfants…

Solena ouvrit de grands yeux. Elle savait si peu de choses sur son fils !

Les rideaux de la litière s'écartèrent, le visage de Torance apparut.

Leurs yeux se croisèrent.

— Tu vas mieux?

Submergée par des émotions contradictoires, Solena hocha la tête.

— Et ce… drame?

La cristalomancienne se rappela qu'elle avait eu une sorte de syncope, puis qu'elle avait dormi pendant près de deux jours.

— J'ai vu Mérinock et Orthon, en rêve. Le Premius a été assassiné, mais tout va… bien.

Ce fut à Torance de paraître surpris. Un écart, entre la litière et son destrier, faillit le jeter dans le fossé.

— Nous reparlerons durant la halte, dit-il en ôtant une large palme de devant son visage.

Les deux femmes rirent. Solena soupira : cela faisait long-temps qu'une telle joie ne lui avait pas rempli le cœur !

— Mérinock, murmura Ulricia, rêveuse. J'ai toujours été fasciné par cet homme. Lorsqu'il est apparu, autre-fois, dans la salle du trône en tenant Cristanien dans ses bras…

Solena garda un silence ému. Mérinock avait été l'époux d'Oda.

Mon père et ma mère…

Ulricia se racla la gorge. Elle devait mettre Solena au courant de la situation politique et religieuse en Terre de Reddrah. Car si Cristanien était un bon roi, il avait dû par contre essuyer pas moins de huit tentatives d'assassinat depuis l'âge de quatre ans.

Le cénacle des anciennes courtisanes et de nombreuses femmes nobles de Reddrah acceptaient mal le changement de régime. Reddrah avait été pendant trop longtemps un matriarcat pour s'accommoder facilement d'un roi et d'une noblesse à dominance masculine. Étant bien au fait de ces tensions intérieures, la Gorée finançait en sous-main des insurrections larvées, menées par les anciennes femmes de pouvoir qui refusaient toujours de prêter allégeance à Cristanien.

De plus, le clergé, composé à la fois de légides appartenant au Torancisme officiel et de compagnons Fervents, était divisé autant sur les questions religieuses que sur la situation politique. Si Cristanien avait le soutien indéfectible des compagnons Fervents, les légides se montraient retors. Certains mêmes étaient soupçonnés de collusion avec les rebelles et le Saint-Siège de Goromée.

— Maintenant qu'Orthon a été assassiné, un nouveau Premius va être élu. Cet homme sera sûrement au service de l'empereur Brasius et le pantin des banquiers qui auront financé son élection.

Solena suivait le discours que lui tenait Ulricia sans pouvoir ôter de son esprit que son fils avait failli mourir en de nombreuses occasions.

— Cristanien lutte donc à la fois contre les rebelles, contre son clergé et contre l'influence envahissante de la Gorée.

L'ancienne reine serra la main de celle qu'elle appelait jadis sa tendre amie.

— Heureusement, ajouta Ulricia, votre victoire sur la côte des Garnutes et le coup d'État mené par Vorénius renforce notre position. Il faut au plus vite signer notre traité d'alliance.

Elle se tut, le souffle court.

— Tu as peur, n'est-ce pas, lui dit Solena en caressant le visage de la reine douairière. Mais il ne faut pas. Si Cristanien a survécu, c'est qu'il est sous la protection personnelle du Mage errant. Sitôt arrivé à Reddrinor, Torance signera le traité. Il a été mandaté par Vorénius pour cela. Vorénor et

Reddrah, main dans la main. Ce bloc nordique pèsera sur la Gorée et forcera Brasius et la confrérie de Keïra à se tenir tranquilles.

★

La soirée, donnée par Cristanien en l'honneur du chevalier de cristal et de sa suite, passa à l'Histoire sous le nom de « réception des trois princesses ».

Reddrinor avait été décorée pour l'occasion de flambeaux, de drapeaux, de guirlandes et de tapis de fleurs aux couleurs de Vorénor et d'Évernia. Le peuple, qui aimait son roi, acclama la délégation du chevalier composée de sa famille, de ses officiers et de ses compagnons. Ils entrèrent dans la cité en passant sous un arc érigé tout exprès. Et si l'armée campa sur un plateau, à quelques verstes de Reddrinor, nul ne s'en offusqua, car il s'agissait là d'une formalité convenue.

L'ancien palais des reines de Reddrah, réaménagé une première fois sous la régence d'Ulricia, avait vu ses murs se draper de fresques plus masculines avec l'arrivée au pouvoir de Cristanien.

Le roi en personne, en tenue d'apparat, accueillit ses parents avec Greblin et leur marmaille : deux princes en bas âge et surtout trois princesses, plus belles les unes que les autres et âgées de onze à quatorze ans.

Le banquet qui suivit la réception, dite des ambassadeurs, fut à la hauteur de la réputation de générosité de Cristanien. Illuminé par des centaines de lustres et de lampions sur pied, le palais resplendissait tel un joyau dans la nuit.

Venus par centaines, les attelages des nobles formaient un anneau d'or autour de l'esplanade des reines. Préparée de longue date, la soirée battrait son plein jusqu'après minuit.

Pour plus de sécurité, Cristanien avait fait renforcer la garde. Torance proposa de lui adjoindre une cohorte de ses meilleurs hommes, ce que le roi accepta de bonne grâce.

Pendant le souper, allongés côte à côte sur des banquettes basses en rotin, Torance et Solena échangèrent quelques mots, des sourires et de nombreux regards. En grande tenue de chevalier – prestige oblige ! –, le prince n'était pas des plus à son aise. Mais, persuadé de participer à un événement important, il faisait bonne figure.

— Cristanien m'a dit se souvenir de notre périple à travers les Terres de Vorénor, souffla-t-il à sa compagne.

Solena approuva. Si Vorénius avait hérité de la beauté et d'une stature de guerrier accompli, Cristanien avait, quant à lui, une bonhomie qui le rendait immédiatement sympathique. De plus, il possédait à la fois l'humilité sincère des grands monarques, une intelligence supérieure à la moyenne et un don inné pour la diplomatie.

Fervent convaincu, il avait intégré nombre de pouvoirs dont il disposait jadis alors qu'il incarnait Estimène, l'ancien grand-prêtre du Ferventisme.

Cristanien se pencha vers son père qu'il avait d'emblée, comme sa mère d'ailleurs, pris chaleureusement dans ses bras.

— Je me suis laissé dire que mon frère Vorénius était toujours aussi aimé des loups.

— C'est exact, répondit Torance en essayant de ne pas succomber aux bons arômes des vins de Reddrah.

Cristanien hocha la tête.

— C'est bien. Je me souviens d'ailleurs d'une fois…

Il raconta une scène dont Torance avait lui-même de la difficulté à se souvenir.

— Tu croyais Ulricia et ma mère en danger. Toutes deux soupaient sur une galère. Cela se passait le soir de la signature du Testament des rois.

— Oui, grommela Torance, son hanap à la main.

— Tu nous as confiés, Vorénius et moi, à deux loups. Puis, tu as plongé dans l'eau noire et nagé jusqu'à la galère royale.

Le visage du roi était détendu, épanoui. Greblin discutait avec Solena. Non loin, Mulgor, vêtu selon son habitude d'amples vêtements qui cachaient ses jambes et ses bras, s'était levé. Passablement saoul, il faisait danser une courtisane tandis que des jongleurs accomplissaient leurs tours d'adresse sous la lumière diffuse des bougies. Silophène avait insisté pour demeurer de garde dans la caserne que lui avait attribué le haut commandement reddrinien. Talos paraissait déjà ivre, ce qui n'était pas de très bon augure. Galice fit un signe à Solena : elle allait entraîner son amoureux loin des tables.

Tout en devisant avec Cristanien au sujet de la cérémonie de signature du traité d'alliance qui se tiendrait le lendemain dans la salle du trône en présence de tous les ambassadeurs, Torance se disait que cette soirée, cette atmosphère de bonne entente, était irréelle.

À moins que l'ivresse lui fît monter à la tête des soupçons et des inquiétudes sans fondement.

Après les desserts, les gouvernantes amenèrent les princesses. Solena s'en étonna, car il était déjà tard.

— Elles ont tenu à venir vous saluer avant d'aller au lit, ânonna une duègne à l'allure sévère – sans doute l'intendante de la Maison des princesses.

Cristanien sourit à ses filles. Greblin les embrassa à tour de rôle.

Elles étaient vêtues de robes étincelantes et coiffées du bourmouq princier, en or, en argent et en bronze. Cette coiffe en forme d'aile d'éphron donnait à leur visage une sévérité qui n'était pas de leur âge. Les pans de velours qui tombaient de leur tête couvraient en partie leur chevelure. Solena nota la rougeur des yeux, la pâleur de leur peau : sans doute étaient-elles fatiguées par tous ces préparatifs.

Après avoir salué leur mère, les jeunes filles se présentèrent devant la table royale où attendaient Solena, Cristanien et Torance.

Les musiciens cessèrent de jouer. Les jongleurs saluèrent. Les danseuses s'immobilisèrent comme des statues de marbre. Cette initiative des princesses n'était apparemment pas prévue au cérémonial. Les majordomes s'entreregardaient, les diplomates arrêtèrent de boire ou de manger, les courtisans des deux sexes suspendirent leurs conversations.

À tour de rôle, les princesses Tiana, Thirsis et Éphalisia firent leur révérence. Puis elles se choisirent chacune un hôte. Tiana vint trouver son père, Thirsis se pencha sur Solena. Éphalisia, l'aînée, donna l'accolade à Torance.

Soudain, Cristanien éructa un cri de surprise.

Solena lâcha un râle.

Torance saisit le poignet de la princesse Éphalisia et lui ôta des mains le sabrier qu'elle avait tenté de lui plonger dans la gorge.

Les plus proches courtisans se levèrent, épouvantés. D'autres hurlèrent que l'on venait de poignarder le roi.

En quelques instants, la panique gagna tout le palais.

Le combat du Voyageur

Éloignées de force, les princesses étaient en proie à de graves crises de tremblement. Le roi fut allongé sur un tapis. L'on manda d'urgence les médecins de la cour. Des gardes formèrent un cordon de sécurité autour de lui. Agenouillé près de son mari, Greblin appuya d'instinct une main sur la blessure ouverte au niveau de son aisselle gauche.

On donna à Solena un mouchoir pour qu'elle essuie le sang qui coulait de sa bouche. Mais la cristalomancienne n'en avait pas la force. Alors, Ulricia s'en chargea.

Atteinte au ventre, Solena se sentait déjà partir.

Torance lui serra la main :

— Ne t'en va pas…

Il y avait tant de force et de fougue dans ses yeux ! Solena voyait, autour de lui, évoluer les serpents invisibles. Douce-ment, les rubans d'énergie enveloppèrent la jeune femme, empêchant, selon la volonté du prince, le corps de lumière de Solena de glisser hors de son enveloppe charnelle.

Mulgor se faufila entre les gardes. Il avait bu, s'était absenté quelques instants, mais il demeurait encore assez lucide pour mesurer l'ampleur des dégâts.

— J'ai ausculté les princesses, dit-il. Apparemment, elles ont été victimes d'un envoûtement morphique.

— L'enchantement au cristal noir, murmura la cristalomancienne en serrant les dents.

Pour Ulricia qui ne comprenait pas, Mulgor expliqua qu'un cristalomancien puisant sa force dans le côté morphique pouvait, à distance, envoûter une personne et lui faire commettre des actes dont elle n'était pas responsable.

— Mais trois tentatives d'assassinats par trois jeunes filles innocentes en même temps, et devant public !

Le médecin avait les traits tirés. Il paraissait avoir le plus grand mal à rassembler ses idées. Malgré cela, il lava la plaie de Solena et apposa un pansement de sa fabrication.

Après avoir tenu la main de son mari, Greblin profita de l'arrivée des médecins pour s'occuper de ses filles.

Tremblantes, blafardes, les jeunes princesses étaient en état de choc. L'aînée balbutia qu'elle se revoyait, le sabrier à la main, avançant vers le chevalier de cristal. Dans sa tête, une voix lui ordonnait de frapper, de tuer. Elle n'avait pas eu la force de résister.

On demanda à la princesse comment elle s'était procuré les armes.

— Un homme me les a tendues. Je ne me souviens plus de son visage. Je les ai ensuite cachées sous ma robe avant de les distribuer à mes sœurs. Je ne pouvais… désobéir…

Un officier s'approcha de Torance : Cristanien était très faible et perdait du sang, mais il insistait pour lui parler.

Le prince s'agenouilla près de son fils.

— L'armée, articula difficilement Cristanien. Les rebelles…

L'officier expliqua que des mouvements de troupes avaient été détectés chez les rebelles, ces derniers temps. Le roi avait envoyé une garnison pour les disperser.

— Craint-il une attaque ? s'enquit Torance.

Il visualisait déjà dans sa tête le tracé des murailles entourant la ville, soupesait ses chances de soutenir un siège prolongé.

Ulricia toucha son épaule.

— Solena aussi veut te voir.

La cristalomancienne était au plus mal. Ulricia vit les lèvres de Solena murmurer à l'oreille du prince.

Troublé par ce que venait de lui révéler sa compagne, Torance semblait changé en statue.

— Le Voyageur, laissa-t-il tomber entre ses dents.

L'ancienne reine fronça les sourcils sans comprendre.

— Cet homme mystérieux nous a pourchassés dans tout l'Empire de Gorée, ajouta Torance. Il voulait nous empêcher de retrouver les différentes pièces de mon armure.

— Rends-toi au mont de la lune, répéta Solena en haletant.

Ulricia expliqua que cette colline se dressait au sud de Reddrinor. Elle surplombait le rivage ainsi que le plateau par lequel on accédait facilement à la cité.

— Un monument est érigé à son sommet. Une sorte de *dork*. Chaque mois, pendant trois nuits, la pleine lune se dresse entre ses piliers.

Torance jeta un coup d'œil par les baies ouvertes : ce soir brillait la pleine lune.

Solena répéta d'une voix presque inaudible :

— Va…

Torance échangea un regard avec Ulricia, puis avec Mulgor qui lui promit de prendre bien soin des blessés.

Un cri aigu retentit. Phramir atterrit lourdement sur une terrasse au milieu des courtisans épouvantés. S'écartant devant Torance, les nobles et les ambassadeurs le virent accoster un jeune homme dans la foule.

— Talos! prévient Silophène! Qu'il rassemble notre armée. Dis-lui de disposer nos hommes sous les remparts de la cité, face à la mer et au plateau, et de les préparer au pire.

Torance se hissa ensuite sur l'encolure de Phramir. L'énorme volatile prit son envol, non sans ébrécher au passage le marbre de la balustrade avec ses griffes.

★

Les transes de Solena ne l'avaient jamais trompée. Aussi, Torance fut-il étonné, en atterrissant près du dork de la lune, de ne trouver personne aux alentours.

L'éminence ressemblait à la bosse d'un dromadaire. Semée d'herbe rase, nappée de pierres glissantes, c'était à se demander comment les anciens avaient pu hisser les lourds blocs de granite dont était fait le monument.

La lune frappait le dork en son centre; faisant étinceler ses piliers, son fronton et les deux impressionnantes défenses de mammouth qui le décoraient. Cet endroit était-il autrefois sacré et dédié par les Hurelles à Reddrah, la guerrière?

Mais Torance se préoccupait davantage de la nuit trop paisible à son goût. En contrebas, dans la cité, les habituelles lanternes éclairaient les rues, les places et les carrefours. Des feux rougeoyaient au sommet des tours de guet.

Soudain, en provenance du plateau, un martèlement sourd retentit. Torance ne s'y méprit pas: il s'agissait bel et bien d'une troupe en manœuvre. Il calcula qu'il ne s'était écoulé qu'une vingtaine de minutes depuis son départ du palais. De plus, sa propre armée campait à l'ouest de la cité…

Il trouva un surplomb rocheux. Baignée par la lumière spectrale de la lune, l'extrémité du plateau était hérissée d'une longue colonne de cavaliers. En reconnaissant les bannières frappées de l'emblème de Reddrah, le cœur du prince fit un bond dans sa poitrine.

Il se campa sur ses pieds et appela ses fidèles serpents de lumière. Autrefois, en Gorée, il avait de cette manière combattu les armées du roi Sarcolem. Levant les bras, il les rassembla en faisceaux serrés au-dessus de sa tête et les fit tournoyer jusqu'à ce qu'ils forment une gigantesque boule de lumière.

Au moment de les projeter sur l'armée rebelle, Phramir poussa un cri d'alarme. Torance se retourna et reçut une violente décharge d'énergie en pleine poitrine.

Une voix autoritaire s'éleva sur sa droite.

— J'aurai dû me douter que ton armure te protégerait.

La silhouette du Voyageur se détachait du dork. Vêtu d'un long kaftang de cuir, la tête et le visage recouverts du même capuchon de velours et du masque de lin brun qu'il avait arboré plusieurs années auparavant à Éloria, il ressemblait à un spectre.

— C'en est fini du règne de Cristanien Premier, ajouta-t-il.

Il leva un bras. Les vigies de l'armée rebelle comprirent le signal et lancèrent leur cavalerie à l'assaut des murailles.

Torance songea que c'était une pure folie. Même si les Reddriniens n'étaient pas préparés à une attaque nocturne, leurs murs étaient solides.

À moins que…

Le Voyageur suivait mentalement ses pensées.

— Nous comptons effectivement des alliés dans la cité. Ils ouvriront les portes au bon moment.

Torance profita du rire aigrelet du Voyageur pour lui lancer deux serpents de lumière au visage. L'homme tomba sur le dos. Le prince entama ensuite quelques techniques de srim-naddrah. Le mouvement de ses bras et de ses hanches donna une nouvelle impulsion aux serpents de lumière.

Lancés avec force sur le plateau, ils enfoncèrent une première ligne d'infanterie.

Derrière venait la cavalerie. Des bombardes éclairantes éclaboussaient le ciel.

L'absence totale de machines de guerre accréditait la thèse du Voyageur : des traîtres au service des rebelles avaient bel et bien pris position dans la cité.

Un éclair ensanglanté frappa l'éphron d'or en plein ciel. Phramir tomba comme une pierre.

Le rire du Voyageur s'éleva de nouveau. Il brandissait deux éclats de cristal rouge.

Torance dégaina Ershebah. L'épée, il l'avait appris lors de ses précédents combats, communiquait directement avec les serpents de lumière. En s'enroulant autour de sa lame, les rubans d'énergie en décuplaient la puissance.

Le Voyageur n'était cependant pas fou au point d'entamer un combat loyal avec le prince. Il préférait manier ses cristaux à distance.

Torance détourna tour à tour une dizaine d'attaques avec sa lame.

— C'est toi qui as ensorcelé les princesses ! lui jeta le prince, pour faire parler son adversaire.

Car sa voix, même assourdie par le tissu du masque, lui était vaguement familière…

Un concert de cors retentit.

— Mes troupes arrivent ! clama Torance en entortillant autour de sa lame le flux d'énergie que venait de lui lancer son ennemi.

Il le lui renvoya avec force.

L'énergie rebondit sur la bulle de protection dont s'était entouré le Voyageur.

— Tu dois être un cristalomancien d'exception! reprit Torance.

— Tu commences à faiblir, je le sens, répondit son adversaire.

Le prince devinait confusément que la bataille faisait rage au pied des murailles.

L'intention du Voyageur avait sans doute été de décapiter le royaume en ordonnant leur assassinat. Dépourvue de chef, l'armée régulière fidèle à Cristanien aurait facilement été défaite, et le traité d'alliance jamais signé.

Plusieurs rayons couleur de sang jaillirent en direction de Torance. Le prince tenta de se faire un écran avec les serpents de lumière. Hélas, quelques éclats l'atteignirent.

Torance sentit grésiller sa cuirasse.

Le Voyageur fondit sur lui armé de sa propre épée.

— Qui es-tu, traître? éructa le prince en esquivant le coup.

Ershebah tomba de ses mains. Le Voyageur la ramassa.

— C'est une belle arme.

— Si Solena meurt, je jure de te tuer de mes mains.

— Que de rage dans la bouche du Fils de Gaïos!

Torance esquiva une série d'attaques, sentant à quelques reprises sa propre lame lui frôler la tempe ou le cœur.

En contrebas, le fracas des combats allait grandissant. Le cor annonçant la retraite sonna.

— Il me semble reconnaître le signal de ta défaite, chevalier! railla le Voyageur.

Torance ne supportait pas l'idée que cet homme figurait peut-être au nombre de ses compagnons.

L'autre saisit sa pensée au vol et s'esclaffa.

Torance en profita pour enrouler deux rubans de lumière autour de son adversaire, et le projeta contre le dork.

Puis, il se campa sur ses jambes et rassembla d'autres serpents. Il les envoya à l'assaut de la piétaille ennemie qui s'apprêtait à tailler en pièce le carré de chevaliers massé devant la porte principale.

Cette contre-attaque fulgurante sema la terreur chez les rebelles et redonna l'avantage à son armée.

Torance fit un dernier effort sur lui-même et lança d'autres serpents sur la petite troupe d'officiers qui attendaient, hors de portée des coups, l'issue de la bataille.

Il chercha ensuite le Voyageur des yeux.

Mais il eut beau faire le tour du dork, son ennemi avait disparu.

Le pouvoir d'Ershebah

Ils étaient neuf, aligné, à genoux et têtes découvertes devant le dais royal. Baignée de soleil, la salle du trône était remplie de courtisans et d'hommes du peuple invités spécialement pour l'occasion. Le cri des mouettes, l'air iodé de l'océan faisaient penser à une cérémonie joyeuse alors qu'en vérité les mines étaient maussades, les cœurs lourds.

L'épée de Gorum à la main, Torance se plaça devant le premier chef rebelle et leva sa lame.

— Tu vas connaître Évernia ! clama-t-il d'une voix forte.

Puis il plongea son épée dans la poitrine du premier condamné.

★

Les officiers rebelles n'avaient pu fuir avec le reste de leur armée. Paralysés par les serpents invisibles enroulés autour d'eux, ils avaient été capturés par Silophène.

Pendant des jours, leur sort était resté suspendu à l'état de santé de Cristanien et de Solena. Fort heureusement, les blessures infligées, quoique graves dans le cas de la cristalomancienne, avaient été soignées avec diligence. Les tentatives d'assassinat avaient ouvert à Greblin les portes de son subconscient. À la vue de son époux en sang, elle avait retrouvé d'instinct la connaissance et les gestes de la grande cristalomancienne qu'elle avait incarnée autrefois.

Solena avait été recouverte de son manteau blanc. Le pouvoir du vêtement avait arrêté l'hémorragie mieux, avait par la suite avoué Mulgor, que son pansement à base d'herbes.

Dès qu'ils furent en état d'assister au procès des chefs rebelles, de l'officier goréen et du grand légide capturés, Cristanien et Solena tinrent à entendre les témoignages.

Ils étaient accablants.

Parmi les Reddriniens incriminés se trouvaient sept femmes militaires de haut rang, toutes d'anciennes générales, courtisanes et amies de l'ex-reine Ulricia. Leur trahison jetait un blâme sur l'armée tout entière. L'officier goréen s'était introduit dans l'état-major sous une fausse identité. Jouant les domestiques fidèles, il avait servi de relais entre l'empereur de Gorée et les chefs rebelles. Quant au grand légide pris durant la bataille, il représentait la plus haute autorité ecclésiastique de Reddrah, et était le chef du Torancisme officiellement en poste à la basilique de Reddrinor.

Son implication directe dans ce qu'il convenait d'appeler un coup d'État manqué était un outrage direct au roi.

Jusqu'à présent, l'ambassadeur de Gorée ainsi que le nonce diacral envoyé par Gorimond 1er, le nouveau Premius, pour défendre la cause des accusés n'avaient pas été entendus par Cristanien.

La sentence de mort prononcée contre les coupables n'était cependant pas tombée de sa bouche, car le roi était enclin au pardon malgré la ruse déshonorante employée par le Voyageur – le seul conjuré à avoir échappé à la justice. La sentence était en fait venue de la vingtaine de jurés choisis dans toutes les couches de la population de Reddrinor.

Le procédé était nouveau. En donnant une voix au peuple, il révolutionnait le système judiciaire non seulement en Terre de Reddrah, mais aussi dans tous les autres royaumes.

Cristanien avait voulu en effet que la population puisse s'exprimer librement sur ce crime, et c'était sa sentence que Torance avait été chargé d'exécuter.

Pourtant, le matin même, le prince s'était présenté sur le balcon de cérémonie du palais en grande tenue de chevalier pour haranguer la foule.

En tant que Prince messager, il refusait de donner la mort aux condamnés.

Sa stupéfiante déclaration avait jeté le trouble dans la foule.

Il avait alors levé la main droite et brandi l'épée Ershebah.

— L'épée décidera, clama-t-il. Elle donnera la vie ou bien la mort.

Afin que le peuple puisse assister à la sentence choisie par le Prince messager, il avait été convenu que le chambellan du palais choisirait parmi eux des représentants officiels qui seraient admis dans la salle du trône.

★

Torance plongea son épée dans la poitrine de la première femme officière rebelle.

La lame, tous avaient pu le voir, brillait d'une intensité particulière. Presque bleue, vibrant intensément, elle était devenue transparente. Ainsi, ce ne fut pas du métal qui transperça la chair de la femme, mais une énergie de vie ou de mort – selon les termes mêmes employés par Torance.

Pliée en deux, la femme poussa un râle. Puis la lame ressortit de sa poitrine. Comme foudroyée, les yeux grands ouverts, elle tomba de biais sur le plancher marqueté.

Mulgor et cinq autres médecins se précipitèrent.

— Elle vit toujours! s'exclama-t-il.

En proie à une sorte de crise d'épilepsie, la rebelle vivait ce que Solena appelait une «rencontre» avec son Âme supérieure.

Au cours d'une telle confrontation, d'ordinaire réservée aux grands mystiques, la rebelle pouvait voir qui elle était vraiment, sans le masque de l'orgueil, des ambitions personnelles et des ressentiments.

La lame Ershebah, en cette occasion précise, agissait comme jadis le *don de compassion* de Shanandra.

Torance frappa de la même manière chacun des autres conjurés.

De la qualité de leur «rencontre» dépendrait leur mort ou leur renaissance. S'ils succombaient, cela signifiait que l'ego ou le sentiment de culpabilité de la personne avait résisté à l'amour de l'Âme supérieure. S'ils restaient en vie, ils en seraient transformés à jamais.

Deux heures plus tard, les condamnés étaient allongés sur des couches de grains dans une salle voisine. Deux d'entre eux seulement avaient péri: une des femmes officières – le cerveau de la rébellion –, ainsi que le grand légide, un ecclésiastique connu pour son orgueil démesuré.

Les autres, Solena en était persuadée, avaient vu toute la beauté de leur âme. Débarrassé du carcan souvent étouffant de l'ego, l'homme était en vérité un diamant brut qui vivait essentiellement d'amour.

Cristanien et Solena les rencontrèrent un à un pour leur parler et leur pardonner, mais aussi pour les accueillir de nouveau au sein du gouvernement de Reddrah.

Aucune des femmes survivantes ne refusa l'offre du roi. Et l'officier goréen, véritablement touché par son expérience, accepta un poste dans l'armée régulière.

Trois jours plus tard, la foule se rassembla de nouveau sous le balcon de cérémonie pour acclamer le Prince messager qui avait, sur Terre, rendu la justice céleste à laquelle chacun aspirait dans le secret de son cœur.

Cela n'empêcha nullement le Premius Gorimond 1er et l'empereur Brasius de dénoncer le procédé et d'accuser le roi Cristanien d'avoir enfreint les codes d'honneur de la chevalerie. Ils firent même dépeindre, dans les livres d'histoire, Cristanien et le chevalier de cristal comme des seigneurs barbares aux mœurs iniques.

★

La délicate question de la punition des coupables réglée, Torance revint à la charge auprès de Solena.

— Cet attentat est le dernier que je tolérerai.

Le prince prit sa compagne dans ses bras et l'embrassa pour l'empêcher de protester.

Accoudés au balcon de la suite princière où ils logeaient dans le palais, ils contemplaient les jardins et la découpe des collines qui descendaient en pentes douces jusqu'au rivage. Phramir était lui aussi guéri de ses blessures. Il faisait gaiement des cercles dans le ciel d'un bleu turquoise où couraient des bancs de nuages étirés par les vents d'automne.

Lorsque Torance avait ce visage fermé et ces yeux rivés au loin sur l'horizon, Solena savait qu'elle ne pouvait en aucun cas le faire changer d'avis. Aussi firent-ils appeler tous leurs compagnons dans une salle mise à leur disposition par Cristanien.

Mulgor, Silophène, Amim Daah, Talos, Galice et plusieurs autres qui les accompagnaient depuis les ruines d'Orma-Doria se rassemblèrent, silencieux et inquiets, sous les hauts plafonds peints de fresques guerrières.

Solena leur expliqua le but de leur démarche.

Torance avait bien des défauts, mais il n'était pas hypocrite. Aussi déclara-t-il sans ambages qu'un traître se cachait dans leurs rangs. Ce traître était un cristalomancien expert dans l'art d'utiliser les cristaux à des fins destructrices. Ce traître était aussi de connivence avec l'empereur de Gorée et le nouveau Premius Gorimond, et en cheville avec un groupe de mystiques qui se faisaient appeler les Spiraliens.

Le prince se tint devant chacun d'eux – surtout les hommes bien faits, de la carrure du Voyageur – et les dévisagea.

En premier lieu, il leur donna le choix.

— Que le traître s'avance. Nous nous battrons loyalement.

Le silence était de glace. Certains toussotaient, d'autres étaient frappés de stupeur.

— Soit! laissa-t-il tomber. Alors, il incombera à Solena de le démasquer.

La cristalomancienne se sentait encore affaiblie par sa récente blessure : la lame du sabrier avait frôlé son cœur et sa guérison tenait du miracle.

Torance savait que sa décision suscitait un malaise chez ses compagnons. Une telle attitude de sa part dénotait également un manque de foi qui surprenait de la part du légendaire Prince messager.

Sommée de procéder, Solena demanda à Silophène de s'asseoir devant elle. Puis, comme l'avaient fait jadis Helgi et Griseline à Éliandros lorsqu'elles avaient lu les âmes de Thorgën et de Solinor, la cristalomancienne plongea dans celle de Silophène.

Elle remonta dans son passé jusqu'à son enfance. Puis, elle franchit le seuil de sa présente existence pour découvrir qui il avait été autrefois.

— Varoumis…, laissa-t-elle tomber en souriant.

Silophène se releva, un peu étourdi, mais nullement inquiet – juste incertain de ce qu'il venait de vivre, même si Solena s'y était prise avec beaucoup de respect et de délicatesse.

La cristalomancienne agit de même avec Amim Daah qu'elle appela Abbin Baâh, puis Hermanel. Parvenue au quatrième homme, elle commençait à souffrir d'une migraine lancinante, alors elle fit une pause.

Le suivant était Mulgor.

Solena avait toujours éprouvé de la curiosité à son égard : qui était ce jeune et beau médecin venu les retrouver dans la caverne d'Orma-Doria ? L'homme avait toujours fait preuve de discrétion, comme si son enfance recelait des douleurs et du mystère.

Né dans une grange d'une mère qui n'avait de maternelle que le nom, il avait été élevé par un couple de domestiques. Avec sa mère, une marchande doublée d'une notable qui avait fondé un nouveau foyer, il n'avait eu que des rapports épisodiques.

Sa vocation pour la médecine s'était révélée très tôt, de même qu'une prédilection pour tout ce qui touchait à la philosophie. À dix-huit ans, Mulgor avait dû choisir entre ses deux passions. L'incendie d'un village l'avait tout naturellement porté à sauver des vies.

Ne trouvant nulle trace dans ses pensées subconscientes de ressentiments ou d'agressivité vis-vis d'eux-mêmes ou de leur cause, Solena peina à remonter plus loin dans le temps.

Épuisée, elle se contenta de dire que Mulgor faisait également ment partie de leur grande famille d'âmes.

La voyant haleter, Torance décida alors de mettre un terme à ce qui devenait une torture pour tout le monde.

Dur pour les autres comme pour lui-même, il s'excusa auprès de ses compagnons et avoua que le traître, s'il gravitait dans leur entourage, ne se trouvait sans doute pas dans cette salle.

Dépité et perplexe, il sortit d'un pas lourd.

Le lendemain, une belle journée ensoleillée, de la neige était tombée en montagne, mais le vent du large et les embruns avaient nettoyé les rues de la cité.

Invité à se masser dans l'enceinte du palais, le peuple assista à la signature officielle du traité qui faisait de Vorénor et de Reddrah, les anciennes ennemies, des royaumes solidaires à l'image des deux frères qui en était maintenant les souverains légitimes.

L'ancienne alliance avec la Gorée devenait désormais caduque.

La foule laissa éclater sa joie.

Les membres de la famille royale, incluant les jeunes princesses complètement remises de leur terrible expérience, Torance, Ulricia et Solena, saluèrent. La cristalomancienne présenta officiellement en cette occasion le petit Honario qui babillait dans ses bras, ainsi que Kessaline, la très jeune princesse rescapée du royaume méridional de Mylandre.

— Et maintenant? murmura Torance à l'oreille de sa compagne.

Solena en avait longuement discuté avec Cristanien et Greblin.

— La paix est bien installée en Terres de Vorénor et de Reddrah, dit-elle. Et si le meurtre d'Orthon nous a empêchés d'aller à Goromée, le temps joue en notre faveur. Toi vivant, c'est non seulement le chevalier de cristal qui veille sur les royaumes, mais aussi le Prince messager. Un jour, les peuples de Gorée te demanderont eux-mêmes de venir. Le clergé du Torancisme prend un risque énorme en te tenant à distance. Que nos adversaires fourbissent de nouvelles armes s'ils le veulent, nous serons prêts à leur répondre !

— Et en attendant ?

— Nous allons vivre ici, mon amour, à Reddrinor. Ton armée va s'intégrer à celle de Cristanien. Tes soldats prendront femme. Ils fonderont des foyers.

— Cette fois-ci, je veux voir grandir mon fils, déclara Torance.

Solena l'embrassa.

— Ça tombe bien, moi aussi.

Troisième partie
La reconquête
An 565-566 après Torance

« Les peuples te demanderont. Ils presseront leurs rois de te recevoir. Mais nul monarque ne prendra le risque de voir son pouvoir bafoué, même par toi qu'ils jurent pourtant de vénérer comme un dieu. Car sache que les légendes et les mythes, aussi beaux soient-ils, dérangent toujours les puissants qui n'aiment rien plus qu'exercer leur autorité. C'est par la force, je le crains, qu'il faudra instaurer cet Âge d'or auquel aspirent sans le savoir vraiment les âmes incarnées aujourd'hui dans les Terres de Gaïa. »

Discours tenu, au cours d'un rêve, par le Mage errant au divin Prince messager.

ROYAUME DE REDDRAH, CONTINENT CENTRAL
LA RECONQUÊTE

Bayût

Berghoria

Éliandros

Royaume
de Vorénor

Gwolan

Océan central

Royaume
de Lem

Mil

Lémus

Le trajet en pointillé suit les Messagers de Gaïa dans leur reconquête du continent centra

Bonderosa

Royaume de Reddrah

Reddrinor

Goromée

Comté de
Plessac

Algarancia

Province de
Gorée

*eronia

Province
d'Élorîm

Éloria

Gauvreroy

Chaînes
montagneuses
d'Évernia

Mer
d'Élorîm

oärt

nce
ilosia

Nivène

Gadix

Bataille de Midon

Province
d'Atinox

Atinor

Empire
de Gorée

Province
d'Ormédon

Province
d'Orvilé

Pélos

Province
d'Élissandre

ysandra

Ornia

dgaruk

Mylandra

Royaume
de Mylandre

Le baptême de l'eau

Torance aimait se retrouver seul avec son fils, à trois ou quatre cents mètres d'altitude au-dessus de Reddrinor. Avoir le visage fouetté par la brise marine et goûter à l'ivresse de l'apesanteur, disait-il, était une sensation de liberté sans égale. On pouvait également la ressentir accroché au mât d'un navire ou campé au sommet d'une montagne. Mais pour en vivre toutes les délices, rien ne valait d'être accroché en plein ciel au cou d'un éphron d'or.

Phramir vira sur l'aile, arrachant à ses *waaris* des cris de joie et d'épouvante.

«Vous êtes complètement fous! Vous me faites peur!» clamait Solena lorsque le prince et Honario, âgé d'une quinzaine d'années, décidaient de partir au petit matin avec Phramir qui adorait comme eux ces équipées aériennes.

Ils se levaient dès l'aurore et se rendaient dans l'enclos où dormait le carnassier de légende. Ils le revêtaient de ce que Torance appelait une «armure» : un habit de cuir lesté de morceaux de métal – or, argent, cuivre; lui posait un heaume spécialement adapté aux mesures de son crâne, un immense plastron et des « protège-griffes » qui doublaient pratiquement la longueur de celles que l'éphron possédait déjà. Le résultat était impressionnant et faisait rire aux éclats le père, le fils et le volatile !

— Accroche-toi ! conseilla Torance à son fils.

Le prince lança un cri bref et modulé qui était un commandement convenu. L'éphron fit cette fois une chandelle sur le dos, puis il se laissa tomber en vrille.

Le vent gonflait leurs vêtements et glaçait leurs joues. Les doigts plantés dans les coutures spéciales du harnais fixé sur le dos de Phramir, Honario se sentait merveilleusement vivant.

— Attention, claironna Torance, c'est maintenant que ça va se passer…

— Je ne suis pas encore prêt !

— Pas de cela avec moi ! railla Torance.

Phramir décoda la pression que le chevalier de cristal exerçait sur ses flancs avec ses cuisses. Il redressa l'angle de sa chute libre, tendit ses pattes de devant, raidit ses puissantes épaules pour se préparer au choc.

Oser approcher la surface des vagues presque à l'horizontale était la grande épreuve de force dont Torance parlait à son fils depuis le début de l'été.

Honario avait les oreilles qui sifflaient, la tête comme écrasée sous une pierre. Mais ses yeux étaient grands ouverts, son cœur battait à tout rompre et il serrait les dents. Il avala sa salive, retint son souffle…

Des gerbes d'eau explosèrent autour d'eux.

Après quelques secondes passées à surfer, Phramir reprit son vol.

— Alors ? interrogea Torance en riant.

Honario crachait de l'eau. Son teint avait viré au jaune. Mais, son père n'avait pas l'intention de se moquer de lui.

— Tu t'en es bien tiré, fit-il, goguenard. Alors, on y retourne. Mais cette fois, prends une grande respiration.

— Noooooon! hurla l'adolescent.

Phramir plongea sous l'eau, la tête première.

Non loin, luttant contre les remous, des pêcheurs terrorisés s'accrochaient au plat-bord de leurs embarcations.

Phramir ressortit deux cents mètres plus loin.

— Tu es fou! s'indigna Honario.

— Allons! Je suis sûr que tu as adoré!

Torance donna un coup de talon au volatile. Celui-ci regagna le ciel aussi bleu et transparent que s'ils évoluaient au cœur d'un immense saphir.

★

Les prédictions annoncées par Solena sur le balcon de cérémonie du palais royal près de treize années auparavant s'étaient toutes accomplies. Pensionnés par Cristanien, ils s'étaient fait construire un petit château en pierres blanches au milieu d'un magnifique domaine appelé *Bonderosa*: un écrin naturel que Torance et Solena aimaient passionnément.

Des animaux sauvages s'y ébattaient en toute liberté. Cerfs et loups, bien sûr, mais aussi des ours ainsi qu'un vieil évrok perclus de rhumatismes. Une rivière riche en poissons traversait leurs terres. Ses alluvions fertilisaient les champs alentour plantés de maintes céréales et de plantes médicinales.

Chaque année, des tribus nomades de *Romanchers*, ces peuples libres attachés ni à une terre ni à un royaume, venaient y trouver asile pour la saison des pluies, en cas de forte neige ou de grandes chaleurs.

Les soirs d'été, ce n'étaient que fêtes autour des feux de camp. L'on entendait les sistres et les harpes, les cymbales et les *tréborêts*. Certes, on critiquait à la cour du roi l'amitié que Torance et Solena portaient à ces « êtres de peu d'importance » qu'étaient les Romanchers. Mais Cristanien comme Greblin, maîtres en leur royaume, n'hésitaient jamais à rappeler aux diplomates et aux courtisans que les dogmes du Torancisme Réformé enseignaient clairement que tout homme et toute femme, d'où qu'ils proviennent et de quelque couleur que soit leur peau, étaient issus de Gaïos et de Gaïa, et qu'ils méritaient pour cela le respect.

Certains soirs, Solena se couvrait le visage d'un loup de satin noir et venait en catimini assister aux danses. Après un verre ou deux d'alcool de quimos macérés avec des fruits rapportés de lointaines contrées, elle se laissait prendre au rythme. Torance se glissait volontiers derrière elle pour la voir danser sans qu'elle le sache.

Les années avaient passé sans que s'estompe l'amour profond qui les liait depuis tant de siècles.

Tandis que se déchaînaient les notes, que les femmes romanchères, pieds nus et les cheveux défaits, battaient la cadence, et que les hommes tapaient frénétiquement sur leurs tambourins, le prince se souvenait des bribes de son passé. Il revoyait le désert de Pelos, celui d'Éloria. Il se remémorait une nuit froide passée dans un camp de réfugiés au pied des montagnes d'Évernia – la première fois où il avait vu danser Solena.

Elle s'appelait alors Shanandra et elle ressemblait aux filles romanchères : brune, ardente, sensuelle, passionnée, imprévisible.

Certaines nuits d'été il retrouvait, effleurant la chair blonde et douce de Solena, cette exaltation qui l'avait jadis enivré quand il caressait Shanandra.

LE CHEVALIER DE CRISTAL

Les deux femmes, alors, se superposaient comme devaient aussi se mélanger aux yeux de sa compagne les visages d'Abralh, le demi-Baïban, et le sien.

Deux corps pour une seule âme scindée en deux parties. Parfois, Torance ne savait plus qui il était vraiment, du noble prince élorien ou de l'esclave à demi-baïban. Lorsqu'il se sentait plus noir que blanc, il allait vers Solena avec la fougue d'un lion. Lorsque le prince prenait le pas sur l'esclave, il se faisait plus lent, plus doux, plus sensuel. Solena, il en était persuadé, aimait autant l'un que l'autre, selon ses humeurs du jour ou de la nuit.

Ils vivaient entourés d'une petite cour triée sur le volet et d'une armée de serviteurs pour lesquels ils ressentaient une réelle affection.

Et comme il l'avait demandé à Solena, Torance avait vu grandir leur fils.

★

Juchés sur Phramir, Torance et Honario fendaient l'air à vive allure et profitaient de la chaleur du soleil quand une voix résonna soudain dans la tête du prince.

— Je crains que nous ne soyons en retard, fit-il.

— Déjà?

— Hélas!

— Oh! Oh!

— Tu l'as dit! Ta mère vient de me prévenir…

Torance tira sur la crinière de Phramir:

— Il est temps de redescendre sur terre, mon ami!

Les atterrissages étaient parfois aussi rudes que des pirouettes sur l'aile ou des vrilles sur le dos. Torance faisait très peu de choses sans que l'on y retrouve l'empreinte de son énergie coutumière ainsi que cette rage contrôlée qui faisait tant partie de son personnage qu'elle n'effrayait plus que ceux qui ne le connaissaient pas.

Ils survolèrent la forêt, trouvèrent la clairière d'où ils avaient pris leur envol.

« Dépêchez-vous ! avait dit Solena par télépathie, mais ne venez pas sur Phramir caparaçonné comme un monstre de cauchemar. Nous devons célébrer aujourd'hui la paix et l'amour, et non la guerre… »

Des écuyers tenaient deux superbes étalons par la bride.

Sitôt atterris, le père et le fils se dirigèrent d'un pas mal assuré vers leurs montures.

— Nous ne sommes pas habillés pour une aussi noble réception ! fit remarquer Honario, ennuyé.

Un écuyer tendit alors à chacun un sac de cuir.

— Ta mère a tout prévu ! rétorqua Torance, un brin moqueur, en remerciant le serviteur. Si nous galopons sans nous arrêter, nous avons une chance d'atteindre Reddrinor avant la cloche de la mi-journée.

Il salua d'un geste Phramir qui regagnerait seul son enclos, et donna le signal du départ.

Là-haut, dans la quiétude sans pareille du ciel bleu immense, ils avaient failli oublier qu'aujourd'hui était un grand jour…

Parvenu à la porte nord de Reddrinor, le passeur les reconnut et leur ouvrit le pont-levis. Ils s'engouffrèrent dans le lacis de ruelles qui conduisait à la basilique ; se frayant un passage au milieu d'une cohue de chaises à porteurs, de carrosses, de charrettes à bras et d'équipages du transport public.

Ils passèrent sous une seconde porte cochère et débouchèrent finalement sur l'avenue royale. Abrités du vent, il leur sembla qu'il faisait meilleur. Des gardes les escortèrent. Afin de ne pas enfreindre les consignes édictées par le grand légide de Reddrinor, ils allèrent au pas, non sur les pavés jonchés de pétales de fleurs, mais sur les bords où se pressait la foule des citadins. De loin en loin se dressaient des barricades installées pour préserver la voie. Tant de casques de militaires se mêlaient aux bonnets, aux voiles et aux coiffes des citadins que Torance éclata de rire : Cristanien craignait apparemment encore des attentats alors que depuis l'affaire des trois princesses, la paix régnait sur toute la Terre de Reddrah.

Les populations étaient persuadées que cette prospérité tenait à la seule présence du chevalier de cristal – ou de celle du Prince messager, les deux personnages se confondaient à leurs yeux – dans le royaume. En effet, les maladies communes, lèpre et peste, n'avaient plus reparu depuis la signature du fameux traité entre Vorénor et Reddrah, les blés et autres céréales communes poussaient mieux que jamais, les troupeaux paissaient, les bêtes se multipliaient. Même le climat semblait plus convivial !

Les gongs de la basilique sonnaient à tout vent.

— Ça y est, nous sommes en retard ! s'exclama Torance. Ta mère va me tomber dessus !

Honario rit de bon cœur, car Solena connaissait bien son compagnon et cela faisait longtemps qu'elle s'était accommodée de ses défauts – dont, souvent, un manque irritant de ponctualité !

On les fit entrer dans l'auguste bâtiment par une porte de coche. Là, ils purent enfiler les vêtements que contenaient leurs sacs.

Vêtu d'un pourpoint noir brodé de fils d'or, d'un manteau de daim beige, de chausses et de bottes en cuir, et arborant dans ses cheveux un serre-tête en cuivre piqué de trois diamants, le Prince messager ressemblait à un noble de grande lignée. Sa chevelure striée, noire, blanche et bleue, son visage aux traits virils toujours un peu mal rasé et ses yeux de braise étaient connus dans Reddrinor comme le fameux loup blanc des légendes pour enfants.

Un intendant de sa maison lui tendit sa cape de damas couleur taupe frappée du sigle que lui avait attribué son fils Cristanien – un éphron d'or dans un serpent ouroboros –, ainsi que le fourreau d'Ershebah, l'épée magique.

Honario suivait son père. Il était vêtu plus simplement d'une longue toge blanche. Sa chevelure était huilée et ceinte d'un bandeau en argent. À ses poignets brillaient des anneaux en or.

Les chants traditionnels emplissaient la nef. Du haut des balcons et des colonnades, des enfants laissaient tomber des poignées de pétales de rose sur les quatre personnages recueillis devant Solena et le grand légide.

À l'arrivée du chevalier de cristal, la foule se retourna comme un seul homme. Torance se plia au cérémonial mis au point des semaines plus tôt et salua, mains tendues. Puis, il marcha jusqu'au chœur. Lorsqu'il gravit le dais contre lequel était adossée la traditionnelle roue du sacrifice en grès rouge, il eut la désagréable sensation de monter au supplice.

Mais il devait lutter contre cette idée grotesque. La sculpture de son corps tordu était celle d'une légende et non réellement la sienne !

Après s'être assis sur un banc derrière les « personnages », un chambellan donna le signal du début de la cérémonie.

Torance était heureux. Pas seulement parce qu'il avait pu initier son fils à sa première chute libre « marine », mais parce que, aujourd'hui, quatre de ses fidèles compagnons se mariaient.

Qu'ils étaient beaux !

Il y avait là Talos et Galice, bien sûr !

Torance l'avait appris de la bouche même de Solena : ils étaient les réincarnations d'Euli et d'Helgi, et plus loin encore dans le temps celles d'Abriel et de Cornaline : des âmes qui cheminaient de concert depuis des siècles en s'aimant un peu plus à chaque incarnation.

Le second couple à s'unir en cette belle matinée d'été n'était nul autre que Mulgor, le chirurgien-apothicaire, et sa noble dame de Reddrinor : une fille de marchand que Cristanien avait anobli exprès pour l'occasion.

Le roi et la reine se trouvaient aux premières loges, de même que tous les membres de la famille royale incluant le seul prince survivant – Tiemen – et ses trois sœurs, les princesses, toutes mariées et mères de famille.

Oui. Chacun avait fait son chemin depuis treize ans. Talos était devenu un officier de l'armée. Galice faisait pour sa part ses premières armes en tant que jeune ministre au Conseil du roi.

Pendant des années, Mulgor s'était porté volontaire pour aller soigner les malades et poursuivre ses recherches sur les plantes médicinales dans des régions reculées de Reddrah. Mais il avait fini par succomber aux charmes d'une femme. Il n'avait au long de sa vie aventureuse jamais eu d'enfant, et on ne lui connaissait aucune amante, même passagère. Pourtant il était beau, le bougre !

Torance le contempla, drapé de la tête au pied tel un demi-dieu, et fut frappé par leur ressemblance.

Solena le lui avait répété à maintes reprises. Mais Torance – obstination de mâle oblige, disait la cristalomancienne – refusait d'admettre que Mulgor était un peu son jumeau. Même carrure, même grandeur, même visage carré et viril, avec une chevelure abondante noir et bleu.

Seulement, se dit le prince pour se consoler, lui « a du ventre » alors que je n'ai pas changé depuis l'âge de vingt ans !

Amim Baah, devenu le grand légide en titre de Reddrinor, puis Solena prononcèrent les paroles rituelles. La cristalomancienne noua les poignets des nouveaux époux avec un ruban de lin blanc, symbole de pureté et de lien inaliénable entre le divin et l'humble condition humaine. L'ecclésiastique remit à l'homme la crosse du pouvoir familial, et à la femme la statuette de la colombe – l'autorité et la douceur, *les deux pôles,* se dit Torance, *de l'équilibre du monde.*

Lui-même s'était uni à Solena bien des années plus tôt. Non pas dans une basilique devant tout le monde, mais au cœur de leur domaine, dans un endroit reculé au milieu de la nature souveraine, des loups, des cerfs et des ours venus spontanément se rassembler en demi-cercle autour de la majestueuse cascade qui figurait leur autel. Torance avait noué leurs poignets. Solena lui avait remis la crosse, lui la colombe. Ils avaient passé la nuit enlacés près d'un ruisseau murmurant, emmitouflés sous le fameux manteau de laine blanc de la déesse.

Les gongs retentirent une nouvelle fois. Le chœur s'emplit de chants. Une pluie de pétales rouges et blancs couvrirent les têtes et les épaules.

Il y eut les félicitations d'usage, les discours, les bénédictions.

Au bout d'une heure, Torance avait hâte de quitter cet endroit, certes magnifique, mais confiné et écrasant.

Avec l'âge et les trop nombreuses marques d'affection dont il était la cible, lui était venu un déplaisir à se montrer trop longtemps en public. Solena le devina. Après le départ de la procession et la sortie officielle des nouveaux mariés, elle rejoignit son compagnon et lui serra le bras.

— Courage, dit-elle, il reste encore les festivités !

★

Les libations durèrent jusque tard dans la nuit.

Ayant trop bu et trop mangé, Torance se vautra dans les coussins qui garnissaient leur carrosse tiré par quatre étalons.

Solena donna ses instructions à leur escorte ainsi qu'aux laquais. Jusqu'au domaine de Bonderosa, la route n'était pas longue, mais elle traversait une forêt ancestrale avec ses détours, ses ruisseaux et ses ornières.

Au cocher, la cristalomancienne demanda de conduire lentement, car son époux s'était assoupi. Elle pria aussi le capitaine des gardes de demander aux hommes de ne se parler qu'à voix basse.

Torance dormait la tête sur ses genoux.

La journée avait été fatigante, mais riche en émotions. Ces mariages attendus depuis longtemps resserraient les liens d'amitié qui unissaient les compagnons depuis Orma-Doria.

La nuit était calme et baignée par la lune. Les insectes nocturnes s'en donnaient à cœur joie. Sans y prêter attention, Solena se laissa aller à ses souvenirs.

Force était d'admettre que ces années passées dans le calme et le luxe étaient les plus heureuses et les plus abouties de sa vie. Finies les fuites, les périlleuses traversées, les quêtes éprouvantes, les épreuves autres que celles imposées par l'amour au quotidien et l'éducation d'un adolescent doublé d'un prince.

Solena caressait les cheveux de Torance.

Durant des années, ils avaient travaillé tous deux pour réveiller les « voix » que le prince entendait jadis dans sa tête. Mais depuis l'assassinat brutal du Premius Orthon IV par les Spiraliens et l'abandon de leur projet d'amener Torance à Goromée pour instaurer un Âge d'or des Nations, ils avaient pris une certaine distance avec le Grand Œuvre du Mage errant.

Si celui-ci apparaissait quelquefois dans les rêves de la cristalomancienne, il semblait lui aussi s'être imposé une sorte de répit.

Pourtant, Solena savait combien Honario, leur dernier fils, ainsi que Kessaline auraient tous deux une part essentielle à jouer dans un avenir rapproché.

Aussi, malgré les appels répétés des peuples qui savaient, par les infatigables Servants du Mage, que le Prince messager vivait en chair et en os en Terre de Reddrah, Torance refusait de quitter Bonderosa.

Les rois eux-mêmes, les membres du clergé officiel et les puissants de chaque royaume concerné ne tentaient-ils pas, par tous les moyens, de décourager une visite du Prince messager! Au début, Solena n'avait pas compris pourquoi le Mage ne voulait pas « forcer » les choses. Mais sans doute attendait-il son heure!

Torance s'éveilla brusquement, saisit sa main, la porta à ses lèvres. Solena pencha son visage sur le sien et ils s'embrassèrent longuement, malgré les cahots du chemin et le grincement des essieux.

La lune pleine bougeait de concert avec eux.

Torance se redressa. Des mèches tombaient dans ses yeux de braise. Il observait son épouse sans ciller. Puis, comme elle s'y attendait et le souhaitait secrètement, la main du prince s'insinua sous son corsage et caressa ses seins.

Torance tendit la tête par la fenêtre et ordonna au capitaine de laisser plus d'espace entre ses hommes et le carrosse. Le militaire obtempéra sans discuter malgré l'épaisseur des frondaisons et le chemin qui, parfois, faisait des boucles inquiétantes.

Torance rabattit les rideaux et allongea Solena sous lui. Ils s'unirent sans trop de bruit, avec beaucoup d'amour et de douceur. Cette nuit, Abralh restait caché en Torance comme la braise sous les bûches.

Après l'amour vint le sommeil.

Un choc brutal tira Torance de sa torpeur.

Le carrosse s'était arrêté.

Se couvrant les épaules de sa cape, il chaussa ses bottes, sortit dans l'air vif, alluma une torche.

Les insectes s'étaient tus. Les rayons de lune transformaient le bois en un sépulcre de glace.

Soudain, une silhouette en apesanteur passa devant ses yeux.

Interloqué, Torance considéra son capitaine des gardes, hypnotisé, endormi et suspendu entre ciel et terre comme une baudruche d'enfant au bout de sa corde.

Il compta en tout dix-huit hommes ; soit la totalité de son escorte et de ses laquais, pareillement suspendus et mis hors de combat.

Torance dégaina Ershebah et se mit en position.

— Tout doux, lui murmura alors Solena.

Elle surgit d'un buisson.

— Le moment est arrivé, dit-elle simplement.

Torance allait rétorquer quand il aperçut un vieil homme robuste debout entre les arbres, penché sur un kaïbo doré, qui les regardait en souriant...

LA LEÇON

Goromée, quelques jours plus tard.

L e précepteur fit résonner sa baguette de kénoab noir contre la table de marbre.

— Votre Altesse ? Reprenons, s'il vous plaît.

Et il énonça de nouveau les données du problème politico-stratégique qu'il posait à son illustre élève.

Il s'agissait d'un cas de figure classique qui servait en quelque sorte de test de personnalité. Un prince, futur empereur, était uni à une princesse étrangère. Celle-ci arrivait au pays entouré d'une cour nombreuse composée de servantes, mais aussi de dames d'honneur, de gardes du corps, d'un conseiller spirituel et d'un chambellan.

Ces épousailles étant également – et surtout – un pacte tacite de non-agression entre deux nations belligérantes, de quelle manière un habile futur souverain devait-il s'y prendre pour circonscrire le petit monde de sa nouvelle épouse ?

Kal-Houré Vahar Sarcolem bâillait d'ennui. Il faisait trop chaud pour être en classe. Outre le fait que sa nature ne le portait guère à l'étude de choses aussi abstraites que la gouvernance d'un État, le soleil s'insinuait entre les volets de bois. Les planchers de mosaïques bleus étaient nappés de taches d'or et d'argent, et l'air provenant des jardins était chargé des mille fragrances sucrées de l'été.

Une fois encore, Sermonille, le précepteur choisi par l'empereur, se racla la gorge tout en serrant sa baguette dans sa main.

La fameuse baguette n'était, il le savait, que l'instrument symbolique de son autorité sur le futur souverain. Devant son élève adolescent qui l'insultait cordialement en faisant mine d'observer la mangeoire où s'ébattaient les cacatoès, il regrettait le temps, pas si lointain encore, où il aurait pu en user pour le rappeler à l'ordre.

Car le jeune prince impérial ne faisait pas montre, dans l'étude des matières nobles – politique et stratégie militaire –, de la même vivacité qu'il mettait dans les sports ou dans la simple contemplation, par exemple, d'une galva de soldat. Il était par ailleurs déjà formé comme un homme et ne supporterait plus les lanières d'un fouet.

Kal tourna soudain la tête : sous les fenêtres de la salle d'étude passaient son épouse, la future impératrice, et les membres de sa suite. Comme si elle s'attendait à voir le visage de son mari, la jeune fille leva la tête. Le prince se rejeta aussitôt dans l'ombre.

Voilà bien, se dit le précepteur avec humeur, où se trouve le nœud du problème…

De retour à la leçon, il donna à son élève quelques indices. Le prince devait-il donc, pour étouffer le nid de médisants et de comploteurs naturels que représentait l'entourage d'une nouvelle reine…

Sans écouter la leçon, Kal-Houré marcha jusqu'à la terrasse. Il s'appuya nonchalamment à la balustrade, se perdit dans l'observation des toits étincelants de Goromée. Non loin, le bruit incessant des chutes d'eau couvrait le tumulte de la cité. Instinctivement, Kal détailla, non les contours du sentier fleuri par lesquels son épouse s'en était allée, mais la plus haute terrasse du palais et les majestueuses frondaisons du vénérable kénoab blanc des Sarcolenides.

Il entendit cependant le pas de son précepteur et le dévisagea :

— Un prince digne de ceux qui l'ont précédé sur le trône de Gorée, déclara-t-il tout à trac s'arrangerait, précepteur, pour introduire auprès de son épouse des hommes et des femmes bien à lui. Ces espions pousseraient les membres de la suite à des indiscrétions ou à des gestes inconsidérés, de manière à ce que le prince puisse légalement procéder à un écrémage de la suite de sa femme, jusqu'à la laisser entourée seulement d'hommes et de femmes natifs du pays, et de préférence issus de sa noblesse et de ses idées.

Ce résumé un peu trop cassant au goût de Sermonille était pourtant la réponse parfaite au problème posé. Il dénotait déjà chez le prince une clairvoyance et une méthode de grand souverain. Car il était notoire que les princesses étrangères envoyées se marier en Gorée recevaient presque toujours de la part de leur famille d'origine des instructions précises ayant pour but d'infléchir la politique de leurs époux dans le sens voulu par celui de leurs pères.

Tandis que le précepteur savourait la réponse de l'héritier impérial, celui-ci s'impatientait. Sa mâchoire carrée se tendait, ses sourcils au tracé impétueux se fronçaient. Il secouait ses longs cheveux blonds retenus par un diadème en argent, serrait ses poings déjà aussi puissants qu'une massue.

— Êtes-vous satisfait, précepteur ?

Avant que Sermonille n'ait pu répondre, le prince l'abandonnait, seul, sur la terrasse.

Le vieux courtisan le regarda sauter sur le toit d'un patio, atterrir sur un autre et escalader avec l'agilité d'un singe le

LES MESSAGERS DE GAÏA

mur d'albâtre qui encerclait la terrasse dite des Sarcolem. Lorsqu'il disparut derrière un rideau de colonnes et de corniches, le précepteur s'essuya le front avec un mouchoir en dentelle. Le prince Kal-Houré était décidément incontrôlable. Et de tous les nobles qu'il avait éduqués – ou tenté d'éduquer – au cours de sa longue carrière, le plus difficile à cerner.

✷

Kal demeura de longues heures assis au pied du kénoab blanc de ses ancêtres.

De nombreuses légendes couraient sur cet arbre qui avait exactement cinq cent soixante-cinq ans : soit le nombre d'années qui marquaient le début de l'ère « moderne », choisi entre la date du sacrifice du Prince messager et celle de la création, par Sarcolem le Grand, de l'Empire de Gorée.

Celui que Kal appelait « le vieux », autrement dit son précepteur édenté et chauve comme un œuf ignorait qu'il aimait l'étude, et pas seulement les sports et les virées en ville. Mais attention ! L'étude qu'il affectionnait était faite davantage d'histoire que de sciences politiques ou religieuses. Ce qui fascinait Kal était la lente et difficile progression de l'homme dans la société et ses accomplissements scientifiques.

La magie, comme la politique ou les stratégies guerrières le laissaient indifférent même si, en se forçant, il donnait toujours les meilleures réponses.

Il inspira profondément.

Cet arbre, sous lequel il aimait se tenir depuis qu'il avait conscience d'exister, avait une histoire. Il était de ce fait aussi vivant et même davantage que tous les fonctionnaires, gens de cour et nobles paresseux qui hantaient les salles et les corridors du palais.

Cet arbre respirait. Kal le sentait rien qu'en posant sa paume sur le tronc puissant et rugueux.

Il resta là bien après que l'heure du repas de la mi-journée ne soit passée, après même que sa nourrice, envoyée en désespoir de cause par l'intendant de sa Maison, ne vienne lui demander de se mettre à l'abri du soleil qui frappait dur, en cette saison – surtout en cet endroit du palais exposé à la fois aux rayons les plus chauds et aux vents iodés les plus cinglants.

Accroupi, pensif, en paix avec lui-même et avec le reste de l'univers, Kal goûtait à la sagesse de l'arbre.

Les Fervents disaient autrefois que certains kénoabs avaient le pouvoir de vie. Qu'ils pensaient et pouvaient communiquer par télépathie avec certains humains. Depuis l'âge de trois ans, Kal était persuadé qu'il possédait cette faculté. Aussi venait-il souvent se recueillir sous l'arbre dans l'espoir de l'entendre lui murmurer des conseils ou des encouragements.

Jusqu'à présent, rien de tel n'était survenu ; seulement le chant des feuilles sous la brise, l'impression de bien-être ineffable qu'il ressentait à simplement se tenir sous ses frondaisons.

Parfois, Kal se fâchait contre l'arbre. N'était-il qu'un leurre ? Qu'une coupe vide, un riche ornement inutile ?

Une voix s'éleva soudain derrière lui, l'appelant par son prénom.

Un instant, le prince craignit qu'il ne s'agisse de sa jeune épouse. Piqué au vif, il tirailla sur les sangles de ses galvas de cuir.

Mais ce n'était que son père, accompagné du capitaine Simos, le chef des gardes du corps du jeune prince.

L'empereur Brasius II approchait de la soixantaine. Voûté, amaigri par les vicissitudes du pouvoir, il avait la peau si fine qu'elle paraissait transparente. Dessous circulaient des veines d'un bleu intense, surtout sous les yeux, sur les joues et le cou. Cette apparence de sénilité précoce jouait contre lui dans les salles de conseils et devant les ambassadeurs étrangers, alors qu'en vérité le souverain possédait toujours une incroyable énergie et une passion de vivre et de gouverner dévorantes.

Il avait mené cent combats, autant sur le terrain que dans son bureau, au palais, et remporté presque autant de victoires.

Kal salua le capitaine qui se tenait dans l'ombre d'une colonne et regarda son père droit dans les yeux – ce que peu d'hommes ou de femmes osaient faire. Ce qu'il ressentit au contact de ce père illustre et lointain qui s'occupait presque autant de gouvernance que de magie et d'occultisme le blessa comme chaque fois qu'il se hasardait à le sonder.

Il ne m'aime pas, se dit le jeune prince. Il regrette la mort de Klébur. Il déplore que je sois son seul héritier direct.

Une tristesse doublée d'une grande lassitude le gagna. Et pourtant, son père s'était déplacé et lui adressait même la parole.

— Alors, cette leçon de géopolitique ?

Kal s'était douté, dès le départ, que le thème de la leçon d'aujourd'hui était convenu d'avance. Cette hypothétique reine étrangère était en vérité Galaé, sa propre épouse d'à peine seize ans, venue du glacial royaume de Dvaronia pour sceller, par le mariage, un pacte de non-agression entre les deux empires opposés de longue date.

Kal savait que la conversation tournerait vite autour de sa vie maritale – ou plus exactement, autour de l'échec de cette dernière. Effectivement, l'empereur ne mit pas longtemps à aborder le délicat sujet…

— Tu devrais y mettre du tien. Les ambassades sont en ébullitions. Ta conduite immature met notre alliance en péril.

Le monarque allait parler encore, mais il préféra se taire. Brasius lui-même n'avait jamais été très à l'aise avec les femmes qu'il tenait toutes pour des traîtresses potentielles, et même des régicides. Avec ou sans raison, il s'en était méfié toute sa vie, surtout si elles étaient belles et intelligentes.

Il avait pourtant eu une épouse, morte depuis, et de nombreuses concubines. Mais il préférait tout de même ses chaudrons, ses formules et ses cristaux magiques.

Kal, lui, était d'une autre espèce. Tout d'abord, il était beau. Brasius contempla son fils et ne put s'empêcher de penser que Galaé, qui était aussi belle qu'impétueuse, ne devrait avoir aucune peine à se faire aimer de son époux. À moins que Kal ne lui résiste.

N'ayant pas plus de patience et de douceur avec les femmes qu'avec ses enfants – passé l'âge de six ans, ils perdaient tout intérêt à ses yeux –, Brasius se décida à sermonner son fils :

— Cela ne peut plus durer. Galaé et toi avez été unis devant Gaïos. Pourquoi n'en as-tu pas encore fait ta femme ? La situation exige de toi un acte d'obéissance. Ce soir, c'est le bal des eaux. Que cette nuit soit la bonne !

Puis, ayant dit ce qu'il avait sur le cœur, l'empereur regagna la fraîcheur et l'obscurité de ces petites salles basses où il aimait se retirer pendant les chaudes heures de l'après-midi.

★

L'été, à Goromée, le soir tombait par taches successives. Cette douceur toute particulière contribuait aux charmes de la cité impériale. Organisées depuis des mois, les fêtes données devant l'esplanade du palais, au pied de l'enceinte de la ville haute, étaient courues et attendues par une grande partie de la population.

En ces occasions, Goromée accueillait des milliers de visiteurs venus de toutes les provinces de l'Empire et d'ailleurs. Les colonnades étaient semées de lierres et de fleurs. Des corbeilles multicolores étaient accrochées aux lanternes. Les rives des canaux se couvraient d'étals de marchands et d'artisans et en soirée des myriades de calèches, de canots et d'embarcations se pressaient devant les loges.

Ce soir, une attraction encore plus séduisante, disait-on, que les traditionnelles danseuses, les avaleurs de feu, les flûtistes ou les montreurs d'animaux était au programme non pas sur les pistes ou les tréteaux, mais dans la loge impériale !

Un serviteur apporta un plateau de fruits. Le capitaine Simos, un solide gaillard sombre et poilu à moustache au profil de cerbère lui barra le passage. Un officier de bouche coupa de fines tranches d'amangoye et de pigne d'égoyier braisée avec une lame, qu'il goûta ensuite avant que l'on ne présente le plateau au prince et à la princesse. Les liqueurs et les vins comme les fruits ou les pâtisseries fines étaient ainsi passés au crible de ce que Kal appelait avec humour « le service de contrepoison du palais ».

Galaé ne prenait pas ce cérémonial aussi à la légère que son époux, car à la cour de son père les empoisonnements étaient monnaie courante.

Passant outre son agacement, elle prit la main du prince et la serra.

Ce simple contact, qui était pourtant une caresse agréable, déplut foncièrement à Kal. Galaé le sentit et grimaça.

— On nous observe, chuchota-t-elle en faisant un effort sur elle-même pour maîtriser sa colère.

Deux semaines auparavant, lors d'une sortie publique en litière, Kal l'avait déjà repoussée. Dès leur retour au palais, elle lui avait lancé des vases et des statuettes au visage en l'insultant.

— Cela fait deux ans que nous sommes mariés, et vous ne m'avez pas encore rendu hommage ! Me trouvez-vous donc si laide que ça ? Les courtisans se gaussent. Les ambassadeurs murmurent que notre mariage n'est pas encore consommé. Les dames de la noblesse me battent froid. Mon père et le vôtre sont à couteaux tirés. Le sort de votre futur empire vous importe-t-il donc si peu !

Grande, fine, une peau de blonde à la fois blanche et veloutée avec de grands yeux verts étincelants, la princesse impériale était une beauté. Alors, où était le problème ?

Afin de le pousser dans ses derniers retranchements, Galaé avait tenté un soir de le faire boire en compagnie de ses dames d'atour. Elles l'avaient ensuite caressé en riant et en plaisantant. Une à une, les jeunes femmes s'étaient enfuies pour laisser les deux époux, seuls et excités par les ombres du jardin, le vin et les parfums. Galaé avait alors laissé tomber sa robe et s'était révélée à lui lèvres et mains tendues.

Pris de panique, Kal avait reculé, buté contre un banc, pour finalement sortir des jardins en courant.

La chaleur était intenable dans la loge. Galaé se pencha vers son époux.

— Mes suivantes vont me baigner, ce soir, chuchota-t-elle à son oreille. Venez…

★

Deux heures après la fin des festivités, quatre gardes conduits par le capitaine Simos vinrent chercher le prince dans ses appartements.

— Votre Altesse ?

Le militaire connaissait le jeune homme depuis sa plus tendre enfance. Il lui présenta son manteau et ses galvas de corde.

Les hommes affectaient une attitude martiale impeccable. Mais Kal savait qu'en fait – excepté le capitaine, sans doute –, ils riaient tous sous cape.

La tête encore alourdie par le vin chaud et épicé qu'il avait bu, Kal se vêtit, mais sans joie.

Ils traversèrent les jardins paisibles, baignés par la lune, qui séparaient les demeures des deux époux. Des bassins montait la plainte des grenouilles.

Parvenu devant le perron semé de lierres et de vignes qui délimitait l'accès à la Maison de la princesse impériale, le capitaine salua sans pourtant faire demi-tour.

Appuyé sur sa lance, Simos souriait sans en avoir l'air sous sa fine moustache : il avait des consignes précises. Kal vit les hommes prendre place devant chaque porte.

Il échangea un regard dur avec le capitaine et celui-ci, gêné, baissa les yeux le premier.

Les suivantes de sa femme se présentèrent, l'encadrèrent et le menèrent sur une seconde terrasse où se trouvait un grand bain creusé, nappé de mosaïques. Près du bord avaient été installées des cruches d'eau, des savons, des éponges, des serviettes, des flacons d'huiles odorantes, du vin et des friandises. D'une cascade située plus haut ruisselait une eau maintenue tiède par des feux entretenus en permanence.

Kal crut d'abord que les jeunes femmes allaient elles-mêmes le dévêtir et le laver. Mais contre toute attente, elles disparurent par les allées voisines.

Devait-il se préparer seul ?

Le prince songea à son épouse. Certes, elle était belle, mais si lointaine et glaciale avec un air perpétuellement contrarié ! Malgré la « Dame de la nuit pleine et ventrue » – comme sa nourrice nommait affectueusement la lune –, Kal ne se sentait pas d'humeur amoureuse.

Il emprunta un escalier à vis caché dans une colonne pour échapper aux soldats du capitaine, et gagna les toits. Puis, se dirigeant au jugé, il quitta le palais...

LE JARDIN MAUDIT

Depuis l'enfance, Kal-Houré avait eu maintes occasions de visiter les parties nobles du palais impérial, ses jardins, ses cours, ses parterres fleuris. Les domestiques assuraient à mi-voix qu'il existait également, près de l'enceinte nord, d'anciens jardins autrefois attribués à des princes et des princesses maintenues en captivité par leurs pères, les empereurs Sarcolem premier à douzième du nom : les fondateurs de la dynastie des Sarcolenides dont le jeune homme était aujourd'hui le dernier héritier mâle.

Peu de gens croyaient en cette fable de pères ayant séquestré leurs enfants durant toute leur vie. Cependant, ces terrains enclavés derrière de hauts murs avaient une sinistre réputation.

À la bibliothèque du palais, un jour où il s'ennuyait, Kal avait déroulé de vieux rouleaux d'ogrove rangés au sommet d'une étagère. Ce n'étaient ni des récits de guerre ni des biographies de monarques ou de ministres, mais plutôt des transcriptions de lettres que s'étaient échangées des jeunes gens. Pour se dérider, il en avait lu quelques-unes avant de se faire surprendre par les intendants.

Cette nuit, Kal avait envie de pousser plus loin son exploration. Il se glissa dans une brèche, écarta un buisson d'épineux…

Le jardin maudit, comme on l'appelait, était livré à l'abandon depuis des siècles. Jonché de débris de statues rongées par les vents, planté d'arbres rebelles ayant poussé au petit bonheur, il avait un aspect lugubre.

Les rayons de lune égrenaient leur poudre d'argent. À chaque pas, Kal craignait de voir surgir devant lui le fantôme d'un de ces anciens princes.

En marchant au hasard entre des arches de pierre et un ensemble de colonnes érigées autour d'une cour carrée en marbre, il repensait à ces lettres. Certes, le style était ancien et ampoulé. Certaines expressions n'étaient aujourd'hui plus utilisées. Mais il avait tout de même compris que les auteurs de ces missives étaient désespérés.

Il passa devant des bâtiments en pierre à un seul étage. Tous ou presque possédaient une terrasse privée. Il entra dans l'un d'eux au hasard et ressentit un froid intense dans ses os. Son souffle s'accéléra. Il se mit à haleter.

Il aurait pu s'enfuir, laisser derrière lui ce sentiment d'oppression qui écrasait sa poitrine. Mais un sentiment plus fort encore que la peur, qu'il nomma d'emblée « curiosité » pour se donner du courage, dominait sa pensée.

Une branche morte craqua sous ses pas. Un bruit, sur sa gauche, lui fit tourner la tête.

Une silhouette passa derrière son dos. Il fit volte-face, ne vit personne.

Peu après, alors que l'air s'était étrangement rafraîchi autour de lui, une main diaphane frôla sa nuque, et il entendit un mot : « Père… »

Saisi de terreur, Kal se mit à trembler. L'extrémité des membres glacés, il captait maintenant des conversations. Des jeunes se parlaient, filles et garçons confondus.

Soudain, le bruit d'un corps tombant dans l'eau brisa le fil de sa transe hypnotique. Les silhouettes évanescentes disparurent. Les voix s'éloignèrent. La température remonta dans les jardins.

Kal avait très envie de fuir ce lieu macabre. En même temps, fasciné par ce mouvement de l'eau tout proche, il se surprit à ramper entre les taillis.

Derrière un muret se trouvait une sorte de grand réservoir. Accroupi, anxieux, Kal attendit.

Quelques minutes ou bien une heure entière s'écoulèrent.

Il battit des paupières, mit une main devant sa bouche et contempla, ébahi, la jeune fille nue qui nageait dans le bassin.

Elle le vit aussi, poussa un cri de surprise, replongea aussitôt sous l'eau.

— Attends! fit Kal-Houré.

La fille récupéra ses hardes qu'elle avait laissées non loin, et s'en couvrit les épaules. Mi-rampant mi-courant, Kal la suivit sous le porche d'un bâtiment en pierre.

Une pluie lourde crépitait sur les édifices en ruine. La fille demeurait là, près de lui, muette et frissonnante, les yeux posés sur les statues dégoulinantes.

Enfin, l'orage faiblit et des voix montèrent des fourrés.

Kal reconnut le bruit familier des galvas de soldats et recula dans l'ombre.

— Nous n'avons pas le droit d'être là, dit soudain la fille.

— Ce sont des gardes du palais, répondit Kal.

— Ou bien ceux du noviciat voisin.

Le prince suivit des yeux la direction que la fille pointait du doigt – les toits pentus qui dépassaient de l'enceinte nord.

— Ils se rapprochent, dit-elle.

Elle se leva.

Kal la suivit de nouveau à l'intérieur d'un appartement délabré. Ils se cachèrent derrière un mur.

Des gardes avançaient dans leur direction.

— Ils me cherchent, murmura la fille en claquant des dents.

Kal passa tout naturellement un bras autour de ses épaules. Ce geste ne signifiait rien de spécial pour lui: il avait grandi avec trois sœurs plus âgées dont il avait été le protégé.

Il sentit néanmoins la fille se raidir.

Dire qu'elle était belle aurait été exagéré. Son visage était rond, ses yeux noirs, son nez assez quelconque. Ses cheveux sombres et frisés tombaient en rouleaux désordonnés de chaque côté d'une figure au teint basané. Même si elle devait avoir entre quinze et dix-sept ans, son corps était déjà lourd. À dire vrai, seule sa bouche large, aux lèvres sensuelles, trouvait grâce aux yeux de Kal qui considérait les lèvres d'une femme comme l'élément le plus révélateur de sa personnalité.

Il ôta son bras. Non qu'il fût déçu par ce qu'il venait de découvrir d'elle, mais parce qu'il se sentait intimidé.

— Il semble que les soldats se soient éloignés…

Elle approuva. L'averse cessa aussi vite qu'elle était venue.

— Tu viens souvent par ici? hasarda-t-il.

Elle le regarda comme si elle craignait qu'il ne soit un espion à la solde des religieux.

Mais, très vite, elle se détendit.

— Chaque fois que je peux, avoua-t-elle, je m'évade.

Kal comprenait ce sentiment qui l'étreignait également.

Tout danger semblant être passé, la fille se redressa.

— Non, attends, dit-il en prenant sa main.

Kal se rappelait son sourire à la fois doux, tendre, lumineux, magnifique. Et puis sa voix avait un timbre agréable.

— Il est tard. Je dois regagner le noviciat.

— Tu veux dire que tu étudies pour…

Elle posa un doigt en travers de sa bouche. Les gardes n'étaient pas si loin.

— Comment t'appelles-tu ?

Elle disparut sans répondre.

Kal attendit encore quelques minutes, le temps que se dissipent cette douceur, cette gentillesse et cette aura de pureté que la jeune fille laissait flotter dans son sillage.

★

Quelques jours plus tard, Kal-Houré et Galaé traversaient la cité en litière découverte. Escortés par une compagnie à cheval commandée par le capitaine Simos, ils rendaient une visite de politesse au Premius Gorimond dans la grande basilique de Torance.

— Tu n'es pas là, Kal, lui reprocha son épouse.

Le ton bref démentait le sourire qu'elle tâchait de peindre sur son visage trop blond.

Il haussa les épaules.

La princesse impériale répondit distraitement aux saluts de la foule. Kal agita à son tour la main.

Galaé avait raison. Depuis son échappée nocturne dans les jardins maudits, il se sentait absent, différent.

— Tu souris davantage, tu parles beaucoup plus. Tu ris aussi, parfois, reprit Galaé.

— Cela te choque ?

— Grand dieu, non !

Elle chercha à capter son regard. N'y parvenant pas, elle se renfrogna. Depuis la nuit de la fête de l'eau, elle avait attendu son époux à trois reprises ; chaque fois en vain. En désespoir de cause, rompant avec l'étiquette qui interdisait à l'épouse de sortir de chez elle après s'être mise au lit, elle s'était rendue chez Kal avec plusieurs de ses dames d'atour.

En riant, elles avaient ourdi le projet de l'attacher sur sa couche, puis de laisser la princesse s'occuper à sa guise de son époux.

Mais il n'y avait personne dans les appartements princiers, et le capitaine Simos feignait ne pas savoir où Kal avait bien pu aller.

— Tu es aussi plus mystérieux…, reprit-elle.

Son ton disait clairement combien ces nouveaux attributs, chez son époux, plaisaient à Galaé.

Elle chercha sa main sous le drapé de soie, recula quand il se raidit.

Comment faire comprendre à son époux que la non-consommation de leur union les mettait tous deux dans une situation intenable? Elle avait ouï dire que la situation politique et religieuse se détériorait. L'alliance entre la Gorée et le royaume de Dvaronia battait de l'aile à cause de l'attitude insultante du prince à son égard. Pour envenimer les choses, le Premius Gorimond se débattait dans ce qu'il appelait une «crise dogmatique désastreuse».

En effet, dans tous les royaumes assujettis au Torancisme, les peuples demandaient à cor et à cri que le Prince messager, qui vivait apparemment en Terre de Reddrah, soit autorisé à venir à Goromée.

Les grands légides débattaient de ce dilemme en conseil. Mais aucune politique claire ne pouvait ressortir de tant de vaines palabres. Si une majorité de prélats croyaient que celui que l'on appelait aussi le chevalier de cristal était un imposteur, d'autres pensaient que le faire venir pour le confondre serait le moyen idéal pour le détruire, et enfin, de faire cesser cette pression qu'exerçaient les peuples.

Allongée dans la litière, Galaé continuait à jongler avec ses noires pensées.

Par rapport à ces problèmes d'importance, la non-consommation de son mariage pouvait sembler une broutille. Pourtant, il suffisait bien souvent d'un grain de sable pour déclencher des guerres.

— As-tu vu l'empereur? demanda-t-elle.

Kal s'extirpa de ses propres pensées. Il l'avait vu, oui, comme chaque matin. Et alors?

Devant son air distrait, Galaé renonça à lui faire part de ses inquiétudes concernant le vieux Brasius.

En arrivant devant l'enceinte de la basilique, des soldats firent reculer un groupe de novices vêtus de la toge traditionnelle, brune pour les garçons et noire pour les filles. Leurs visages étaient couverts et ils portaient sur le thorax le symbole de leur ordre : une roue gravée, en argent, du corps supplicié du Prince messager.

Ces jeunes avaient choisi de leur plein gré de mener une vie chaste et simple. Destinés à œuvrer dans de lointaines communautés rupestres ou agricoles, ils se lèveraient leur vie durant à l'aube et prieraient pendant des heures. Les hommes travailleraient ensuite aux champs ou bien recopieraient d'innombrables rouleaux d'ogrove. Les femmes deviendraient apothicaires, faiseuses d'onguents et de philtres, lingères pour la communauté ou servantes, ou encore amantes au service de prélats corrompus.

Galaé était heureuse d'être une princesse, et bientôt sans doute une impératrice régnante et une mère.

Pour autant, songea-t-elle, que Kal Houré veuille bien faire de moi une véritable femme…

Elle osa une nouvelle œillade dans la direction du prince et fut étonnée de le voir si tendu.

— Qui regardes-tu ?

Kal détourna aussitôt les yeux du groupe de novices en costume noir.

— Personne. Nous arrivons.

Les portes de la basilique s'ouvrirent. Le capitaine Simos distribua ses ordres. La foule fut repoussée sur l'esplanade. Déjà, un parterre de légides les attendaient, accompagnés de leurs secrétaires.

Le prince chercha encore les jeunes religieuses du regard.

Durant tout le trajet, il n'avait songé qu'à la nuit à venir. Dans sa tête, il avait tout mis au point. Il savait quand il devrait sortir de son lit. Comment déjouer la surveillance des sentinelles affectées à sa protection.

Ce soir, il serait prêt à agir.

SUR UN LIT DE BRUME

É tendue sur sa couche dans le dortoir des filles, Mivah songeait à ses parents. Jusqu'à présent, elle croyait avoir fait le bon choix en leur déclarant un beau matin qu'elle désirait entrer dans les ordres. Producteurs et marchands de rouleaux d'ogrove ayant un comptoir d'été à Goromée, les braves gens avaient été déçus, car Mivah était leur unique enfant. En la perdant au profit de Gaïos, ils perdaient également la possibilité d'avoir un gendre et des petits-enfants qui veilleraient sur eux lorsque viendrait la vieillesse. Cependant, ils aimaient leur fille et s'étaient inclinés devant sa soudaine vocation.

Depuis une lune entière, ses amies avaient du mal à la reconnaître. Tiglia, la seule qui était au courant de ses escapades nocturnes, prétendait que Gorum, dont on apercevait les statues éboulées de l'autre côté des murs du cloître, l'avait ensorcelé.

C'était une blague que se racontaient les filles durant les trop chaudes soirées d'été. Elles aimaient se distraire ou se faire peur avec ces légendes interdites par les règles strictes de leur ordre. Car Gorum, au même titre que tous les anciens dieux, était mis à l'index du Torancisme depuis des siècles.

Pour les filles, le dieu était soit un garçon brun aux yeux noirs, soit un jeune homme blond aux yeux clairs. Dans les deux cas, il était grand, mince et musclé. Ses mains étaient fines et il possédait toute la fougue nécessaire pour faire rêver des adolescentes qui venaient de faire don de leur virginité à Torance.

Un soir, Mivah avait stupéfait ses consœurs en déclarant qu'en plus de tous ces attributs, Gorum embrassait divinement.

Tiglia lui avait dit qu'elle était folle de nourrir ce genre de pensées. À moins que ça n'en fût pas vraiment…

Son amie s'était contentée de sourire.

— Tu cours à ta perte. Si la gardienne te prend, ce sera le fouet et le cachot. Pire encore, le déshonneur et le renvoi!

Mivah ne savait trop si à ce stade de ce qu'elle appelait sa révolte intérieure, le renvoi ne serait pas pour elle une sorte de porte de sortie *naturelle*.

Elle se rappela les raisons qui l'avaient poussée au noviciat.

Deux ans plus tôt, alors que ses parents et elle cheminaient dans la caravane de marchands, ils avaient été attaqués par des brigands. Outre les biens volés ou détruits, de nombreux négociants avaient été assassinés et leurs femmes et leurs enfants emmenés en esclavage. Elle-même n'avait échappé au pire que grâce à son père qui l'avait cachée dans une grosse amphore de vinaigre de vin. Mivah en était ressortie tout étourdie, mais surtout révoltée contre la barbarie humaine.

Après cette mésaventure, elle avait pensé que les hommes n'étaient que des brutes sanguinaires. D'anciennes peurs lui donnaient des cauchemars. Elle ne savait s'ils provenaient de son enfance ou d'ailleurs: de la mémoire de ses parents, d'événements vécus par un membre éloigné de sa famille ou bien, comme le prétendait sa mère, d'une vie antérieure.

Les minutes s'égrenaient.

Le moment est venu, se dit la jeune fille en se levant de sa couche en silence.

Elle sortit de la vaste chambre, suivit le corridor, s'arrêta à six pas de la surveillante – une religieuse âgée qui sommeillait sur une chaise en rotin. Son bougeoir éteint à la main, Mivah contourna la gardienne et fila sur la pointe des pieds en direction de la seule fenêtre entrouverte. Elle se hissa sur le rebord, souleva le taquet de bois et se laissa glisser dans le carré de simples qui donnaient sur le muret, puis directement dans le jardin maudit.

La nuit sentait les épices, les fruits exotiques, le sel amené par l'océan.

L'exaltation la disputait à l'angoisse : désobéir aux règles était en effet passible du fouet. Chassant de sa mémoire le visage fatigué de ses parents, la jeune fille décida que ce soir serait « le jour ». Ou plutôt – elle rit tout haut – « la nuit » décisive…

Mivah courut entre les statues et arriva tout essoufflée au bord du lac. Elle se dévêtit rapidement et entra dans l'eau noire. S'il y avait des poissons dans le réservoir, elle n'en avait jamais vu.

Elle nagea jusqu'à l'endroit où les reflets de la lune se mélangeaient suavement avec des nappes de brouillard. Parvenue au centre de la tache de lumière argentée, elle se maintint à la surface en battant uniquement des pieds. L'eau fraîche caressait son corps.

Un bruit, comme des galets que l'on jette, l'avertit soudain qu'elle n'était plus seule.

Peu après, riante et tremblante, elle vit venir à elle le jeune dieu Gorum qu'elle était revenue voir, cette nuit encore.

— Kal…, souffla-t-elle en se laissant enlacer.

Les deux jeunes gens étaient nus. Leurs bouches se joignirent dans un long baiser de retrouvailles.

— Tu es venue, répondit l'adolescent.

— Je te l'avais promis.

Kal hocha la tête, la serra encore plus fort.

Il sentit la pointe dressée de ses seins contre sa poitrine, embrassa ses joues, son menton, son cou.

Ils se mirent à haleter.

— J'ai repéré un endroit, murmura le jeune homme d'une voix rauque.

À contrecœur, ils se séparèrent et gagnèrent la berge en se tenant par la main. Kal lui montra ce qu'il appelait une plage : en vérité, une petite grève de sable semée de joncs. Cette nuit, elle était nappée d'une brume épaisse et fantomatique.

Mivah rit en constatant que Kal y avait déjà installé des couvertures et des coussins.

Ils se séchèrent à la hâte sans se quitter des yeux.

— Je t'ai promis, répéta la jeune novice en cherchant de nouveau les lèvres de l'adolescent.

Elle caressa son corps, descendit sur son ventre, puis elle se laissa maladroitement allonger sur le dos. Lorsque Kal vint sur elle, Mivah ferma un instant les yeux.

Durant les minutes qui suivirent, elle vécut avec passion le moment présent en oubliant qu'elle trahissait tous ses serments.

Plus tard, elle se dressa sur un coude et suivit avec le doigt le profil pur du visage de son amant.

— Tu t'appelles Kal, tu vis au palais impérial.

— Hum…

— Et tu passes tes journées à… ?

— À obéir aux ordres.

— Serais-tu un domestique?

— Aurais-tu honte de moi si cela était le cas?

Elle sourit. Il fallait bien faire quelque chose dans la vie. Alors, servir des hommes ou bien, comme elle, un dieu sacrifié il y a longtemps sur une roue en pierre!

Elle demanda:

— N'as-tu jamais pensé t'enfuir au loin pour vivre libre dans un endroit où il n'y aurait plus toutes ces règles et ces gens qui nous commandent et nous jugent?

Kal y avait effectivement songé.

— Quand je laisse aller mon imagination, dit-il, je suis accompagné par une fille.

— Ah oui?

Elle posa sa joue sur le torse du garçon, piqueta sa poitrine de baisers chauds et langoureux.

— Cette fille est brune, comme toi. Elle a tes yeux, elle a tes...

Mivah s'assit sur lui. Ses hanches esquissèrent des cercles lents sur le bassin du garçon.

Après s'être aimés de nouveau, alors que la brume se dissipait et qu'ils sommeillaient dans les bras l'un de l'autre, ils firent le même rêve.

Des soldats attaquaient un village de pêcheurs. Kal prenait ses enfants dans ses bras et cherchait Mivah des yeux. Il l'appelait, mais aucun son ne parvenait à sortir de sa gorge. Alors, il cachait ses enfants sous une maison bâtie sur pilotis, leur disait qu'il allait chercher leur mère; qu'ils devaient rester là sans bouger.

Tout autour, les flammes dévoraient les toits de chaume. Lorsqu'il revint, sa maison était en cendres et il se retrouvait seul, effrayé, en pleurs, blessé et les mains vides.

La vue du corps de sa femme percé de lances lui arracha un râle de douleur.

Kal se redressa. Mivah aussi était réveillée. Dans les yeux de la jeune fille, le prince crut voir se refléter les flammes de cet affreux cauchemar.

— Je crois qu'il s'agit de…, commença Mivah, songeuse.

Des bruits de pas se firent entendre dans les fourrés.

— Les gardiens du cloître! s'effraya la jeune fille. Nous sommes perdus.

Peu après, quatre soldats impériaux accompagnés par un officier apparurent, aussi effrayants que des monstres de légende.

Le capitaine Simos s'agenouilla devant Kal-Houré tandis que les soldats rengainaient leurs épées.

— Votre Altesse Impériale! dit-il à la fois gêné, compatissant et bouleversé, pardonnez-moi, mais il s'est produit un grand malheur. J'ai ordre de vous ramener d'urgence au palais.

✴

La chambre de l'empereur était illuminée de lampes et de bougies. Des rubans d'encens flottaient dans la pièce richement décorée.

Le grand chambellan annonça l'arrivée du prince. La foule de courtisans reflua en désordre vers les antichambres. Parmi les domestiques de haut rang, les serviteurs habituels de la maison de l'empereur et les principaux ministres, Kal ne fut pas étonné de voir sa femme entourée par ses dames d'atour.

Depuis qu'il avait été littéralement «enlevé» par ses propres gardes du corps, Kal avait du mal à réaliser ce qui se passait.

Simos avait été bref. L'empereur s'était senti mal: voilà tout ce que Kal savait. Pour le reste, les ministres s'occuperaient de le mettre au courant.

Le jeune prince reconnut tour à tour ses sœurs, les princesses, puis Nantloue, celui que l'on appelait l'éminence grise de l'empereur. Mais aussi les princes de sang Dramen et Drominor Sarcolem, ses oncles, de même que trois généraux, dont le héros des guerres du règne de son père, Mantelon, que l'on disait volontiers fourbe et ambitieux.

Un domestique nommé Simen se précipita au-devant de Kal et baissa la tête. Cet homme zélé était l'intendant de la Maison de l'empereur, mais aussi son confident depuis de nombreuses années. Il avait vu naître Kal. Si leurs rapports avaient été plutôt distants, ce qui venait de se produire cette nuit changeait la donne.

Kal serra le vieux serviteur dans ses bras, mais chercha immédiatement dans cette foule hagarde et inquiète le seul visage qu'il connut vraiment et que, finalement, il appréciait.

— Sermonille !

Son vieux précepteur s'inclina respectueusement.

Alors que Kal s'agenouillait sur un coussin brodé devant la couche de l'empereur, Sermonille lui expliqua que son père avait eu une attaque.

— Les médecins affirment que le sang a violemment reflué dans sa tête, ce qui a causé… quelques dommages.

Plusieurs grands légides se tenaient en retrait et discutaient en aparté.

Sermonille ajouta que Sa Majesté était entièrement paralysée. Il pouvait à peine cligner des yeux pour se faire comprendre.

— Son cœur est faible. Son corps n'est plus qu'une poupée de chiffon. Sa langue est trop lourde pour qu'il puisse ne serait-ce qu'ouvrir la bouche.

Kal avait l'impression d'étouffer. Trop de monde, de murmures, d'hypocrisie. Simos perçut son trouble et vint près de lui.

Le prince regardait ces gens. Il lui semblait les voir pour la première fois. Avait-il vraiment vécu ces dix-huit dernières années dans une sorte de brouillard?

Nantloue faisait office de premier ministre. Il s'avança à genoux vers le prince. Joignant ses mains parcheminées devant son visage gras et chauve, il prononça les paroles rituelles; demanda au prince impérial de bien vouloir assumer une sorte de régence officielle.

Tous les visages se tournèrent vers Kal.

— Kal-Houré Vahar Sarcolem, dit gravement le ministre, acceptes-tu de prendre à la place de ton père la charge de l'État, et de conduire ses affaires selon sa main jusqu'à ce que le seigneur Torance nous rende notre empereur bien-aimé?

Le prince songea qu'il y avait facilement trois mensonges dans cette longue phrase. Mais investi en cet instant de l'autorité de son père, il ajusta sur ses épaules la couverture de laine que le capitaine lui avait remise sur la berge et répondit par les non moins traditionnelles paroles que venait de lui répéter Sermonille à l'oreille.

— J'accepte la charge et les responsabilités afférentes, dans la douleur et l'affliction, mais aussi avec humilité, en promettant de faire appel aux conseils des gens qui ont la confiance du seigneur, mon père.

Succincte, cette déclaration était destinée à officialiser la prise de pouvoir du prince tout en rassurant les ministres en place et en gardant à distance les chacals de tout acabit qui pouvait, en ces moments fragiles d'un règne, bousculer les usages et oser prendre de force ce qui ne leur appartenait pas.

Encouragé par la présence rassurante de son capitaine des gardes, Kal jeta d'ailleurs un regard sans équivoque à ses deux oncles ainsi qu'au premier ministre et au général

Mantelon. En les voyant chacun entourés d'une petite cour de fidèles, il sentit un frisson lui parcourir le dos.

Il se retourna et tomba nez à nez avec sa jeune épouse.

Galaé baissa la tête en signe de soumission. Puis elle lui baisa le bout des doigts et l'appela son divin époux.

On revêtit le prince du manteau de l'empereur. Le premier ministre lui apporta la crosse et le sceptre de sa nouvelle charge.

Une procession se forma. Sermonille se plaça à la gauche de Kal-Houré et le poussa doucement. Galaé se tint à sa droite, suivie par ses dames. Simos ferma la marche avec deux de ses hommes.

Au moment de quitter la chambre, Kal vit que ses médecins et ses filles en pleurs s'agenouillaient près de la couche de l'empereur.

Il regrettait en ces instants de n'avoir jamais vraiment su converser avec son père. Que n'aurait-il donné pour remonter le temps, parler et rire en sa compagnie ne serait-ce qu'une minute !

Sur la terrasse tout illuminée s'élevait le vénérable Kénoab des Sarcolem. Autour du tronc noueux se trouvait rassemblé le reste de la cour, composée des courtisans ordinaires, de religieux de tous ordres, de leurs serviteurs et de leur nombreuse clientèle.

Ils s'inclinèrent devant le prince régent d'un seul bloc.

Kal salua à son tour, plus brièvement qu'eux selon les règles immuables du protocole, afin de marquer la différence et l'abîme qui le séparait désormais du commun des mortels.

Alors seulement il repensa à Mivah, laissée seule et hagarde sur les berges du lac. L'avait-on raccompagnée comme il l'avait expressément demandé ?

Il songea aussi au choc qu'elle avait dû subir.

Happé par les courtisans qui commençaient dès à présent à lui faire leur cour, il se sépara de Galaé. En se retournant, il vit que sa femme discutait à mi-voix avec un jeune officier, et la chose lui déplut.

Emporté comme sur un flot impétueux, il se sentait seul, petit et misérable. Simos hochait la tête comme s'il essayait de le comprendre. Sermonille lui souriait. Mais que valait le soutien d'un capitaine et d'un vieux précepteur ?

★

Dans la foule, une femme de haut rang dont les épaules, la tête et le visage étaient recouverts d'une mantille de soie mauve parlait elle aussi avec ses serviteurs.

Dame Bellissandre de Plessac était de passage à Goromée pour ses affaires quand la nouvelle du malaise de l'empereur l'avait brusquement tirée du lit.

À Bridine, sa fidèle servante, elle confia la tâche de contacter les dames d'atour de la princesse Galaé.

— Cette fille étrangère va bientôt devenir impératrice, souffla-t-elle. Il est essentiel de l'avoir de notre côté.

Bridine avait compris.

Bellissandre se tourna ensuite vers le groupe de banquiers, ses clients.

— Messieurs, ce prince ne m'inspire aucune confiance. Nous tenions son père. Je vous laisse le soin d'expliquer à ce jeune coq où est son intérêt.

Les hommes saluèrent, puis se dispersèrent.

Les uns allèrent aborder le premier ministre, les autres s'inclinèrent devant les oncles du prince et le général Mantelon. Aucun appui ne devait être négligé.

Cette nuit, le sort venait brutalement de modifier la donne du jeu politique en Gorée, mais aussi dans tous les royaumes voisins. Chacun était inquiet pour sa situation : les membres de la confrérie de la Spirale comme les courtisans, les officiers, les ministres et les riches banquiers.

Le feu aux poudres

Torance prit la longue-vue que lui tendait le général Silophène et étudia les murailles de la cité retranchée de Mylandra.

Après quelques minutes d'observation silencieuse, il s'accroupit, ramassa une motte de terre, la porta à son visage. Solena, mais aussi Talos, Honario, Mulgor et Kessaline qui l'entouraient sourirent, car cette habitude qu'avait le prince de sentir la terre était devenue entre eux un sujet de plaisanterie.

— Peurs, doutes, nervosité, déclara Torance.

Il voulut ajouter quelque chose, mais Honario lui coupa la parole :

— Je ne suis pas d'accord, père !

Kessaline posa sa main sur le bras du jeune homme. Ils en avaient déjà discuté.

Torance approuva. C'était le choix le plus logique, et dans les circonstances le plus juste.

— Mais aussi le plus périlleux ! insista Honario.

Solena se permit de les interrompre.

— Souvenez-vous de ce que nous a dit mon père…

Chacun se tut et mesura ses paroles. Depuis cette nuit fatidique où le Mage errant était réapparu à Torance et Solena, ils avaient repris leurs préparatifs de guerre. Ayant battu le rappel de ses troupes, Torance avait reformé son armée d'autrefois. Nombre de ses anciens soldats n'étaient plus en âge de se battre, mais ils avaient eu des fils vigoureux. Et puis la renommée du chevalier de cristal était telle que les volontaires avaient afflué de Reddrah, mais aussi des Terres de Vorénor et d'ailleurs.

Cristanien et Vorénius avaient de leur côté entamé des pressions d'ordre économique, mais aussi diplomatique contre l'Empire. La mésentente au sujet de la venue du Prince messager à Goromée avait de nouveau été invoquée pour justifier des mesures «punitives» qui avaient frappé le commerce. Ce signal n'ayant pas été entendu par l'empereur de Gorée, les deux rois avaient dû se rabattre sur la diplomatie. Pourquoi, alors que les peuples réclamaient le Prince messager, le Saint-Siège de Goromée refusait-il de considérer même la tenue d'une commission épiscopale ou bien d'un conclave qui seraient chargés – Torance avait donné son accord – d'établir son identité une bonne fois pour toutes?

Cette question n'avait soulevé que mépris et quolibets dans l'entourage du Premius.

Le travail des ambassadeurs ayant échoué – tel que l'avait prévu Mérinock lorsqu'il s'était manifesté à Torance et à Shanandra –, il avait, hélas! fallu recourir à la voie des armes.

Ce qui les avait conduits par voie maritime dans le royaume méridional de Mylandre, l'ancien fief de la famille de Kessaline.

Torance leva la main. Puis il s'avança en compagnie de la princesse, chacun juché sur un destrier blanc. Solena sourit à son époux. Ils ne se faisaient aucune illusion à propos de leur démarche, mais elle devait être tentée.

La plaine qui entourait la cité capitale de Mylandra était déserte. Les chariots des marchands ainsi que leurs tréteaux avaient été ramenés à l'intérieur des murs. Les huttes en bois qu'ils avaient montées à la hâte – c'était l'époque des marchés d'été – étaient vides. L'échine basse, des chiens errants les regardèrent passer.

Derrière Torance et Kessaline attendait l'armée qui piaffait d'impatience.

— Les gens ont été prévenus de notre venue, souffla le prince à la jeune fille.

— Je n'aime pas ce silence, admit-elle, les lèvres pincées.

Kessaline était devenue une superbe adolescente. Grande, mince et altière, elle arborait une chevelure flamboyante et un visage piqué de taches de rousseur qui faisait tourner bien des têtes.

Après des mois de tractations diplomatiques inutiles destinées à rendre à Kessaline la suzeraineté des États de son père, il avait été convenu de se déplacer en personne; d'autant plus que nombre de *Mylandrins* insistaient pour recevoir le légendaire Prince messager.

Torance arrêta son cheval à un jet de pierre de la porte monumentale.

Au sommet des tours de guet, ils distinguaient des soldats et des officiers. Torance pointa sa longue-vue, reconnut les pans brodés d'or d'une tunique de noble: sans doute le gouverneur mis en place par Goromée pour remplacer le comité de brigands qui avaient jadis détrôné et persécuté la famille de Kessaline.

— Ils ne céderont pas facilement, tu sais, dit Torance tout bas.

La princesse hocha du chef.

Le chevalier de cristal, alors, inspira profondément :

— Nous sommes venus vous demander de nous accueillir pacifiquement ! clama-t-il.

Sa voix s'éleva dans l'air empesé de poussière. Phramir passait et repassait au-dessus des murailles.

Le prince reprit :

— Vous savez qui je suis ! Vous savez qui est cette princesse ! Peuple de Mylandre, ouvre-nous tes portes et la faveur de mon divin père sera sur toi pour les siècles à venir !

Torance rechignait à l'idée de se prévaloir du titre que lui avait, au cours des siècles, octroyé le clergé du Torancisme. Mais dans les circonstances, Solena y voyait des avantages. Les peuples croyaient en effet en général aux dogmes prêchés par le Torancisme officiel. Pour entrer dans la cité sans verser une goutte de sang, il fallait jouer cette carte de la sensibilité et de la terreur inspirée par la désobéissance à Gaïos.

Un noble s'avança au sommet des créneaux. Au drapé et à la teinte de sa tunique, il s'agissait d'un grand légide.

— Nous ne recevons pas les usurpateurs ! laissa-t-il tomber, plein de morgue.

Kessaline se pencha vers Torance :

— Tante Solena a eu une transe, tout à l'heure. La population de Mylandra est divisée. Une majorité voudrait nous laisser entrer. Ils sont curieux et fervents. Mais les bourgeois, les fonctionnaires et des nobles refusent. Tous ont peur.

— Partez, ajouta le prélat, et il ne vous sera fait aucun mal !

Les créneaux se hérissaient de têtes. Malgré les menaces de l'armée mylandrine, le peuple se manifestait en grand nombre.

Torance haussa le ton :

— Oserez-vous braver le Prince messager ?

Une voix tomba des murs :

— Usurpateur !

— Cette jeune fille est votre princesse légitime ! clama Torance.

Pour toute réponse, une flèche frôla la gorge de Kessaline. Son cheval se cabra. Les créneaux se couvrirent soudain d'archers.

— Attention ! s'écria le prince en saisissant l'étalon par la bride.

Une pluie de flèches s'abattit. Torance tendit ses bras.

Pris de folie, les traits d'arbalètes se dispersèrent dans tous les sens – certains firent même volte-face et se plantèrent tout près des soldats.

Un souffle de peur passa au-dessus des murailles.

Levant de nouveau sa main, Torance fit enlever à distance le grand légide présomptueux par les serpents invisibles. Suspendu tel un pantin à l'aplomb des murs, l'ecclésiastique geignait comme un goret.

Un ordre fut lancé.

Du haut des tours fut déversée de la poix brûlante. Un cor, puis deux sonnèrent.

Torance se retourna sur sa selle.

— Non ! s'écria-t-il.

Trop tard.

Son armée s'ébrouait. Mulgor ou Silophène avait donné l'ordre de l'assaut.

Dépassé par les événements, le prince relâcha le légide, puis il envoya les serpents invisibles sur les portes de la ville. Un craquement sinistre retentit.

Il entraîna Kessaline à l'écart.

— J'espère, lança-t-il, que les hommes respecteront les consignes...

Kessaline savait que Torance avait formellement interdit toute tuerie inutile, tout pillage et tout viol.

Aussi attristée que lui, la princesse ne put que hocher la tête.

★

La nouvelle de la prise de Mylandra atteignit Goromée douze heures plus tard.

Kal-Houré était un lève-tôt. Depuis l'accident cérébral qui avait terrassé son père, il avait l'habitude de faire, avant le lever du soleil, une promenade sur les terrasses désertes de son palais.

Le matin, disait-il, l'air est plus pur, plus propre. Comme s'il n'était pas encore alourdi par les pensées humaines.

Le prince héritier avait passé les premières semaines de sa régence à essayer de comprendre chaque rouage de son gouvernement : une tâche surhumaine qu'il avait pourtant menée à bien avec une relative facilité. Sermonille n'en revenait pas de voir son élève, autrefois si dissipé et indolent, se transformer en un monarque aussi motivé !

Il n'était pas le seul.

Tous ceux qui avaient espéré dominer le jeune prince impérial en étaient pour leurs frais.

Kal-Houré possédait une sorte d'instinct qui lui permettait de saisir les véritables enjeux d'une situation, et, surtout, de démêler l'écheveau volontairement confus du discours de ses principaux ministres et hauts fonctionnaires.

Après sa promenade matinale et un solide petit déjeuner, il siégeait au grand Conseil, écoutait les débats, puis intervenait sans respecter l'usage qui donnait à l'empereur des temps précis pour interrompre les ministres. Ensuite, il mangeait légèrement et tenait des audiences publiques au cours desquelles chacun pouvait se présenter à lui et demander son arbitrage pour régler un éventuel litige.

En quelques sessions seulement, il avait identifié l'important trafic d'influence qui présidait à chaque prise de décisions importantes du Conseil. Plusieurs factions s'opposaient par le biais de représentants plus ou moins officiels.

Les ecclésiastiques avaient non seulement une opinion religieuse, mais également politique – sous le couvert, bien sûr, de ne chercher qu'à conserver leur influence spirituelle ! Le groupe composé des courtisans et des nobles était quant à lui divisé en deux. Le premier était aux ordres de Drominor, le plus vieil oncle de Kal. L'autre à la solde des financiers, banquiers et bourgeois qui avaient presque toujours une opinion opposée à ce dernier. Étonnamment, Kal avait compris qu'il ne pouvait véritablement s'appuyer que sur l'armée et le général Mantelon qui était un ancien frère d'armes de son père.

C'est en louvoyant sans cesse entre ces factions opposées, et, au besoin, en les dressant sans en avoir l'air les unes contre les autres, que l'empereur pouvait réellement prétendre gouverner.

Contrairement à tous les jeunes princes, Kal n'avait pas commis l'erreur d'essayer de faire table rase des protocoles existants. Avec une intelligence instinctive des choses et des êtres, il avait au contraire pris le parti de séduire tour à tour chacune des factions afin d'identifier les meneurs.

Ce jeu politique qui aurait pu fasciner un prince plus «intellectuel» dégoûtait franchement Kal-Houré. Mais comme le lui disait Mivah, il n'avait d'autres choix, en ce moment, que de se plier à certaines règles pour, plus tard, en fléchir d'autres.

Ce matin-là, suivi par le capitaine Simos et deux soldats de sa garde, Kal marchait sur le long déambulatoire qui faisait le tour des jardins. Il réfléchissait à ses dossiers du jour quand trois silhouettes coururent à sa rencontre.

Les gardes dégainèrent leurs épées.

Au dernier moment, car l'aube était grise et des nappes de brouillards s'accrochaient encore aux feuillages des arbres, Kal reconnut le général Mantelon, Nantloue, son premier ministre en titre, ainsi que son ancien précepteur.

Les trois hommes étaient hors d'haleine – le ministre et le précepteur plus que le militaire dont la vie, plus spartiate, l'aidait à se maintenir en forme.

— Votre Altesse !

Kal échangea un regard entendu avec Simos, puis il sourit en entendant ce titre que l'on continuait à lui donner malgré les récents événements. Il faut dire que tant que vivrait son père, il ne serait que prince régent et non empereur en titre.

Il leur indiqua des bancs de pierre.

Seul Sermonille profita de la générosité du prince : les autres préférèrent demeurer debout devant lui tandis que ses gardes du corps s'éloignaient respectueusement de quelques pas.

— Prince, commença le général, ce que nous craignions est arrivé.

Il le mit au courant de la prise de Mylandra, tombée en à peine une heure de combat.

— La garnison que nous avions envoyée a été décimée.

Kal fronça les sourcils. Il avait longuement hésité avant de donner son accord à ce transfert de troupe.

Il écouta tour à tour les trois hommes ainsi que les solutions qu'ils proposaient.

Ainsi, le Mage errant « frappait » un grand coup. Se servant du fait que le Premius refusait à celui qui se prétendait le Prince messager de venir librement prouver son identité à Goromée, il avait posé un premier geste d'agression.

— Mais n'était-ce pas précisément ce que vous vouliez ? demanda ingénument Kal-Houré.

— Certes, Votre Altesse, grommela le premier ministre.

Kal poursuivit sans hausser le ton.

— L'envoi de nos troupes et l'ordre que vous avez donné à l'officier commandant de ne pas permettre aux Mylandrins, sous peine de mort, d'accueillir le Prince messager, ne laissait pas le choix au Mage errant.

— Nous parlons ici de stratégie, minauda le ministre tandis que le général gardait le silence.

Sermonille annonça ensuite que le peuple « délivré » de sa peur avait fait bon accueil au Prince messager et à la princesse Kessaline.

Kal avait déjà entendu parler de cette princesse. N'avait-elle pas été portée disparue pendant les révoltes qui avaient jeté sa famille sur les routes de l'exil ?

— Apparemment, elle a été recueillie, bébé, par le Prince messager et sa compagne, précisa Sermonille.

Le soleil majestueux se levait sur Goromée. Bientôt, les marchés se rempliraient de serviteurs zélés, de négociants avaricieux.

— Il faut réagir au plus vite, Altesse, aboya le général. Déjà, les garnisons des autres villes du royaume de Mylandre ont prêté serment au Prince messager.

Le premier ministre reprit la parole :

— Le Premius exige de son côté que nous lui fournissions des garanties sur…

Kal leva sa main. L'heure du Conseil approchait. Il les invitait tous trois à se rendre dans l'enceinte. Là, ils définiraient ensemble une stratégie de défense.

Forcés de se retirer, les trois hommes demeuraient inquiets. Seulement, Kal avait besoin de temps pour réfléchir, et aussi de prendre l'avis de Mivah qui l'attendait impatiemment dans ses appartements…

LA CÉRÉMONIE DU COUCHER

Le vent remuait doucement les draperies au-dessus de la couche impériale. Venu pour sa visite quotidienne à son père, Kal toussota. Aussitôt, les domestiques qui prenaient soin de l'auguste malade s'inclinèrent devant le prince, et se retirèrent. Simen se permit quelques paroles. Il trouvait que les filles de Sa Majesté montaient une garde trop assidue autour de l'empereur, et que cela nuisait aux soins dont il avait besoin.

Il s'engagea à obtenir pour son père plus de calme durant la journée. Puis, laissant les gardes en faction aux portes de la vaste chambre, il alla se recueillir seul devant le souverain.

Brasius dépérissait à vue d'œil. Son teint était livide. Impotent, nourri à la petite cuillère, il ressemblait à un cadavre en sursis qui ne s'accrochait à la vie que par la force de sa volonté.

Kal joignit ses mains sur son front.

Comme chaque soir, il adressa à son père un résumé des événements survenus durant la journée ; plus pour bien se les représenter à lui-même que pour espérer une réponse.

Durant le Conseil, il avait été décidé de réagir fermement à la prise de Mylandra. L'arrivée d'une armée ennemie, sur les côtes du royaume de Mylandre, était et devait être considérée comme un acte de guerre même si la princesse Kessaline en était la légitime souveraine ; même si le Prince messager commandait cette armée.

Le Premius de Goromée avait semblé ennuyé par cette décision qu'en vérité il défendait bec et ongles. Il ne voulait pas passer, aux yeux des peuples, pour le Premius qui avait combattu le Prince messager que tous étaient censés vénérer. Et en même temps, il n'était pas question pour lui d'abdiquer son pouvoir au profit d'un pantin manipulé par le Mage errant.

Finalement, une opération armée menée au nom de la défense de leur foi menacée par un usurpateur s'inscrivait dans l'ordre des choses. Les peuples, en tout cas pour la majorité silencieuse en proie au doute, se laisseraient facilement convaincre de marcher contre un faux Prince messager.

Tous les grands de l'empire avaient applaudi à l'annonce de cette motion. Malgré les esprits surchauffés, Kal avait réclamé un temps de réflexion.

À sa question : croyez-vous que cet homme puisse être le véritable Prince messager revenu pour nous remettre sur le droit chemin ? Personne n'osa donner une réponse claire ou tout simplement honnête.

Kal devait donc encore peser le pour et le contre. S'il entrait en guerre et marchait au sud contre l'armée de celui que l'on appelait aussi le chevalier de cristal, il risquait de soulever contre lui la partie de ses peuples convaincue que ce chevalier était bien le Prince messager ressuscité. De plus, ses frontières nord seraient momentanément dégarnies et vulnérables à des attaques venant des empires réunifiés de Vorénor et de Reddrah.

Il allait lui falloir rassembler des centaines de milliers d'hommes. La Gorée en avait-elle les moyens après les échecs répétés des précédentes tentatives d'invasion de Vorénor?

Le Premius, tout vaniteux et orgueilleux qu'il fût, avait bien résumé la situation.

Si l'armée du faux Prince messager continuait à remonter vers le nord – il visait directement Goromée –, l'État ne serait bientôt plus en mesure de réunir ses armées.

Devant une carte du continent dépliée, il avait été décidé que les plaines encaissées et rocailleuses entourant l'ancienne cité de *Midon* constitueraient un champ de bataille idéal. Car la volonté du Mage errant était évidente aux yeux des ecclésiastiques : il voulait abattre l'Église, puis la réformer comme il l'avait fait dans les royaumes nordiques de Vorénor et de Reddrah.

Des bruits de pas troublèrent soudain les pensées du prince.

Il se retourna et grimaça.

— Galaé.

La princesse régente s'inclina devant lui. Ses dames d'atour agirent de même.

— Il est l'heure, mon époux.

La foule des courtisans avançait derrière le cortège de la princesse. N'ayant d'autre choix, Kal prit le bras de sa femme et tous quittèrent les appartements impériaux pour se rendre dans le bâtiment connexe où se trouvait la Maison du couple régent.

Chaque soir, la faune du palais assistait ainsi à la cérémonie du « coucher ».

Kal détestait ce moment particulier de la journée, car il avait l'impression – avec raison – que derrière tous ces nobles se cachaient d'ignobles calculateurs et spéculateurs.

Le couple impérial allait-il cette nuit – finalement – consommer son mariage? Grâce aux rumeurs répandues un peu partout dans le palais, la ville et même l'Empire par les dames d'atour de Galaé, chacun savait que la non-consommation de leur union n'était pas le fait de la princesse qui aimait son époux.

Est-ce que, finalement, ce beau et vaillant prince n'appréciait pas la compagnie des femmes? N'aimait-il ni l'amour ni les gestes tendres à porter aux représentantes du sexe opposé?

L'intendant de leur Maison les conduisit derrière les paravents de soie où chacun se dévêtit. Puis, habillés uniquement d'une tunique de nuit transparente, les époux furent mis au lit. On tira les courtines. Peu après, les courtisans quittèrent la chambre.

Lorsque Kal fut certain que les portes avaient bien été refermées, il se leva et chassa les domestiques qui se croyaient le droit de rester encore, recroquevillées dans un coin ou blotties derrière une colonne.

Épuisé autant par sa journée que par ce cérémonial suranné, Kal revêtit une longue tunique de coton.

— Que fais-tu? s'enquit Galaé.

Le prince haussa les épaules, car il se rhabillait ainsi chaque soir après le départ des courtisans.

Galaé écarta la courtine, se dressa sur un coude. Son visage était indéchiffrable. Était-elle frustrée? Profondément blessée? Triste ou en colère? Kal avait cessé depuis des mois d'essayer de lire en elle... et en lui!

— Fuir ne nous aidera pas, tu le sais.

Il rajusta sa ceinture, s'assit pour nouer ses galvas autour de ses mollets.

— Fuir soir après soir ne t'aidera pas non plus à t'affirmer aux yeux de tous ces courtisans que tu méprises. Pour les dominer, il te faut devenir un homme. Et pour cela...

Kal grommela qu'il était un homme «à ses propres yeux», ce qui était bien suffisant pour tenir ces chacals à l'écart.

Une odeur de pomme verte et d'amangoye flotta sous ses narines. Il redressa la tête et cessa de respirer. Les seins nus de Galaé se dressaient devant son visage. Sa taille élancée, son ventre plat, ses cuisses pleines le retenaient prisonnier de leur ombre. Doucement, la jeune femme approcha la tête du prince de sa poitrine, de son ventre.

— Suis-je donc si laide?

Elle s'agenouilla, le fixa au fond des yeux.

Après une brève hésitation, Kal la repoussa.

— Tu commets une grave erreur! siffla-t-elle.

Un bruit de vase brisé retentit derrière lui.

Galaé ajouta, menaçante:

— Tu penses que j'ignore où tu vas ainsi chaque nuit! Je suis du sang des nobles reines de Dvaronia. Méfie-toi!

★

Kal franchit une porte, bouscula les soldats de sa garde qui devisaient joyeusement avec des courtisanes qui s'étaient attardées.

Simos fit mine de le suivre: il l'en empêcha d'un geste.

— Pas ce soir, capitaine…

Que pensaient ces hommes et ces femmes de son étrange conduite amoureuse? Kal-Houré Vahar Sarcolem était pourtant un homme bien fait, musclé et viril à souhait. Il ne semblait pas non plus intéressé aux gens de son sexe et se plaisait en galante compagnie.

Il profita de l'obscurité pour escalader un mur, gagna les jardins maudits par les toits et s'engouffra dans les quartiers abandonnés des princes et des princesses d'autrefois.

Mivah l'attendait, comme convenu, à l'endroit habituel.

Harassé, il se laissa choir près d'elle. La jeune fille le prit dans ses bras et le berça.

Au bout de quelques minutes, elle lui parla avec douceur comme à un homme en colère ou à un enfant indiscipliné qu'il fallait apaiser.

— Tu sais que j'écoute ce qui se dit dans le palais et dans la ville, Kal. Et franchement…

Le prince se raidit.

Il savait ce que Mivah allait lui dire, car il se le répétait déjà à lui-même.

— Tu dois faire l'amour à Galaé. C'est ton devoir d'homme, de prince, de futur empereur ! Comment peux-tu traiter d'égal à égal avec des ministres, des ambassadeurs et des généraux qui tirent toute leur force de pouvoir donner du plaisir à leurs femmes quand tu leur parais toi-même si diminué devant ton épouse !

Kal eut beau répondre qu'il était un homme – elle le savait d'ailleurs fort bien !

— Ce n'est pas moi que tu dois aimer, et tu le sais.

Kal s'adossa contre la paroi. Il avait mal au dos, aux épaules, à la nuque. Il tournait la tête à gauche, puis à droite comme un fugitif qui ne sait où aller, et il gémissait de douleur.

— Le pouvoir n'est pas fait pour toi. Régner tue beaucoup de rois.

En un geste passionné, il chercha à l'enlacer, à l'embrasser. Mais elle se déroba.

— Va retrouver Galaé.

— Tu ne m'aimes donc plus ?

— Tout au contraire !

Kal lui avoua ce qui le terrifiait.

— Je rêve souvent... il se racla la gorge, se reprit... Ce sont plutôt des cauchemars. Mais dans ces transes, je rêve que Galaé m'assassine. Nous faisons l'amour ensemble, et après elle m'égorge. Je vois mon sang sur ses mains. Je vois son visage triomphant. Je sais alors qu'en vérité elle me hait.

Un long silence suivit cet aveu.

Après s'être volontairement imposé un délai de réflexion, Mivah répondit avec douceur :

— Tes rêves sont peut-être vrais. Cependant, ils ne te montrent pas l'avenir, mais le passé.

Kal écarquilla les yeux.

— Le passé, mon amour ! renchérit Mivah. Galaé et toi avez peut-être vécu ensemble autrefois. Et les émotions d'hier ressurgissent entre vous aujourd'hui.

Kal voulut parler : elle posa un doigt sur sa bouche.

— Deux âmes ennemies doivent se réconcilier, Kal. Il n'y a que cette solution pour retrouver le chemin de lumière qui te conduira dans les bras de ton Âme supérieure.

Les idées se bousculaient dans sa tête.

— Je ne suis pas un légide ou une mystique, mais cela me semble... logique.

Kal la regarda comme pour la première fois.

— Est-ce ce que l'on t'enseigne au noviciat des vierges de Torance ?

Elle secoua la tête.

— J'ai conscience de parler comme une hérétique. Mais c'est plus fort que moi. Je crois en l'attraction naturelle des âmes. Toi, moi, Galaé, ton père, d'autres peut-être avons déjà vécu ensemble par le passé ou tout au moins partagé des événements émotionnels profonds qui ont laissé leur trace en nous. Ce sont ces traces, comme des souillures, dont nous devons nous défaire.

Kal imagina cette même tirade prononcée en public devant un cénacle de grands légides. Mivah serait immédiatement rejetée du giron de l'Église, mise aux arrêts, condamnée à la prison à vie.

Pourtant, ce dont elle parlait ne lui semblait ni étonnant ni terrifiant.

Il se rappela avoir ressenti une aversion doublée d'une peur irrationnelle dès sa première rencontre avec sa future femme.

La voix de Mivah trancha le fil de ses réflexions :

— Va, Kal. Retourne auprès de Galaé. Car l'aimer est peut-être la voie qui vous conduira tous deux à la réconciliation.

— Tu veux dire faire l'amour avec elle ?

— Pas seulement cela. Mais l'aimer vraiment ou tout du moins essayer.

Puis, l'épreuve se révélant au-dessus de ses forces, elle le supplia de la laisser partir.

✳

Mivah pleurait. Non pas à cause de ce qu'elle venait de dire au prince, mais sur le tragique de leur situation.

En marchant dans le sous-bois parfumé qui séparait les jardins maudits du muret donnant accès aux bâtiments lugubres du noviciat, elle songeait combien Kal et elle étaient proches. Combien ils l'avaient toujours été, même quand elle le croyait – et l'espérait ! – simple domestique.

Pourquoi avait-il fallu qu'il soit né prince ?

Pourtant, si l'on se référait à son propre système de croyances, le corps importait moins que l'âme qui l'habitait.

Ces préceptes ne figuraient pas bien sûr au programme d'instruction des futures religieuses. Mivah devait donc convenir que ces croyances étaient profondément ancrées en elle. Qu'elles surgissaient de son inconscient à la faveur du drame qu'elle vivait auprès de Kal.

Une voix la fit soudain sursauter.

— Tu te nommes Mivah, n'est-ce pas?

La jeune fille frissonna.

Devant elle, à moitié cachée derrière un massif de feuillus se tenait une femme enveloppée dans un manteau. Son visage était drapé sous un bourmouq de soie.

— Je te connais. Je sais qui tu es.

Mivah voulut fuir cette voix, cette présence, mais elle n'en avait plus la force.

— Ce que tu fais est mal. Retenir un homme loin de sa femme légitime est un crime contre Torance. Qu'apprends-tu donc chez les novices?

— Qui êtes-vous?

Fautive en apparence, elle entendait toutefois se défendre.

— Je connais le devoir d'un prince envers son épouse, madame, et je...

— Tu as mis les pieds dans un nid de vipères, jeune Mivah. Pour survivre, il te faut fuir loin et vite avant qu'il ne soit trop tard.

Prise de terreur, la novice tendit les mains pour repousser cette apparition de cauchemar.

Elle devait regagner son dortoir avant de perdre le contrôle de ses nerfs.

— C'est ça, l'encouragea l'apparition. Cours, cours!

Lorsque Mivah fut hors de portée, la femme appela son complice. Elle tira de sous sa robe un sabrier fixé sur sa cuisse dans un étui en cuir, le remit au jeune officier déguisé en brigand et murmura:

— Fais ce que tu dois.

L'homme échangea un long regard d'adoration avec la princesse Galaé, puis il bondit comme un fauve.

LA POUSSIÈRE D'ÉTOILES

Mivah courait entre les buissons. Le gong du premier office du matin sonnait au clocheton du noviciat. À chacun de ses échos répondait le battement affolé de son cœur. Elle imaginait ses amies en train de se lever, engourdies de froid et de sommeil. La fille désignée la veille pour la corvée d'eau irait faire la queue, deux seaux dans les mains, devant la fontaine. Il lui faudrait bien une heure pour ramener l'eau nécessaire pour que toute la chambrée puisse se laver le visage et les mains! Ensuite, les novices prendraient un petit déjeuner dans la salle de pierre, sous les voûtes glacées. La sœur Prieur lirait les psaumes sacrés relatant la vie du Prince messager pendant qu'elles mangeraient leur bouillie d'orge et de quimo en silence.

Dong. Dong.

Comme ce son lui paraissait lugubre!

Le muret n'était plus qu'à une vingtaine de mètres.

Son amie Tiglia était censé la couvrir – une fois encore!

Aujourd'hui, Mivah serait sans doute obligée d'aller voir l'intendante de l'Ordre. N'ayant pas dormi ou presque, elle serait fatalement faible et blême, ce qui lui vaudrait quelques reproches et une prescription de plantes calmantes. Puis, on la dispenserait de l'office de l'après-midi et des travaux d'aiguille pour qu'elle puisse aller se reposer.

Mivah avait conscience que ses escapades nocturnes ne pouvaient durer éternellement. Déjà, Kal lui avait proposé de la faire sortir du noviciat. Mais la jeune fille avait du mal à s'imaginer dans la peau d'une maîtresse ou d'une favorite impériale.

Soudain, une douleur au ventre la plia en deux. De la bile lui monta aux lèvres.

Ce n'était pas la première fois.

Une ombre passa au-dessus de sa tête. Elle crut qu'une créature de cauchemar – cet oiseau aux ailes d'or et à la mâchoire de crocodile apparu dans un de ses derniers rêves – l'attaquait.

Mais il ne s'agissait que d'un homme.

Vêtu de haillons, le visage à moitié caché sous une barbe mal entretenue et d'épaisses mèches de cheveux, il la jeta sur le sol et s'assit sur ses jambes.

Mivah crut qu'il en voulait à sa vertu. Mais le brigand promena la lame d'un sabrier sur sa gorge.

— Je suis désolé pour toi, petite, murmura-t-il à son oreille, mais tu dois mourir.

Sa main pesa sur la bouche de la novice.

Elle anticipa la douleur, puis le flux de sang tiède qui ne manquerait pas de gicler sur son visage.

C'est l'heure…, songea Mivah en fermant les yeux.

Elle n'avait pas peur. Sa vie avait été courte, mais intense. Et puis, contrairement à Tiglia et aux autres, elle avait aimé.

Quelques secondes s'écoulèrent.

Lorsqu'elle rouvrit les yeux, elle laissa échapper un cri de stupeur.

Son assassin était étendu de côté sur le sol, sa bouche et ses yeux grands ouverts. Un filet de sang coulait de ses oreilles.

— Il est mort, dit une voix.

Mivah repoussa le corps de l'étrange brigand et rampa jusqu'à un rocher couvert de bruyère. L'aube, grise un moment plus tôt, semblait constellée d'étincelles aux reflets cuivrés.

Une silhouette s'approcha.

— N'aie pas peur, fit l'inconnu, je suis ton ami.

L'homme était vêtu d'un kaftang de peau. Il planta son kaïbo dans la terre et s'assit près d'elle.

Son visage était recouvert d'une *quiba*. Du flot de tissu dépassait une longue chevelure blanche striée de mèches bleues.

— Je suis Mérinock, enfant, déclara le Mage errant.

Nullement effrayée, Mivah avait l'impression de vivre un rêve.

— Je vous connais, n'est-ce pas? avança-t-elle d'une voix hésitante.

— Nous nous sommes déjà rencontrés par le passé ainsi que dans tes rêves.

— Vous êtes… mon ami?

— Et celui, aussi, de Kal-Houré. Je suis venu parce que tu te poses mille questions depuis que tu as découvert que Kal était le prince impérial. Je suis venu parce que tu as un rôle de premier plan à jouer dans les événements qui vont bientôt bouleverser la Gorée.

Il approcha ses grandes mains de son visage, les plaça de chaque côté de ses tempes.

— Je suis aussi venu te révéler qui tu es et qui tu as été, pour que tu puisses prendre une importante décision de manière aussi libre et éclairée que possible.

Le contact de ces mains, si chaudes dans l'aube froide, était enivrant. Mivah s'y abandonna avec confiance.

Le voyage ne dura que quelques secondes. Pourtant, elle eut le temps de se voir dans d'autres corps, dans d'autres époques.

— C'est bien, l'encouragea Mérinock. Laisse le passé remonter à la surface de ton âme présente.

Mivah entendit un empereur l'appeler Amrina et «mon amie». Elle en entendit un autre la nommer «ma fille» et Belina. De jeunes nobles la saluaient avec déférence.

Elle se vit ensuite sur un ponton, face à l'océan. Deux enfants jouaient à ses pieds et un homme roux l'enlaçait et l'appelait «mon amour». Dans l'instant, elle eut la certitude que ces enfants étaient les siens, que cet homme était son mari.

— Tu as déjà vécu avec Kal-Houré, lui souffla le Mage. Vous avez eu des enfants ensemble. Mais cette dernière existence a été semée de peines et de douleurs.

«Aujourd'hui, poursuivit-il, malgré les apparences vous pouvez mener tous deux une nouvelle vie faite d'amour et d'harmonie. Vous pourriez apprendre beaucoup l'un de l'autre.»

Mivah revint de son voyage, cligna des paupières, lutta contre un léger étourdissement.

Le Mage posa une main sur son ventre.

— La vie, Mivah, songes-y! Comme celle qui grandit en toi. Une existence heureuse avec Kal-Houré et vos enfants d'autrefois. Une vie loin des tracas politiques.

Le cœur de Mivah se serra.

En même temps, une exaltation sans pareille l'envahit et répandit une chaleur de miel dans tout son être.

— Comment? Comment cela pourrait-il être possible? Kal est un prince et moi…

Le Mage se pencha à son oreille.

— Non ! se récria Mivah. Ne dites plus rien. Je ne peux pas.

— Songe que ta vie est en danger, au palais. Vois ce qui a failli t'arriver ce matin.

— Mais, bredouilla-t-elle, Kal est le futur empereur !

— De grands événements sont en préparation. Et tu le sais comme moi, Kal et toi n'êtes pas faits pour cette vie de faste et de constante menace. Vous aspirez à autre chose.

— Je… ne peux pas, répéta-t-elle. Désolé.

Mérinock hocha la tête. Il devait respecter la décision de la jeune femme.

Il leva son poing au-dessus de sa tête et ouvrit sa main. Une pluie d'étincelles en jaillit.

Peu après, le Mage disparut dans une buée dorée et étoilée qui s'effilocha après quelques secondes.

★

— Je propose un toast ! clama joyeusement Mulgor.

Les autres dignitaires présents dans la salle basse et délabrée poussèrent des vivats. Les circonstances, en effet, étaient uniques.

Torance sourit à Solena, puis se leva.

— Buvons à la victoire, approuva-t-il.

Il tendit son hanap de vin, dévisagea chacun de ses généraux et conseillers.

Assis autour de la table branlante, il y avait là Mulgor et Solena bien sûr, mais aussi tous les fidèles de la première heure : Silophène, Amim Daah, Talos et Galice, Kessaline, Honario et quelques autres.

Depuis leur arrivée sur les côtes de Gorée dans le petit royaume méridional de Mylandre, ils avaient mené plusieurs batailles. Dans la province d'Orvilée à l'est, puis dans celle d'Élissandre à l'ouest, ils s'étaient heurtés aux bataillons impériaux envoyés par Goromée pour les stopper. Mais une aura de prestige et de mystère accompagnait l'armée du chevalier de cristal. Une à une, les compagnies goréennes avaient déposé les armes et rejoint leurs rangs.

Issues de milieux populeux, les armées – la piétaille et les archets, surtout! – étaient fascinées par la présence du fameux Prince messager. Malgré les discours hostiles prononcés dans chaque ville par les grands légides, les peuples ne pouvaient se résoudre à prendre les armes contre le Prince Torance ressuscité.

Qu'il soit revenu sous les traits d'un chevalier importait peu. Il était revenu, et cela seul suffisait à leur faire croire qu'avec lui viendrait enfin une ère de paix qui réglerait tous leurs problèmes.

Les membres de la noblesse et les chevaliers goréens impériaux avaient plus à perdre que le petit peuple: leurs biens, leur prestige, leur position à la cour. Aussi avaient-ils poussé leurs cohortes de mercenaires au combat. Mais Torance et ses généraux, aidés par Ershebah et Phramir, en étaient vite venus à bout.

Après des semaines de combats sporadiques et d'entrées solennelles dans les villes conquises, ils avaient dépassé la cité de Pélos et campaient maintenant dans le désert d'Orma-Doria, près de la cité de Midon.

Mérinock communiquait régulièrement avec Solena durant ses transes. Il semblait décidé à en finir une bonne fois pour toutes avec les troupes impériales, ici même dans ce désert riche en souvenirs, avait-il dit, pour tous les hommes et les femmes impliquées dans cette guerre de reconquête du continent central.

L'armée avait pris possession de plusieurs anciens bâtiments laissés à l'abandon, dont cette masure où Torance avait établi son quartier général. Les quelques serviteurs amis qui accompagnaient Torance et Solena leur avaient installé une chambre de fortune. Et ce matin, ils étaient tous réunis pour prendre ensemble le dernier repas avant la grande bataille.

Par messagers, vols de pigeons et signaux lumineux était arrivée la nouvelle que Kal-Houré, le jeune prince régent, se battrait aujourd'hui à la tête de ses troupes.

La bataille serait donc décisive. Soit, le Prince messager serait défait et aux dires du Premius, la « civilisation » et le Torancisme en sortiraient vainqueurs. Soit... Mais les impériaux et leurs alliés, incluant les financiers, une grande partie de la bourgeoisie, les hordes de prélats et toute la noblesse refusaient d'envisager cette détestable éventualité.

Après tout, les forces en présence étaient massivement en faveur de l'empire : plus de cent trente mille hommes contre une armée dérisoire de quatre-vingt mille soldats appartenant à toutes les allégeances et réunie uniquement autour de la personne charismatique du chevalier de cristal et éventuel Prince messager.

Torance savait pertinemment que les impériaux avaient reçu la consigne de ramener sa tête au prince régent et au Premius.

Aussi, l'atmosphère qui prévalait durant ce dernier repas était-elle étrange. Non pas véritablement morose ou triste – tous avaient foi en Torance et en la Cause d'Évernia. Mais certainement empreinte de nostalgie, car, qui allait survivre à cette journée ?

Et que se passerait-il ensuite ?

Le Mage errant avait volontairement gardé cet aspect du Grand Œuvre dans l'ombre. Pour ne pas éparpiller, comme il disait à Solena, la concentration de ses troupes.

Ce faisant, il sous-estimait grandement l'intelligence de ses officiers.

Torance lui-même ignorait ce qu'il adviendrait en cas de victoire. Marcheraient-ils sur Goromée ? Deviendrait-il, avec Solena, le nouvel empereur de l'Empire de Gorée ?

La dernière cristalomancienne hésitait à se prononcer.

Pour elle, mieux valait combattre d'abord, puisqu'on n'avait pu obtenir que Torance se rende pacifiquement à Goromée pour affronter tous les orgueilleux prélats. On verrait ensuite après la bataille.

Torance considéra chacun de ses hommes et amis.

Mulgor était un médecin et un bienfaiteur, un mari et un bon père de famille comblé ou presque, car l'homme de science et accessoirement de guerre n'arrêtait pas de s'étourdir dans de nombreuses causes : les enfants de Reddrinor, la recherche d'un traitement efficace contre les différentes sortes de peste. Mais aussi la conception de nouvelles machines de guerre. Solena disait qu'il essayait, par ses nombreux voyages à l'étranger, d'échapper à sa femme et à son climat familial. Mulgor avait juré autrefois d'accompagner Torance, et il tenait encore aujourd'hui parole.

Amim Daah avait quant à lui provisoirement renoncé à son poste de grand légide du Torancisme Réformé de Reddrinor pour devenir le prélat en chef des armées du chevalier de cristal. Il souhaitait se faire l'interlocuteur officiel et privilégié qui, en cas de victoire, traiterait directement avec le Premius.

Talos était devenu un général de grand talent. Depuis la prise de Mylandra, il avait fait la preuve de ses capacités. Galice demeurait à ses côtés. Ensemble, ils étaient les joyeux parents de trois enfants, eus avant leur récent mariage, et qu'ils avaient laissés à l'abri à Reddrinor.

Silophène était un autre des officiers à qui Torance aurait confié sa vie. Toujours célibataire, un peu grognon et mystérieux, l'ancien militaire ormédonien n'en était pas moins un maître dans la stratégie militaire et un combattant de premier ordre.

Honario aussi était décidé à se battre. Formé par son père, il était tout à la fois un guerrier – il s'entraînait des heures durant à l'épée et au kaïbo – et un artiste; sculptant avec amour toutes sortes d'instruments de musique, particulièrement des tréborêts dont il jouait pour distraire Kessaline durant les longues soirées d'hiver. Tous deux venaient juste de se marier dans la cathédrale de Mylandra. Et Solena leur avait promis à demi-mot qu'ils seraient de nouveaux unis, cette fois en grande pompe, dans la basilique de Torance, à Goromée.

Devaient également les rejoindre après cette importante bataille les rois Vorénius et Cristanien qui combattaient actuellement contre les alliés traditionnels de la Gorée: les *Midrikiens* à l'est dans le vaste estuaire séparant la Gorée des Terres de Reddrah, et les *Dvaroniens* qui avaient de leur propre chef attaqué à l'ouest les côtes de Vorénor – sans doute pour affaiblir l'allié nordique du chevalier de cristal.

En cette année 566 après Torance, toutes les Terres de Gaïa, excepté la lointaine île-continent de Lem et les Terres inexplorées de l'ouest, étaient en guerre. Pour une idée toute simple: le Prince messager pouvait-il vraiment ressusciter et réclamer le pouvoir spirituel et temporel usurpé autrefois par les légides?

Dans la masure empoussiérée, chacun porta de nouveau un toast et but le vin de l'amitié.

Ils savaient exactement ce qu'ils devaient faire. Ils donnèrent donc l'accolade à Torance et embrassèrent Solena. Puis, ils quittèrent la pièce.

Dehors soufflait un vent à écorner les bœufs. Les chevaux étaient nerveux. Phramir lui-même poussait des cris aigus comme s'il cherchait à prévenir d'autres éphrons.

Certains hommes prenaient d'ailleurs des paris à ce sujet. Verraient-ils, comme cela s'était produit lors de leur bataille contre l'empereur Brasius en Terre de Vorénor, des dizaines d'éphrons d'or se joindre à leurs forces pour écraser l'ennemi ?

Après le brouhaha des conversations et la présence de leurs amis, la pièce semblait sinistre et vide.

Solena aida Torance à ôter sa longue tunique. Elle se retournait pour décrocher le pectoral de cristal de son armure fixée sur un mannequin de bois quand le prince la prit soudain dans ses bras.

Cela faisait des semaines qu'ils ne s'étaient pas aimés. La journée, ils chevauchaient ou bien ils bataillaient. La nuit, Solena restait éveillée et vivait ses transes mystiques.

Eux-mêmes n'en savaient pas beaucoup plus que leurs hommes sur les événements à venir. Le Mage errant conservait un mystère total de peur, disait-il, que les grands légides et les comploteurs de tous ordres, qui utilisaient la cristalomancie morphique, ne percent ses plans à jour.

Souvent, Solena était d'humeur mélancolique.

— Je ressens un immense vide, là, disait-elle en indiquant son cœur.

— Je suis avec toi. Je ne te quitterai pas.

Torance la pressait ensuite de questions sur leur œuvre et leur avenir.

Après tout, ils avaient mis deux de leurs fils sur les trônes de Vorénor et de Reddrah, et réformé le Torancisme dans chacun de ces royaumes. Les peuples vivaient mieux, plus heureux, plus libres et plus longtemps. Leurs âmes bénéficiaient de cet Âge d'or qu'ils avaient commencé à instaurer.

Qu'est-ce qui les attendait réellement à Goromée ?

Solena demeurait silencieuse.

Elle aida son époux à revêtir l'armure de Gorum, lui tendit Ershebah.

— Fais-en un bon usage aujourd'hui, mon amour, dit-elle.

Comme elle baissait le menton, Torance le lui releva, la fixa droit dans les yeux.

— Tu me fais peur. Sais-tu quelque chose que j'ignore? As-tu percé à jour les plans de Mérinock?

Solena l'embrassa sans répondre.

Enfin, elle murmura:

— Va, maintenant. Tes hommes t'attendent. L'Histoire t'attend.

Il sortit. Elle se plaqua contre la porte, colla son œil dans un interstice, le vit monter à cheval.

Entouré par ses officiers, Torance était aussi beau qu'un dieu. Les soldats l'acclamèrent durant de longues minutes. Dans le ciel, Phramir poussa un cri retentissant.

Le prince servit aux troupes une harangue qui exalta leur courage et leur détermination. En l'entendant, Solena comprit que son bien-aimé avait réussi à se brancher avec son Âme supérieure. Il parlait non plus comme un homme, mais comme le Prince messager des livres sacrés.

Il donna le signal du départ.

À cet instant seulement, le corps traversé par une douleur sans nom, Solena se recroquevilla et fondit en larmes.

LA GRANDE BATAILLE DE MIDON

Certains événements marquent l'homme pour la vie, dit doucement Kal-Houré en contemplant la plaine balayée par les vents.

À ses côtés, le capitaine Simos approuva d'un hochement de tête grave et mesuré.

L'armée goréenne était parfaitement alignée. Les chevaux, nerveux, frappaient le sol de leurs sabots. Les yeux mi-clos, le souffle court, les cavaliers tenaient leurs longues lances à la verticale plantées dans la terre tandis que la sueur collait déjà surcots, jambières, heaumes et lanières de cuir à la peau.

Il semblait au jeune prince régent qu'ils se tenaient là depuis des heures. Mais en vérité, le soleil n'était levé que depuis trente minutes, et c'est par petits groupes que l'armée s'était mise en position sur les hauteurs du plus important encaissement rocheux, ou cirque, de la plaine de Midon.

Loin devant eux se massaient les forces ennemies. Pour faire bonne figure, Kal accepta la longue-vue que lui tendait Mantelon.

Le général talonna les flancs de son cheval et se plaça devant la première ligne de fantassins.

Kal écouta son discours ronflant tissé d'affirmations faciles et de formules toutes faites, du genre : « Vous tenez le sort de la liberté au bout de vos piques ! »

Le prince se retint de sourire. Les soldats gonflaient le torse de fierté.

Ils y croient, songea Kal, stupéfait par l'ignorance et la vanité humaine. Il leur suffit que ces paroles tombent de la bouche d'un héros.

Se présenta ensuite une délégation de grands légides qui entourait le Premius en personne. Sa Sainteté portait la toge et le manteau de sa charge.

Sa voix s'éleva et un silence de plomb tomba sur les escarpements rouges et or.

— Vous qui êtes présents aujourd'hui avez été choisis par Gaïos pour sauver notre foi bien-aimée. En face se trouve le bouffon que nous envoient les forces des ténèbres !

Il brandit le long sceptre d'or, au bout duquel scintillait le symbole du Torancisme, et ajouta d'une voix tremblante :

— Vous vous battrez aujourd'hui sous le regard de Gaïos et de son divin fils. Ils vous donneront la force de terrasser l'ennemi ! Ils...

D'autres bataillons, commandés par Dramen et Dromidor, les oncles de Kal, s'ébranlèrent, étouffant sous le bruit de leurs cuirasses les dernières paroles du Premius.

Puis, chaque commandant s'adressa directement à ses hommes.

Kal aussi fut tenu de parler. La veille, aidé de Sermonille, il avait rédigé quelques notes.

Mais alors qu'il observait les lignes adverses et que les discours déjà entendus lui donnaient envie de vomir, tant ils sonnaient creux, il se rappela les conseils que lui avait donnés Mivah.

« Ceux que vous allez combattre sont vos frères même s'ils viennent des Terres de Vorénor ou de Reddrah. As-tu étudié les Préceptes sur lesquels est fondée la Réforme à laquelle ils croient ? Je te parie que beaucoup de tes propres hommes sont d'accord avec ces Préceptes. »

Kal avait longuement caressé et aimé son amante pour calmer ses peurs. Peu avant qu'il ne quitte Goromée, la jeune fille avait en effet été victime d'un attentat mystérieux. Les soupçons de Kal s'étaient aussitôt portés sur Galaé.

Sur l'insistance de Mivah, Kal avait pourtant fait de son épouse une véritable femme ! Il lui avait fait l'amour sans grand plaisir, mais avec détermination. Après s'être pâmée dans ses bras – à moins que son plaisir n'ait été feint –, Galaé était redevenue la fille autoritaire et dévorée d'ambition qu'il connaissait.

Mivah n'avait pas osé ajouter, tôt le matin avant que Kal ne la quitte, que « beaucoup de ses hommes » pensaient *aussi* que le « bouffon » dont venait de parler le Premius était bel et bien le véritable Prince messager ressuscité. Et que c'était donc un sacrilège de lever les armes contre lui.

Alors que se bousculaient ces pensées subversives dans sa tête, Kal-Houré s'avança à son tour devant ses soldats et débita le petit discours qu'il avait composé et répété, seul dans sa tente.

Les hommes poussèrent une clameur. Les cors sonnèrent l'assaut. Les premières lignes s'ébranlèrent.

Kal se remémora une fois de plus le plan de bataille qui était fort simple. Puisqu'ils possédaient des forces supérieures à celles de l'ennemi, la piétaille devait, pourvue de solides boucliers et de longues perches, enfoncer l'armée du chevalier de cristal. En même temps les archers, commandés par le prince impérial Dramen, ne cesseraient de harceler la cavalerie adverse pour y semer la panique et la mort.

Drominor et Mantelon étaient chargés de prendre en tenaille, avec leur cavalerie, ce qu'il resterait des forces ennemies. Il était prévu, en dernier ressort ou si les choses tournaient à leur désavantage, d'armer les catapultes, même si le sol, trop meuble pour supporter ces lourdes structures, rendait leur utilisation périlleuse.

Le général Mantelon, Dramen et Drominor vinrent encadrer le jeune prince et son capitaine des gardes.

— Regardez Sa Sainteté, mon neveu, fit Drominor, méprisant.

Le souverain pontife se retirait avec sa suite et ses grands légides sur une hauteur où ils ne courraient aucun risque durant les combats.

Les hommes s'entreregardèrent : ils étaient habitués à la couardise des prêtres.

Mantelon salua Kal et lui recommanda de ne pas s'exposer inutilement. Il lui rappela aussi qu'en cas de revers, ils possédaient ce que le général appelait avec une joie faussement dissimulée – c'était une idée à lui ! – une arme terrible et secrète !

Il éperonna ensuite son destrier et rejoignit l'aile gauche de l'armée. Dramen et Drominor rabaissèrent la visière de leur heaume après avoir bredouillé des formules de politesse à peine audibles, et s'en furent à leur tour.

Kal savait qu'ils avaient tous trois beaucoup à gagner advenant sa propre mort…

Alors que les troupes s'élançaient, Kal-Houré se rappela les prédictions du Premius. Longtemps, il avait prié Torance et Gaïos, et ceux-ci lui avaient promis une victoire éclatante sur « les forces du mal ».

Kal ne devait intervenir avec son carré de vaillants guerriers que si les événements mettaient à mal leur plan de campagne initial.

Autant dire, songea le prince en souriant à demi à son capitaine, que le général et mes oncles se réservent toute la gloire et ne me laissent qu'un rôle de figurant.

C'était là une piètre performance pour inaugurer un règne !

— Votre Altesse…, osa l'interrompre Simos.

Kal colla sa longue-vue sur son œil et resta pétrifié de stupeur.

Le ciel s'était soudain assombri. Des dizaines d'oiseaux de proie aux ailes déployées formaient un écran d'ombre entre le soleil et le sol.

Les monstres fondirent sur la piétaille et ravagèrent les premières lignes. La plaine ne fut plus dès lors que cris d'hommes et de bêtes.

★

Tôt le matin, après avoir pris un solide petit déjeuner et quitté Solena, les principaux chefs de l'armée de Torance s'étaient réunis sur un escarpement qui dominait toute la plaine.

Là, le chevalier de cristal avait donné ses dernières instructions.

Les forces adverses étaient certes plus nombreuses que les leurs. Mais ils avaient pour eux deux alliés de taille.

Le premier était le terrain même. Durant la nuit, en rêve, Torance l'avait « survolé ». Phramir était présent à ses côtés et lui parlait. Le prince avait vu de ses yeux le cirque principal sur les bords duquel étaient à présent massées leurs troupes. Mais il avait également pris connaissance de la topographie des cirques voisins, plus petits et escarpés. Et, surtout, des goulots ou tunnels de pierres qui reliaient ensemble plusieurs d'entre eux.

Au matin, une stratégie militaire avait surgi dans l'esprit de Torance…

— Et quel est notre second allié ? demanda le brave Talos.

Torance appréciait ce guerrier dynamique. Bâti tout en muscle, beau comme un dieu, il ne restait plus rien de l'ancien esclave qui avait joint autrefois leur rang caché dans une barrique d'eau.

Mulgor, Silophène, Ami-Baah, Honario et d'autres encore attendaient la réponse du prince qui semblait, pour l'heure, assez perturbé malgré son discours enflammé.

Torance résista au flot de tristesse qui l'accablait depuis quelques secondes.

— Notre allié le plus puissant, poursuivit-il, est le doute qui ronge chaque homme de l'armée adverse.

Le doute était à son avis un acide puissant. Beaucoup de ces soldats croyaient qu'il était bien le Prince messager ressuscité.

— Et ils ont raison ! clama-t-il.

Il se dressa au milieu de ses fidèles officiers et s'écria :

— Oui, je suis Torance d'Élorîm, venu avec Shanandra d'Orgk il y a cinq siècles pour donner les Préceptes de vie aux peuples.

En ce matin chaud et doré, il se sentait effectivement et pour la première fois totalement *lui*.

Les serpents lumineux qui flottaient alentour en faisaient foi.

Je suis réellement de retour…, se dit-il. Avec vingt ans de plus, certes, et quelques mèches grises, mais qu'importe !

Il vint se tenir devant chacun de ses officiers, échangea avec eux quelques paroles amicales.

Aujourd'hui se jouait leur sort à tous.

L'Empire de Gorée se trouvait, pour la première fois de son histoire, victime d'une invasion. Comment les populations réagiraient-elles? De plus, celui qui menait cette guerre n'était nul autre que le Prince messager qu'ils vénéraient!

— Oui, reprit Torance en se penchant sur l'escarpement pour embrasser du regard les deux armées postées l'une en face de l'autre. Les soldats goréens se demandent en cet instant s'ils ne mettent pas leur âme en péril en osant brandir leurs épées contre moi.

Il serra Honario dans ses bras.

— Cette bataille sera ta première grande chevauchée, mon fils!

— Nous combattrons ensemble, père!

Torance leur sourit à tous.

Un cor sonna. Par messages lumineux, on rappela les officiers au sein de leurs unités.

Mulgor n'avait cessé d'examiner à la longue-vue la manière dont était disposée l'armée adverse. Il laissa tomber que les archers, comme la piétaille et la cavalerie, avançaient aussi.

— Je prédis que leur cavalerie se scindera en deux pour nous prendre en tenaille.

— Tactique prévisible et pas très originale, approuva Honario.

— Mais terriblement efficace, glapit Silophène qui n'avait jamais fait beaucoup d'efforts, au long des années, ni pour parler ni pour se faire apprécier des autres.

— En terrain ferme et dégagé, je suis d'accord, reprit Talos.

Il échangea un coup d'œil avec Torance.

Soudain, alors même que le prince donnait l'ordre à ses premières lignes de fantassins d'avancer, le ciel se couvrit. Un cri bref et aigu le rassura. Phramir aussi avait promis de participer à la bataille…

36

AU DÉFAUT DE L'ÉPAULE...

L'énorme volatile atterrit sur le surplomb rocheux. Phramir balança sa lourde tête et racla la roche avec ses griffes. Son haleine était pestilentielle, mais ce qui impressionnait surtout c'était la fameuse mâchoire de saurien ornée de dents. Même si un alezan blanc tout harnaché attendait le prince, Torance choisit de monter son fidèle éphron. Du ciel, il aurait une meilleure vue du champ de bataille.

— Tous à vos unités! ordonna-t-il tandis que Phramir reprenait son vol.

Conduire une bataille n'est facile pour aucun général. Un bon système de communication était vital. En la circonstance, envoyer des pigeons voyageurs n'aurait servi qu'à nourrir les éphrons d'or. Par ailleurs, le jeu des miroirs qui permettaient d'ordinaire à un roi de distribuer ses ordres n'était pas plus efficace, car en faisant écran entre le soleil et le sol les éphrons rendaient ce système inopérant.

Tout en s'accrochant aux flancs de son ami ailé, Torance songeait mi-satisfait mi-contrarié que Mérinock devait être derrière cette charge inespérée des éphrons.

Cet homme est un diable à sa façon, songea-t-il en faisant virer Phramir sur le flanc pour éviter une volée de flèches.

L'adversaire venait de réagir à la présence des éphrons. En officier avisé, le général de l'armée goréenne avait ordonné à ses hommes de s'immobiliser et de se protéger en plaçant leurs boucliers sur leurs têtes. Pendant ce temps, des lignes d'archers cachés derrière des rochers décochaient leurs traits meurtriers.

Très bien, se dit le prince.

Il sortit l'éclat de cristal bleu que lui avait remis Solena et le posa sur son front. Initiés par la cristalomancienne, Honario et Talos possédaient leurs propres cristaux de communication. Torance leur envoya par télépathie les informations dont il disposait.

Pendant ce temps, les éphrons plongeaient vers le sol, tendaient leurs pattes griffues et enfonçaient les premiers rangs goréens. Certains volatiles emportaient dans le ciel leur moisson d'hommes qu'ils lançaient ensuite sur leurs compatriotes à la manière de projectiles.

« À couvert ! » hurlaient les lieutenants de bataillons.

Au sol s'organisait la résistance. D'énormes piquets de bois furent enfoncés, puis tendus de cordes élastiques issues de la culture de la sève d'un arbre appelé le *rumbaya*. Les soldats tendaient ensuite ces frondes improvisées et les chargeaient de grosses pierres.

L'une d'elles frôla Torance. Phramir poussa un cri terrible. Peu de temps après, le ciel se dégagea. Torance comprit que son ami agissait lui aussi comme officier de liaison parmi les siens.

Ayant ordonné un repli stratégique de ses troupes, Phramir s'accrocha à une saillie rocheuse et attendit la suite. Torance envoya alors le signal de la contre-attaque générale.

Son cœur battait à tout rompre. Le poids de son armure l'obligeait à fournir plus d'efforts pour se maintenir sur sa monture.

Sous lui se déployaient les armées.

Les deux piétailles se percutèrent violemment. Un fouillis inextricable s'ensuivit.

Décidé à galvaniser ses troupes, Torance ordonna à Phramir de voler en rase-mottes. L'épée tendue, il fit des aller-retour, renversa quelques hommes, déséquilibra plusieurs officiers-commandants, puis il regagna le ciel en évitant les volées de flèches.

Accroché de toutes ses forces aux flancs de Phramir, le Prince messager vit que le gros de la cavalerie goréenne s'apprêtait à fondre sur leur aile gauche.

Mulgor tenait cette aile dangereusement vulnérable.

Torance ordonna à Talos de prêter main-forte au médecin guerrier, et à Silophène de mener à bien la stratégie élaborée durant la nuit.

Phramir se jucha sur une aiguille de grès.

De son poste d'observation, Torance pouvait contempler la plaine de Midon, mais aussi les cirques voisins où Silophène entraînait maintenant la cavalerie ennemie.

La ruse était grossière – sa cavalerie feignait de rompre le combat et de se replier –, mais elle était souvent payante.

Croyant la victoire acquise, l'officier adverse engagea comme prévu sa cavalerie dans le dédale de sentiers rocailleux et de tunnels conduisant dans le cirque de pierre.

Torance jubilait. La cavalerie adverse venait d'être scindée en plusieurs groupes. Son piège fonctionnait à merveille.

Il contacta son fils qui attendait avec ses archers sur les hauteurs.

Une pluie de flèches déchiqueta la cavalerie goréenne.

Le jour avançait. Avec lui, la fatigue s'accumulait. Phramir plongea de nouveau. Il était temps de voir ce que devenaient les troupes lancées dans la plaine – l'endroit où se jouerait l'essentiel de la bataille.

Le prince sentait la victoire à portée de main – les Goréens s'essoufflaient malgré leur supériorité numérique –, quand d'effrayants barrissements retentirent.

Glacé jusqu'au sang malgré la touffeur de l'air, Torance se cramponna à sa monture…

✴

Pendant ce temps, Kessaline et Galice allaient d'un groupe de blessés à un autre. Les premiers hommes commençaient à revenir au camp de base par charrettes entières.

La jeune princesse allongea le blessé qui gémissait, essuya d'un revers de manche le sang qui coulait de sa coiffe. Autour d'elle, ses femmes de compagnie se joignaient sans broncher aux chirurgiens qui s'affairaient autour des soldats.

Un vent âpre sifflait à leurs oreilles, s'engouffrait entre les murs en ruines de ce village abandonné depuis des siècles par ses habitants. Des volets grinçaient, battaient contre les parois.

Galice tenait à deux mains la jambe ensanglantée d'un soldat qui devait se faire amputer. Tout en serrant les dents pendant que le chirurgien officiait, elle balayait le camp des yeux.

Kessaline la rejoignit peu après. Toutes deux s'adossèrent, épuisées, contre un mur. La gorge sèche, elles n'osaient parler. Pourtant, elles se posaient toutes deux la même question. Un apothicaire se présenta devant Kessaline.

— Votre Altesse, savez-vous où se trouve la grande cristalomancienne ?

Voilà un homme, se dit la princesse, qui a besoin des dons de guérisseuse de Solena !

Un cheval hennit.

Une silhouette l'enfourcha et le lança au galop.

Galice montra, désespérée, Solena qui les abandonnait…

✦

Les heures passaient sans que se modifient ni les scènes de combat ni les cris d'horreur. Après avoir entendu les barrissements, Torance avait survolé la plaine et vu les énormes évroks déferler sur ses troupes.

Ces pachydermes natifs des montagnes d'Évernia étaient d'ordinaire utilisés comme destriers par les peuples de montagnards. Goromée avait dû signer un pacte de non-agression avec ces tribus et leur emprunter en échange plusieurs unités d'évroks.

Impressionnants avec leurs deux trompes, leurs défenses puissantes, leurs cuirasses et leurs tonnes de muscles, les évroks enfoncèrent la cavalerie lancée par Talos au secours de Mulgor. Blessés, plusieurs éphrons tombaient en vrille. Les évroks les achevaient en les piétinant.

Sentant l'issue de la bataille lui échapper, Torance décida de frapper un grand coup. Il raffermit sa position sur les flancs de Phramir et rassembla devant lui tous les serpents lumineux qui se trouvaient à proximité. Puis, en un effort surhumain, il les envoya à l'assaut du mur d'évroks qui fondait sur Honario et ses cavaliers.

Dix mastodontes furent projetés contre des entablements rocheux. Torance en perçut le terrible contrecoup dans son corps et dut se raccrocher à Phramir pour éviter d'être désarçonné.

Lorsque la poussière retomba, les évroks, hagards, barrissaient de terreur.

Les deux cavaleries se regroupèrent et fondirent l'une sur l'autre, toutes lances tendues, en un assaut plus conventionnel.

Phramir survola plusieurs poches de combat. Tantôt il s'agissait de soldats à pieds, tantôt de cavaliers isolés.

Torance crut reconnaître l'étendard impérial au milieu d'un carré de chevaliers. Le lion couronné d'un serpent ouvrant sa gueule était le symbole personnel de l'empereur ou, en la circonstance, de son héritier direct.

Décidé cette fois à frapper l'ennemi au cœur, Torance se laissa choir au sol. Il dégaina Ershebah et frappa, éliminant les hommes à mesure qu'ils se présentaient à lui.

Son armure de cristal souple absorbait les chocs. Jamais encore il n'avait essuyé la moindre blessure. Cette apparence d'invincibilité faisait partie intégrante de sa légende. Quand à l'épée de Gorum, si elle possédait le pouvoir de vaincre les âmes, elle lui servait aujourd'hui surtout à briser les corps.

Les bras engourdis de fatigue, Torance s'ouvrit une brèche jusqu'au centre du carré de chevaliers qui protégeaient Kal-Houré.

Autour d'eux se profilaient les escarpements. S'étaient-ils éloignés de la plaine ? Torance était victime d'étourdissements. Pourtant, il fallait continuer à avancer.

Tout en se battant, il songeait à Solena, à la distance que sa compagne avait mise entre eux depuis quelques semaines.

« Le temps des combats va finir, lui avait-elle prédit la veille. L'Âge d'or arrive. »

Un choc plus violent que les autres le déséquilibra.

Le fil aiguisé de la lame d'un de ses adversaires aurait dû lui trancher le bras. Mais son armure tenait bon. Torance tendit la main et repoussa les deux chevaliers grâce aux serpents de lumière.

Soudain, il s'aperçut qu'il ne restait plus, dans la crique encaissée, que deux hommes debout : le prince Kal-Houré et lui-même.

Le jour baissait. Plus un éphron dans le ciel. La lumière intense du soleil orange, presque mauve, frappait encore par endroits les pans de rochers. Une douceur étonnante se glissait dans la crique. Une sorte d'intimité s'installait entre les deux combattants.

Afin de clairement s'identifier, Torance jeta son heaume sur le sol. C'était sa façon à lui de rendre hommage au courage du prince régent.

Kal-Houré agit de même. Une coulée de sang baignait le côté droit de son visage. Une blessure à la cuisse le faisait boiter.

— Rends-toi, prince, et je t'épargne ! clama Torance.

Autour d'eux rampaient des agonisants appartenant aux deux camps. Non loin, un évrok blessé barrit, puis s'adossa contre un rocher pour reprendre son souffle.

Kal connaissait la tradition familiale. Aucun empereur n'avait été capturé sur le champ de bataille.

Il faut dire, songea-t-il, qu'aucun d'eux n'a eu la stupide idée de s'exposer autant que moi...

Son épée bien en main, mais les bras si endoloris que chaque geste lui arrachait un gémissement, il se rappela les paroles étranges de Mivah. « Tu peux vivre sans pour autant être empereur. Nous pouvons vivre ensemble... »

Le choc des deux lames empêcha Kal de poursuivre son monologue intérieur.

Il sentit tout de suite qu'il n'était pas de taille à résister au chevalier de cristal.

Non content d'être moins bon escrimeur que lui, il ne cessait de le dévisager. Cet homme était-il vraiment le Prince messager ressuscité ?

Celui-ci saignait. Ou alors, son armure était tachée du sang de ceux qu'il avait tués. Dans les deux cas, cela semblait contraire à l'image que chacun se faisait du Prince messager, le fils unique de Gaïos, le Père.

— Bats-toi, prince! clama de nouveau Torance, ou alors rends-toi!

Il sentait en effet que Kal-Houré ne lui opposait qu'une résistance symbolique. En un tournemain, il le désarma.

Torance fut victime d'un nouvel éblouissement. Il ne vit plus le prince régent tel qu'il était, mais tel qu'il avait été: un rouquin présomptueux et irascible au visage déformé par une horrible cicatrice.

— Solinor? balbutia-t-il.

Un coup porté par-derrière au défaut de l'épaule gauche lui arracha un cri de stupeur.

Un homme avait surgi. Un bras entourant la poitrine de Torance, il murmura à son oreille:

— Tu es mort...

Il enfonça plus profondément la lame de son sabrier entre les plaques de cristal en cet endroit précis qui constituait le seul point faible de l'armure de Gorum.

La pointe transperça Torance jusqu'au cœur. Un filet de sang jaillit de ses lèvres.

Alors, le meurtrier se planta devant le prince. Grand, bien bâti, vêtu d'un manteau et d'une cape noire, il portait une capuche de velours et un masque sur le visage.

— Me reconnais-tu? le railla le Voyageur en tenant Torance au bout de ses bras.

Le sabrier toujours planté dans le dos, le prince hocha lentement la tête.

— Tu me reconnais, mais tu ignores toujours qui je suis.

D'une main, l'assassin souleva un pan de son masque.

— Toi? éructa Torance, les yeux écarquillés.

Kal-Houré ne comprenait pas ce qui se passait. Cet homme vêtu de noir avait surgi d'un entablement. De toute manière, il se sentait trop faible pour faire quoi que ce soit.

— Meurs, répéta le Voyageur en replaçant le masque sur son visage.

Il laissa Torance tomber face contre terre, récupéra sa lame. Puis il dévisagea Kal-Houré.

— Je te sauve la vie, prince. Ne l'oublie jamais.

Avant de partir, il abandonna aux pieds de Kal une bague sertie d'un étrange symbole: une spirale noire liserée d'or enfermée dans un pentacle.

L'enlèvement

Des années de vie paisible passées dans son palais de Bonderosa avaient fait oublier à Solena l'odeur de sang et de chair qui imbibait toujours les champs de bataille.

Courbée en deux, elle marchait au milieu des morts et des blessés. Dans la plaine, l'état-major goréen avait plié bagage. L'heure était maintenant au décompte des disparus. Comme dans toutes les guerres, les « hommes de l'ombre », ce peuple composé des hérauts des deux camps qui récupéraient les écus des chevaliers tombés, et des habituels détrousseurs de cadavres, étaient à l'œuvre.

Dans les cirques de pierre voisins et les sentiers escarpés qui y menaient se poursuivaient quelques escarmouches. Mais souvent, les soldats abandonnaient leurs armes et se sollicitaient mutuellement, en hommes libres, le droit de passage.

Solena croisa des blessés qu'elle était tentée de soigner, et des mourants qui gémissaient et la suppliaient de les aider.

Mais la cristalomancienne savait que si elle succombait aux désirs d'un seul d'entre eux, jamais elle ne pourrait retrouver Torance.

Au-dessus des pics et des aiguilles se profilait l'ombre de Phramir. L'oiseau carnivore recherchait-il également son maître ?

Solena avait tenté de communiquer avec son compagnon par le biais du cristal bleu : en vain.

Torance lui demandait depuis des semaines ce qu'elle entrevoyait de l'avenir. Comme elle hésitait à lui répondre, il en avait conclu que son amour pour lui s'était étiolé.

Les hommes sont stupides.

Car loin de moins l'aimer, Solena sentait au contraire que ses sentiments s'étaient approfondis et magnifiés. Après des vies de luttes, ils avaient eu le plaisir de connaître enfin une existence à deux à la fois romantique et familiale, tissée de mille petits bonheurs paisibles et quotidiens.

Solena s'immobilisa. Une patrouille de soldats approchait. Étaient-ce des Goréens ou bien des hommes de son camp ? Dans le doute, elle se lova contre le flanc d'un soldat mort écrasé par son cheval. La pauvre bête hennissait encore. Solena lui caressa le front. Puis, l'alerte passée, elle reprit ses recherches.

Pour se défaire d'une vision, disait Mérinock, il faut parfois y replonger la tête première et la revivre dans tous ses détails. À bout de force, Solena se résolut à cette extrémité.

À la fin du repas pris en compagnie de leurs amis et officiers, Solena s'était pendue au cou du prince et l'avait longuement embrassé. Sachant que cette journée de combats serait la dernière avant la victoire totale, elle l'avait encouragé à « faire » l'Histoire.

Tout de suite après était venue la vision macabre de Torance frappé à mort par leur ancien ennemi – le Voyageur.

De l'avenir immédiat après cette bataille, Solena ne pouvait rassembler que des images confuses. Ils devaient marcher sur Goromée vaincue. Il y aurait un grand couronnement suivi par une paix durable bénéfique pour tous les peuples.

Allant d'un mort à un autre, elle parvint dans une crique encaissée semée de cadavres. Les derniers feux du couchant éclairaient les masses de grès, projetant ici leur ombre sinistre, là un carré d'une lumière orangé si intense qu'elle en était presque insoutenable. Elle marcha à tâtons jusqu'à un corps dont l'armure émettait une « scintillance » quasi surnaturelle.

— Torance! s'écria-t-elle en reconnaissant enfin son compagnon.

Elle colla son oreille contre sa poitrine, écouta…

— Non!

Ainsi, une fois encore, ses visions s'avéraient exactes. Poussée par la colère, Solena prit les morts à témoin et hurla :

— Pourquoi, père? Pourquoi?

Car honnêtement, naïvement, Solena avait cru que cette bataille les aurait portés, Torance et elle, sur les marches du trône impérial de Gorée.

— Quel est votre plan? cria-t-elle encore.

Elle entendit d'autres pleurs. Une silhouette bougea près d'elle. Les deux femmes se dévisagèrent. Solena se décida à se pencher sur le couple enlacé derrière un rocher. Elle tâta le front, puis le cou du jeune officier.

— Le vôtre vit encore, dit-elle avec un pauvre sourire.

Par habitude, elle ôta le manteau de laine blanc de la déesse de ses épaules et en recouvrit le corps du blessé.

— Je m'appelle Mivah, murmura la jeune femme inconnue.

Ce nom ne disait rien à la cristalomancienne. Le ton de voix, par contre, l'intriguait. Avec plus de force, en une autre circonstance, elle aurait volontiers plongé dans l'âme de cette fille courageuse.

— Il vivra, dit encore Solena.

Un cri perçant résonna. Phramir atterrit près de Torance. Le volatile posa l'extrémité de sa longue mâchoire sur l'épaule de son maître.

— Tu as été chargé d'une mission? devina la cristalomancienne.

Autour d'eux, quelques blessées appartenant aux deux camps reprenaient lentement connaissance.

Phramir fit claquer ses ailes. Solena hocha la tête. Il avait raison. Il fallait que les choses se passent ainsi.

Fouillant dans la besace de plusieurs morts, elle trouva des cordes qu'elle noua les unes aux autres. Puis, peinant de douleur, elle hissa le corps de son bien-aimé sur l'éphron, et l'y attacha solidement.

Dans sa tête résonnait la voix grave et posée de son père.

« Une femme ordinaire pourrait pleurer, ma fille. Mais pour toi qui connais la réalité des mondes de lumière, ces larmes ne peuvent être qu'un exutoire à la peine ressentie par ton ego. Contemple les vrais cieux. Use du don de compassion. Vois ce qui, réellement, est... »

Solena battit des paupières et « posa » son regard sur les cadavres alentour. De ces carcasses sanglantes s'élevaient les âmes des soldats. D'autres entités, les « accompagnateurs » comme les nommait Mérinock étaient présents pour les aider.

Au bout de quelques secondes, Solena réalisa que la crique sombre et sinistre était en réalité baignée par une lumière issue à la fois des sphères célestes de la déesse et des auras personnelles conjuguées des morts et des accompagnateurs.

Phramir reprit son envol.

La merveilleuse vision de Solena s'en fut, remplacée par celle de l'éphron emportant dans le ciel le corps du Prince messager. Parvenu à une dizaine de mètres, une pluie d'or ruissela de ses ailes. L'air, autour de lui, vibra pendant quelques secondes. Le prince et l'oiseau disparurent dans cette nuée. L'averse tomba sur les épaules de Solena, sur celles de Mivah et de Kal-Houré qui revenait à lui.

Ershebah brillait doucement près de la cristalomancienne. Consciente qu'il venait de se produire un événement capital, elle ramassa l'épée.

Des pas se rapprochaient.

Solena n'opposa aucune résistance aux soldats goréens. Le capitaine Simos la reconnut.

— C'est Dame Solena, dit-il, la dernière cristalomancienne.

L'officier voulut lui arracher l'épée des mains. Une voix cinglante le cloua sur place.

— Halte !

Les soldats reconnurent le prince régent.

— Votre Altesse ? gronda Simos.

— Laissez cette femme, capitaine. Hissez les blessés sur une charrette et partons.

L'officier semblait décontenancé. Alors, Kal réitéra son ordre.

En passant près de Solena, il lui rendit le manteau de la déesse. Mivah la remercia. Tous, à divers degrés, étaient encore sous le coup de l'émotion des derniers événements.

La nuit était tombée quand Honario, parti à la recherche de sa mère, la retrouva marchant dans le champ de bataille livré aux détrousseurs de cadavres, Ershebah dans les mains.

— Mère, dit-il, la bataille est gagnée. Les Goréens sont en fuite.

Il ajouta, la gorge serrée :

— Où est mon père ?

La retraite

Caché sous une pile de vieux sacs de grain au fond d'une charrette, Kal-Houré était en proie à une forte fièvre. Ils roulaient lentement vers la petite cité de *Gadix* depuis plusieurs heures, déjà. La ville était sans doute livrée à l'ennemi, mais ils y avaient également des partisans.

— Il nous faut de l'eau et de la nourriture, expliqua Simos.

L'homme avait eu la peur de sa vie. Heureusement, Kal-Houré avait échappé au massacre. Mivah s'occupait de lui tandis que l'officier, grimé en paysan, tenait les rênes.

Le prince régent bredouillait des paroles incompréhensibles.

Mivah vint trouver le capitaine.

— Kal veut savoir si ses oncles ont survécu, dit-elle.

Simos haussa les épaules. À sa connaissance, Dramen et Drominor s'étaient eux aussi jetés dans la mêlée. La violence des combats les ayant séparés, le capitaine ne savait pas ce qu'il était advenu des princes.

La nuit était tombée. Des torches plantées dans le sable illuminaient l'entrée de la petite cité.

— Cachez-vous! conseilla-t-il à la jeune femme.

Une barrière branlante obstruait la rue principale. Des soldats jaillirent autour du chariot. Un officier s'approcha.

Simos reconnut la forme du heaume – elle n'était pas de facture goréenne! Serrant les dents, il déclina sa fausse identité, prétendit qu'il était marchand de grains ambulant, qu'il faisait ses livraisons habituelles.

— À la nuit tombée et en pleine guerre? s'étonna l'officier.

Il releva la bâche, promena la flamme de sa torche sur les sacs empilés les uns sur les autres.

Plusieurs des hommes de l'officier étaient blessés.

Sans doute ont-ils pris Gadix après la fin des combats, se dit Simos. Ils sont aussi éreintés que nous…

Comme de juste, l'officier ne poussa pas plus loin ses recherches. Il se contenta de dire qu'il devait protéger la cité des soldats de l'armée défaite qui risquaient de s'attaquer aux habitants pour leur voler quelque argent ou bien de la nourriture.

Simos approuva, même s'il savait pertinemment que cette raison était un prétexte. Que les ordres véritables étaient surtout d'arrêter tout survivant – spécialement les hauts gradés en fuite.

Tout en s'éloignant, le capitaine reconnut qu'en cas de victoire, son propre état-major aurait agi ainsi.

Il tourna le coin d'une rue, s'enfonça dans un cul-de-sac, s'arrêta.

Ils trouvèrent de quoi manger, se vêtir et se protéger du froid mordant chez un partisan.

Ne pouvant prendre le risque de voir son jeune souverain tomber aux mains des hommes du Prince messager, ils repartirent dès l'aube. Simos respira mieux quand il retrouva plusieurs de ses hommes qui les attendaient à la sortie de la cité.

Un soldat se hissa sur le marchepied de la charrette pour prendre les rênes. Simos put alors soulever la bâche et venir faire son rapport au prince.

— Parlez doucement, lui recommanda Mivah, je lui ai donné un calmant.

— Fait-il encore de la fièvre ?

— Hélas, oui ! Par contre, ses blessures sont déjà miraculeusement cicatrisées.

Ils ne dirent rien, mais songèrent au manteau de laine blanc qu'avait posé la cristalomancienne sur le corps du prince.

Simos appréciait la jeune amante de son maître. Discrète, douce, intelligente et aimante, elle était tout le contraire de la volcanique et arrogante Galaé.

Voyant Mivah arranger le sac de grain qui servait d'oreiller au prince, il se plut à les imaginer tous les deux sur le trône de Gorée – une rêverie qui, considérant les funestes événements, avait peu de chance de se réaliser un jour !

En homme pragmatique avant tout, Simos devinait que l'armée du Prince messager ne s'en tiendrait pas à cette victoire.

Ils vont remonter vers le nord, effectuer leur jonction avec les forces du roi Vorénius et du roi Cristanien…

Sur la route qui menait à Gadix, ils avaient croisé nombre de blessés. Parmi eux, certains déliraient sûrement, car ils affirmaient que le Prince messager Torance avait été tué sur le champ de bataille.

Il en parlait encore à mi-voix quand Mivah approuva.

— C'est vrai. Le chevalier de cristal est mort. J'ai vu son corps enlevé dans le ciel par un monstre aux ailes d'or.

Simos accusa le coup.

Si cela s'avérait exact, alors tout n'était peut-être pas perdu. Il quitta l'abri de toile et ordonna au cocher de forcer l'allure.

★

Kal-Houré rêvait que les combats duraient toujours. Son épée à la main, il frappait à gauche, à droite, grognait de douleur et exhortait ses adversaires à l'attaquer.

— Je suis le prince régent! les défiait-il. Venez me prendre!

Puis il croisa le fer avec le Prince messager en personne.

Celui-ci était grand et massif. Des flots de cheveux noirs mêlés de mèches bleues et blanches coulaient de son heaume sur ses épaules. Kal était surtout impressionné par l'élégance et l'éclat de son armure.

Les deux combattants étaient épuisés. Malgré cela, Kal savait qu'il ne faisait pas le poids. La lame du chevalier irradiait, telle une flamme vive. À moitié aveuglé, une main sur la visière de son casque, il recula.

Mais lorsqu'il put voir à nouveau, il écarquilla les yeux.

Où se trouvait son adversaire? Qu'étaient devenues les aiguilles orange et ocre qui les surplombaient une seconde auparavant?

Des vagues empanachées d'écume roulaient sur un rivage inconnu. La lumière du soleil était douce et irisée. La chaleur, quoique pesant sur ses épaules, l'enveloppait sans le brûler.

— Bonjour!

Un homme de forte corpulence se tenait devant le prince régent. Vêtu d'une longue tunique blanche nouée simplement à la taille par une corde, il portait une impressionnante quiba de tissu moiré sur les cheveux et le visage.

— Je t'attendais, messager, dit-il.

— Messager ? répéta Kal-Houré, hébété.

— Bien sûr.

— Je suis mort, c'est ça ! décréta Kal. Je suis mort au combat et me voilà dans le paradis du Prince messager. Et...

Conscient de l'incongruité de sa déclaration, il se tut. N'était-il pas précisément en train de combattre le Prince messager ? Ou bien s'agissait-il d'un imposteur !

Le Mage errant souriait sous sa quiba.

— Toi, dit-il, qu'en penses-tu vraiment ?

Kal-Houré réalisait qu'il n'avait jamais vraiment cru aux dogmes du Torancisme dans leur forme traditionnelle. Il était trop au fait des manipulations politiques et religieuses pour adhérer complètement à la vision du Premius concernant les mystères de la Foi.

De son point de vue, les légides et le clergé en général n'étaient qu'une autre forme de pouvoir, spirituel peut-être, mais aussi politique, qui ne se gênait pas pour faire obstacle à la volonté des empereurs. Son père n'avait-il pas lui-même dû composer toute sa vie avec eux ?

Mérinock attendait toujours sa réponse.

— Je crois, répondit finalement Kal-Houré, qu'il existe bien d'autres réalités et des mystères qui dépassent la compréhension des hommes, qu'ils soient légides, empereurs, Premius ou simple paysan.

— Bien dit ! Marchons un peu.

La plage était large et belle. D'un côté, l'océan glissait sur la grève, de l'autre s'élevaient les murs d'une cité de lumière.

— Shandarée, déclara le Mage.

— La première des treize cités célestes d'Évernia ?

— Je vois que tu as également lu les manuscrits anciens.

Kal hocha la tête. Il avait toujours éprouvé le besoin de comprendre les choses par lui-même. Et s'il avait été forcé par Sermonille d'étudier les rouleaux d'ogrove officiels, il ne s'était pas privé pour fouiller dans la réserve de la grande bibliothèque du palais impérial.

— Se faire une idée des choses et des événements par soi-même, approuva le Mage. Voilà qui est le signe d'un homme libre de cœur et d'esprit.

Il ajouta que s'il l'avait fait venir en ce lieu, c'était précisément pour échanger des idées avec lui.

— Les temps changent, Kal-Houré. L'ère des Sarcolenides s'achève. Toi et ta famille avez régné sur la Gorée assez longtemps.

Ces mots étaient durs, mais le ton léger et convivial.

— Pour continuer à progresser, les peuples ont besoin d'une paix sociale étendue à toutes les Terres de Gaïa. C'est à l'élaboration de ce Grand Œuvre que nous travaillons tous ensemble depuis des siècles.

Kal avait parfaitement conscience de se promener avec – en quelque sorte – le « chef » de ses ennemis. Il discutait sans acrimonie avec le légendaire Mage errant.

Mérinock suivait en souriant les pensées du prince.

— Je suis effectivement un des Vénérables d'Évernia, Kal-Houré. Plus exactement, le treizième. Je suis en quelque sorte l'émanation du Morphoss, le dernier enfant de la déesse, celui que l'on a surnommé le « mort-né » ; celui aussi qui, au fil des siècles, est devenu pour tes contemporains « Morph », un synonyme du mal et du démon.

— Quel est le but ultime de ce Grand Œuvre ? voulut savoir le prince.

— L'homme vient vivre sur Terre pour évoluer et pour, à mesure qu'il vit et qu'il meurt, retrouver la lumière qui est en lui. À mon sens, les grands mouvements philosophiques ou religieux sont des voies proposées aux hommes. Il est bien dommage, cependant, que certains d'entre eux, réunis en clergé comme ils disent, décident de leur propre chef, maquillent des livres censément sacrés, s'érigent en guides suprêmes et en porte-parole d'un dieu ou d'un autre.

« Ce que je tente de faire, Kal-Houré, est simple. Les Préceptes de vie amenés autrefois par Torance et Shanandra ont été détournés pour créer une religion destinée à asservir les hommes. Là ne réside pas le mal. Le mal, à mon avis, vient quand la peur se glisse chez ceux qui se sont donné le beau rôle et le droit de gouverner les âmes.

« Je sais que toute société a besoin de garde-fous pour bien fonctionner. L'ordre doit régner pour permettre à la paix et à une certaine harmonie de s'installer. Mais le temps approche où l'homme sera, à mon avis, prêt à choisir librement sa voie sans avoir besoin de se soumettre aveuglément à un groupe de décideurs soi-disant inspirés. Je pense que si un État doit édicter des lois sociales justes, reconnues par tous, chacun, dans cet État, devrait avoir la possibilité de cheminer à sa manière tout en respectant ces lois.

« Car le jeu sublime qui nous conduit vers la lumière de notre cœur ressemble à une grande montagne de la base de laquelle partent plusieurs sentiers. Tous sont différents et empruntés par des gens ayant des cultures et des croyances diverses. Chacun de ces sentiers, pourtant, mène inéluctablement au sommet. Reconnaître cette réalité, c'est se respecter et respecter son voisin.

Kal-Houré commençait à avoir mal à la tête. Il n'était pas sûr de s'être battu pour, en fin de compte, être forcé d'écouter ce qui ressemblait bel et bien à un sermon.

Mérinock s'en aperçut et rit de bon cœur.

— Tout cela pour te dire, messager, que je connais ton âme. Je sais que tu aspires à une vie paisible faite d'amour et de joies simples. Sache que ton âme sœur chemine à tes côtés. En ce moment, elle est lovée tout contre toi et te transmets son amour et sa chaleur. Tu es aimé, Kal-Houré.

Que cette vérité guide le choix que tu vas bientôt devoir faire…

La voix du Mage s'étiolait. Kal se sentait tiré en arrière. Déjà, les contours de la silhouette de Mérinock devenaient flous.

Peu après, il se réveilla. Mivah était assise à ses côtés. Le chariot s'était arrêté. Dehors rougeoyait une lumière chaude et inquiétante.

Simos releva la bâche.

— Capitaine! l'accueillit le prince avec soulagement.

Le visage du chef des gardes du corps était grave.

— Un problème? s'enquit le prince régent.

Il fit mine de se lever.

— Tu es encore faible, plaida Mivah. Attends…

Mais le jeune homme voulait voir. Figé par le spectacle à la fois grandiose et terrible, il sentit son cœur se serrer. Des larmes coulèrent sur ses joues.

— Goromée, laissa tomber Kal d'une voix sourde.

La cité impériale était la proie des flammes. Des hommes, des femmes, des enfants couraient dans tous les sens, criaient, tombaient à genoux et imploraient Gaïos et le Prince messager de les sauver. Des prêtres étaient sauvagement agressés. De simples marchands se ruaient sur des courtisans et les abattaient sans sommation. Des journaliers s'emparaient d'épées de fortune et s'improvisaient soldats; attaquant une boutique, mettant le feu à une maison. Des milices tentaient vaille que vaille d'éteindre les incendies. Des officiers impériaux étaient traînés sur les places et exécutés par la populace en colère. Des soldats eux-mêmes, pris à partie, se battaient à un contre cinq.

— Laissez une ville sans autorité, et les peurs et les haines traditionnelles se déchaînent, fit Simos, écœuré.

— Mon père! s'écria soudain Kal.

— Il faut gagner le palais.

Le prince régent approuva.

— Regroupez vos hommes, capitaine. Je connais un passage.

39

LA PAIX DES VAINQUEURS

Quelques heures plus tard, l'entrée des troupes du chevalier de cristal dans la métropole mit un frein à l'insurrection populaire. Et s'il demeura quelques échauffourées dans les quartiers de la ville basse, les soldats envoyés par Talos en renfort à la milice locale ne tardèrent pas à rétablir l'ordre.

— Ainsi, voici Goromée…, laissa tomber la jeune Galice.

Talos restait perplexe. Enfant, il avait visité la métropole – surtout les marchés bruyants et odorants. Mais la capitale goréenne lui apparaissait aujourd'hui comme une créature blessée.

Mulgor et Silophène le rejoignirent.

— J'ai envoyé trois unités dégager les rues, leur annonça Talos.

Sur la grande place où les avait menés l'avenue principale, la population semblait encore sous le choc. Les soldats maintenaient un cordon de sécurité autour des généraux et de leur intendance.

— Je suis heureux que nous n'ayons pas été forcés de prendre d'assaut la cité, déclara Mulgor.

Les portes, en effet, s'étaient ouvertes d'elles-mêmes. Les responsables de cette initiative, des marchands, des artisans et des journaliers, préparaient sans doute déjà leur liste de doléances.

Silophène, dont l'esprit était avant tout militaire, parla de la nécessité de permettre aux soldats de se reposer. Mulgor insista sur leur devoir : ils étaient des pacificateurs et non des conquérants. Ils faisaient partie de l'armée du Prince messager, ce qui sous-entendait qu'il ne leur était permis ni de piller les commerces ni de violenter les citadins.

— Je vais m'assurer que chaque soldat reçoive, comme convenu, une récompense en or en plus de sa solde habituelle.

Talos préférait, avant de « prendre » le palais où subsistaient des poches de résistances, attendre l'arrivée des rois Vorénius et Cristanien.

Solena descendit de sa litière.

— Il faut agir au plus vite, au contraire ! recommanda-t-elle. Je sens qu'il se passe des choses graves en ces murs.

Amin-Daah était de son avis.

En arrivant, ils avaient vu les cadavres de nombreux bourgeois, officiers, nobles et prélats. La défaite de l'armée goréenne à Midon et la peur de voir leur cité livrée au pillage avaient agi à la manière d'un détonateur sur l'esprit surchauffé des habitants. Profitant de la faiblesse du pouvoir laissé entre les mains de la princesse régente Galaé, chacun avait laissé libre cours à ses rancœurs et à ses désirs de vengeance.

— Ne nous y trompons pas, ajouta Talos. Parmi ces gens qui viendront quémander des faveurs pour avoir ouvert les portes de la cité se cacheront aussi des meurtriers.

Silophène se sentait le besoin de bouger.

— Les incendies gagnent les quartiers plus aisés, dit-il. Je vais organiser les secours.

Et il quitta le groupe.

Amim Daah paraissait soucieux. Solena comprit l'origine de ses tourments et posa sa main sur la sienne.

— Je croyais que nous aurions trouvé le Premius ou en tout cas des grands légides pour nous servir d'intermédiaire, fit-il, las, mais…

Devant l'étendue des dégâts matériels et les nombreux corps que des gens chargeaient dans des brouettes pour les précipiter ensuite dans les canaux, il renonça à en dire davantage.

Solena l'encouragea. La Basilique, quoique incendiée, pouvait encore être sauvée. Et il n'était pas dit que les soldats envoyés de par les rues ne retrouvent des survivants parmi les ecclésiastiques.

— Que Torance t'entende !

Conscient de sa bévue, le prélat se mordit la langue.

Depuis la disparition du Prince messager, le moral des troupes était sérieusement entamé. Certes, Solena, la dernière cristalomancienne, demeurait. Et Honario, leur fils, ainsi que la princesse héritière Kessaline. Mais pourquoi – et comment ? – le chevalier de cristal avait-il pu périr durant les combats ?

Solena ne pouvant donner de réponses claires, la consigne avait été passée à tous les officiers de dire aux hommes que Torance n'était pas vraiment mort, mais que, sa mission terminée, il avait simplement regagné le ciel avec Phramir.

D'ailleurs, ne murmurait-on pas déjà, dans l'armée et même dans la cité de Goromée, que le Prince messager avait été rappelé dans les cieux par Gaïos en personne, apparu sous la forme d'une éblouissante lumière dorée ?

Solena hochait la tête quand on évoquait devant elle le brutal départ de son compagnon.

— Nul ne peut dire que la mission de Torance ne s'arrêtait pas sur le champ de bataille de Midon, répétait-elle d'un ton las.

Soudain, un lieutenant dont l'uniforme était couvert de suie demanda à lui parler.

— Votre Grâce, dit-il...

Solena se baissa vers lui.

Quelques secondes plus tard, elle redressa la tête.

— Compagnons, il semble que l'on ait retrouvé le Premius ainsi que la princesse Galaé et le prince régent Kal-Houré.

★

Le capitaine Simos négocia, auprès des geôliers qui gardaient la porte de leur cellule, un plateau de pain et une cruche d'eau pour son souverain et sa jeune compagne.

Kal, Mivah, Simos et plusieurs de ses hommes avaient effectivement pu regagner le palais. Mais les bâtiments avaient déjà subi les affres du pillage. À perte de vue, ce n'étaient plus que promenades jonchées de cadavres, de salles saccagées, de draperies déchirées, de mobilier fracassé, de colonnes brisées, de statues renversées.

Sacrilège suprême, les insurgés avaient mis le feu au vénérable kénoab blanc sacré des Sarcolenides !

Kal se sentait oppressé. Sur sa poitrine et dans sa gorge pesaient le désespoir, la peine, la colère.

L'arbre multicentenaire crépitait et se tordait. Les flammes le dévoraient. Avec lui disparaissait symboliquement la dynastie des Sarcolenides.

Kal avait couru jusqu'au petit palais qui abritait les appartements de l'empereur. La couche était vide. Des traces sanguinolentes menaient jusqu'à un réduit où après avoir poignardé son père, les insurgés, aveuglés par la haine et la peur, avaient abandonné sa dépouille.

Kal avait retrouvé deux de ses sœurs, cachées avec Simen, le serviteur attitré de leur père, dans un passage secret. Le corps de Sermonille avait été formellement identifié : pendu à une poutre, ses flancs percés à coups de piques.

C'est à ce moment-là que des soldats de l'armée coalisée avaient surgi.

Depuis, enfermés dans une salle obscure, ils attendaient.

La porte s'ouvrit soudain et une dame blonde aux yeux clairs portant un manteau de laine blanc s'avança.

Il sembla aux jeunes princesses qu'avec cette femme entrait un peu de soleil et de compassion.

Solena alla de l'un à l'autre pour les saluer et les réconforter.

— Je suis l'épouse du chevalier de cristal, leur dit-elle simplement.

Il y eut un léger froid. Mais, très vite, chacun se sentit rassuré par sa présence. Des lampes à huile furent apportées. Malgré les incendies qui faisaient toujours rage non loin du palais, on alluma un feu dans les cheminées pour chasser l'humidité nocturne tombée sur l'isthme.

Par une fenêtre dont les volets furent ouverts, ils voyaient la ville et les flammes qui embrasaient toujours la Basilique et le quartier des nobles.

— Des milliers d'hommes, Goréens et membres de notre armée, sont à pied d'œuvre pour sauver la cité, leur expliqua Solena. Mes fils, les rois Vorénius et Cristanien, sont sur place avec leurs propres soldats pour dégager les issues des palais des grands légides et pour sauver le maximum de personnes.

Simos réclama pour ses hommes blessés des onguents à base de plantes, de l'alcool pour désinfecter les plaies, des bandelettes de cotons – et il les obtint.

Ayant échangé quelques paroles avec Kal et Mivah, Solena entraîna le prince régent à l'écart.

Ils marchèrent sur une longue galerie ouverte qui surplombait la cité. Le grondement des chutes les obligea à se rapprocher l'un de l'autre.

— Le règne des Sarcolenides s'achève aujourd'hui, prince, dit-elle.

Kal-Houré hocha la tête. Il était las de toutes ces intrigues, de ces guerres, de la nécessité de toujours paraître, de tenir son rang, d'incarner la tradition familiale.

— Vous aspirez à la liberté, prince, ajouta Solena, je le sens.

Une minute entière s'écoula. Sur la plus haute terrasse du palais, l'arbre sacré finissait de se consumer dans une indifférence totale.

— Nous allons établir un nouveau gouvernement à Goromée.

Kal releva la tête.

— Qui pourra rétablir l'ordre et assurer la paix sociale et politique ? Le chevalier de cristal est mort.

— Il est parti, corrigea Solena.

— J'ai vu l'homme qui l'a assassiné, avoua le prince.

La cristalomancienne accusa le coup.

— En fait, bredouilla Kal-Houré, il était masqué et je ne l'ai vu que de dos. Il a parlé au chevalier. Je n'ai pas compris. Puis il m'a remis…

Kal offrit à Solena la bague frappée du symbole de la spirale liserée d'or.

— J'ai déjà vu ce symbole, dit-elle en soupirant.

Après un nouveau silence, Kal prévint que celui qui prendrait le pouvoir après lui devrait non seulement combattre les ennemis de l'extérieur – incluant les religieux, les courtisans et les nobles avides de puissance –, mais aussi les ennemis invisibles et rampants comme ces Spiraliens qui entendaient mener les souverains par le bout du nez.

— Je les connais, murmura Solena. Mais ceux qui régneront sur la Gorée bénéficieront de protections.

Kal-Houré laissa errer son regard sur les monuments de sa cité. Qu'elle avait été belle et noble ! Qu'elle paraissait si fragile en cette nuit terrible où il devait prendre la plus grande décision de sa vie !

— Ai-je… le choix ? demanda-t-il.

Il expliqua qu'il avait fait un rêve en revenant à Goromée.

— Je me suis promené sur une plage magnifique en compagnie du Mage errant.

— Mon père, laissa tomber Solena d'un ton rogue.

— Il m'a incité à choisir l'amour et la liberté plutôt que la poursuite du pouvoir et des intrigues.

— Personne, à part ceux qui sont enfermés dans la salle voisine, lui assura Solena, ne sait que vous avez survécu à la bataille de Midon.

Après cette discussion à la fois mystique et étrangement amicale, le prince regagna la salle où l'attendaient ses proches.

Au petit jour, ils furent autorisés à se rendre sur la grande terrasse.

La foule rassemblée sur l'esplanade du palais était en liesse. Dans le ciel volaient une nuée d'éphrons d'or : du jamais vu dans les annales de la ville depuis sa fondation, plusieurs milliers d'années auparavant.

De cette nuée se détacha un volatile qui semblait plus grand et plus majestueux que ses congénères.

La nuque courbée, à genoux, la foule scanda le nom de Torance.

Gaïos avait répondu à leurs prières. Gaïos renvoyait son Fils sur Terre pour régner sur les peuples.

Encouragée par ses fils et les généraux de l'armée, Solena s'avança au-devant de Phramir.

L'oiseau transportait non pas une personne sur son dos, mais deux. Un jeune homme et une jeune femme noblement vêtus et parés d'une merveilleuse auréole d'or autour de la tête.

Honario et Kessaline levèrent les bras. Impressionnée, la foule se tut.

Alors, Solena annonça d'une voix forte et claire :

— Peuple de Goromée ! Citoyens de l'Empire ! Gaïos, le Seigneur des Cieux, et son épouse Gaïa, la Divine mère, vous envoient pour régner côte à côte la princesse Kessaline, souveraine légitime du royaume de Mylandre, et Honario, mon fils ainsi que celui du Prince messager Torance, rappelé dans les Sphères de lumière par son Divin Père.

Le jeune couple avança devant Phramir qui faisait claquer ses puissantes ailes. Sur le sentier menant à l'esplanade, Mérinock, invisible, faisait pleuvoir sur leurs têtes une pluie pailletée d'or et de poussière d'argent.

Tandis que les rois Vorénius et Cristanien inclinaient le front en signe de respect pour les nouveaux souverains, le peuple conservait un silence quasi religieux.

Gaïos leur envoyait un empereur et une impératrice. Ses créatures ailées leur faisaient escorte dans le ciel et de puissantes armées étaient dans la ville pour garantir le retour des libertés civiles.

Aux yeux des gens simples, les méchants avaient été chassés. La vieille dynastie était morte et un avenir radieux s'ouvrait devant eux puisque le Prince messager envoyait son fils pour régner !

Au bout de quelques minutes de silence, la foule poussa des vivats et des exclamations de joie. En quelques instants, toute haine, toute colère furent balayées. Il suffisait d'une simple apparition, d'un jeune homme accompagné de son épouse, le tout saupoudré d'or et d'argent pour que renaissent l'espoir et la piété ; pour que se recroquevillent les furies, les haines et les jalousies.

La foule fut autorisée à escorter le nouveau couple impérial jusqu'au palais où devait se tenir la cérémonie solennelle du couronnement. Au passage, Honario et Kessaline serrèrent des mains, prirent des enfants dans leurs bras, embrassèrent des vieillards.

La présence de chacun fut requise. Mulgor, Amim-Daah, Talos et Galice, Silophène, le roi Vorénius accompagné par quatre de ses loups, Cristanien, Greblin et Ulricia, les princesses de Reddrah et bien d'autres encore assistèrent, dans la grande salle du trône hâtivement nettoyée, au double couronnement d'Honario et de Kessaline.

Mérinock en personne apparut au milieu d'un nuage de poussière dorée pour célébrer le sacre, et le Premius Gorimond Premier, penaud, donna sans se faire trop prier la seconde onction sacramentelle. Avec des gestes empreints de majesté, ils remirent tous deux à Honario l'épée Ershebah et le heaume de l'armure de son père. À Kessaline échut une longue fleur sculptée dans un alliage d'or et d'argent représentant la clé de cette ère nouvelle.

Tous acclamèrent cette heureuse initiative.

Se tenaient, assis et silencieux dans les premiers rangs, le reste de la Curie sauvée *in extremis* des décombres de la Basilique.

Chacun vint ensuite faire acte de soumission et promesse de fidélité aux nouveaux souverains. En sa qualité de reine mère, Solena bénit chacun de ses enfants et petits-enfants.

La dernière cristalomancienne irradiait la beauté, la paix et la sérénité.

Lorsque, plus tard, Mérinock la rejoignit sur une terrasse voisine des salles où festoyaient les officiers, les nobles et le peuple réunis, Solena paraissait lointaine et songeuse.

— Ce couronnement scelle l'apothéose de mes prophéties, dit le Mage d'un ton las.

Elle le fixa au fond des yeux. Il lui semblait que leur aventure durait depuis des siècles – ce qui était bel et bien le cas ! Solena se souvenait d'un combat, entre elle et lui, sous la neige, dans les montagnes, il y a…

Mérinock capta ses pensées et rit.

— Tu t'appelais alors Shanandra. Tu étais jeune et terrifiée par la perspective de la longue quête qui t'attendait. Tu rêvais d'un prince aux yeux de braise…

Il se tut, car Solena rêvait toujours de Torance.

— Le prince Kal-Houré a choisi, déclara la jeune femme pour dissiper la gêne qui s'installait entre eux. Il va partir cette nuit, déguisé en marchand, avec sa compagne, ses sœurs et ses gardes du corps. Il vivra incognito en simple citoyen sous un autre nom, et il ne manquera jamais d'argent ni d'honneur. J'ai également donné des ordres pour que la princesse régente Galaé soit reconduite auprès de son père, le roi de Dvaronia. Elle ignorera toujours que son jeune époux a survécu aux combats.

— Bien. Kal-Houré est un empereur en son cœur. Je suis fier de lui et de ses derniers accomplissements, répondit évasivement Mérinock.

Ils s'accoudèrent au parement de pierre de la terrasse, écoutèrent le bruit des chutes d'eau.

— Tout est accompli, reprit le Mage. Tes fils règnent sur la moitié du monde. Ils sauront rétablir les vrais Préceptes de vie. Les peuples seront bien servis.

— Un Âge d'or commence-t-il vraiment? demanda Solena.

— Un Âge où régnera une plus grande compassion, assurément. Cela favorisera les progrès de toutes sortes. Mais un âge en suit toujours un et en précède un autre... L'avenir est un ruban qui se déroule sans fin sous nos yeux et sous nos pas.

« Ce qui est vrai aussi est que les égrégores de pensées négatives accumulés sur la tête des peuples depuis le sacrifice de Torance, cinq cents ans plus tôt, ont percé. Les ciels subtils ont été de nouveau purifiés par ta quête de l'armure du chevalier de cristal et par cette série de conflits, de batailles, de conquêtes...

Mérinock laissa sa voix en suspens ; signe, se dit Solena, que si les égrégores avaient « percé » comme le prétendait le Mage, ils étaient destinés à se reformer avec les années et les siècles à venir, car l'humanité ne cesserait pas pour autant d'envoyer dans les cieux leurs pensées de haine et de jalousie, d'envies et de frustrations. C'était, finalement, un jeu qu'il faudrait tôt ou tard recommencer.

Mérinock opina. Mais pour l'heure, il considérait que tous avaient bien travaillé.

Elle s'agrippa soudain à lui et laissa tomber la question qui la hantait – qui les hantait tous :

— Pourquoi, père? Pourquoi?

— Torance?

— Pourquoi a-t-il été assassiné? Vous auriez pu empêcher cet acte barbare et gratuit.

Mérinock soupira.

— La vie ne s'arrête pas avec la mort, tu le sais. Par ailleurs, tout ne peut toujours être planifié et contrôlé. Les ego doivent pouvoir s'exprimer librement. Cela fait grandir l'Âme supérieure de chacun.

Solena n'était pas certaine de comprendre. Elle ne voyait que l'absence de Torance. Elle ne ressentait que le vide dans son cœur.

— Torance n'est pas perdu pour toi. Tu le sais, n'est-ce pas?

Elle baissa la tête.

— Oublie les désirs de ton ego, ma fille. Sache aussi qu'il se trouve à Shandarée un trône pour chacun de vous.

Il laissa passer quelques secondes et reprit sur un ton plus guilleret:

— À quoi veux-tu occuper le reste de tes jours?

Solena songea aussitôt au mystérieux Voyageur qui les avait traqués jadis, qui avait tenté de les assassiner à Reddrinor, et qui venait de réapparaître brutalement pour lui voler Torance.

— Chercherais-tu à te venger? s'enquit Mérinock en levant un sourcil étonné.

— Cet homme nous a fait tant de mal! s'exclama-t-elle. Qui est-il? Un cristalomancien très puissant? Un proche que nous avons nourri et aimé pendant des années?

— Si tu fais de cette quête une obsession, fille, alors vos chemins se recroiseront tôt ou tard. Mais prends garde: la haine attire la haine.

Le bruit de la fête envahissait la haute-ville. Dans les quartiers populaires, les petites gens fêtaient aussi. Il semblait que par leur venue, Honario et Kessaline avaient jeté un charme sur la cité et ses habitants.

Mérinock sortit d'une petite sacoche passée dans sa ceinture une poignée de poudre d'or dite «de vélocité». À cet instant, plusieurs de ses Servants le rejoignirent.

Le Vénérable tendit la main. Solena comprit et lui rendit la pierre du Destin qu'elle portait autour du cou. Elle ôta également le symbole du Wellön, le scorpion à double dard veillant sur la plume de la vérité. Mais son père le lui laissa.

Le Mage répandit ensuite sur lui et ses Servants un peu de ce sable magique qui faisait partie intégrante de sa légende.

— Ma fille, dit-il encore en la saluant, tu as bien œuvré. Le reste de ta vie t'appartient. Sens-toi libre d'accomplir les choses dont tu rêves.

Sur le coup, Solena se dit que vivre sans Torance serait un véritable supplice. Mais peu à peu, elle sourit. Le monde était vaste et son désir de vivre, elle le savait, encore bien présent dans son corps et dans son âme.

Quatrième partie
Crépuscules
An 587 après Torance

« Nul, même aujourd'hui, ne peut dire avec certitude qui était Torance. Mon âme sœur, mon époux, le père de mes enfants, le Prince messager Torance ressuscité ou bien le chevalier de cristal annoncé par les prophéties du Mage errant ? La vérité est sans doute qu'il est tout cela réuni dans un seul homme. Je parle de lui au présent, car même s'il a été traîtreusement poignardé et que Phramir a emporté son corps dans le ciel, il vit toujours. Dans le souvenir des millions de gens qu'il a marqués de son empreinte. Mais surtout en moi. Dans mes rêves et dans la cité céleste de Shandarée qui nous accueillera bientôt. »

Écrits apocryphes de Solena d'Éliandros, reine mère des rois et des empereurs, dernière cristalomancienne et fidèle épouse de Torance d'Élorîm.

L'homme qui revenait
de très loin

Quatre loups ouvraient le passage à la caravane de Romanchers alors que les chiens suivaient, tête basse, en arrière du convoi. Les chariots cahotaient sur la piste et soulevaient des volutes de poussière qui prenaient sous le vent âpre et sec les formes les plus diverses.

La région de *Gauvreroy* était située aux confins de la Gorée, prise en étau entre les derniers contreforts en à-pic des montagnes d'Évernia et la frontière ouest de la province d'Élorîm. En face de la plaine dite de Gauvreroy s'étendait, vers le nord, un désert aride sur des centaines de verstes.

Autrefois, ce lieu accueillait les prisonniers politiques, les officiers et les nobles rebelles du gouvernement du premier empereur de la lignée des Sarcolem. Ils étaient logés à même les flancs de la montagne dans un fort creusé au cœur du granite le plus dur. Depuis des siècles, ce fort faisait corps avec la montagne ; à tel point qu'il fallait maintenant le chercher longtemps des yeux pour le trouver.

Les anciennes pistes creusées à proximité avaient été abandonnées. Les marchands préféraient passer plus au nord, car outre l'aridité du paysage en été et le froid glacial qui y régnait en hiver, des bandes de pillards venus des montagnes menaçaient toujours la sécurité des biens et des personnes.

Ce qui n'empêchait pas une communauté de Romanchers, en particulier, de traverser ce territoire hostile chaque année à la même date...

Installé sur le marchepied du chariot de tête, Romatcho, le chef, guettait ce que dans sa famille on appelait « l'oiseau de pierre » : une sculpture naturelle de grès orange représentant un oiseau stylisé et qui servait en l'occurrence de « panneau indicateur » pour qui savait le décoder.

Les loups grognèrent, signe que l'oiseau n'était plus très loin.

Vêtu d'un épais kaftang qui le protégeait du froid l'hiver et de la poussière et de la chaleur l'été, le Romancher sauta par terre.

Il suivit les carnassiers, trouva l'oiseau et chercha, dans le fouillis de rochers et d'entablements voisins, le passage ouvert dans la montagne.

Le soleil dardait ses rayons. Les corbeaux et les oiseaux de proie avaient l'habitude de guetter leur pitance sur ces chemins depuis des siècles. Aujourd'hui, ils ne trouveraient rien à manger.

Le chef dégagea la trouée d'à peine trois mètres de large et encombrée de rochers qu'il fallut déplacer à la main et replacer ensuite au même endroit après que la compagnie soit passée.

La caravane de chariots s'engouffra sous une longue voûte. Pendant plusieurs minutes, la centaine de Romanchers – hommes, femmes, enfants, loups, chiens et animaux de basse-cour confondus sentirent peser sur leurs épaules le poids de la montagne.

Ils atteignirent la sortie et débouchèrent dans un endroit verdoyant et paisible.

Perché sur un surplomb rocheux, un vieil homme casqué et sanglé dans son uniforme d'officier goréen se tourna vers son lieutenant et hocha du chef :

— Va prévenir notre seigneur, lâcha-t-il entre ses dents, que les Romanchers sont arrivés.

★

Ce qui étonnait toujours Solena, lorsqu'elle arrivait au domaine secret de Gauvreroy chaque année en cette saison précise, était avant tout le parfum suave et tendre des milliers de kénoabs plantés dans ce qui ne constituait jadis qu'un cirque de pierre aride et solitaire.

Mais, pour autant que la volonté des hommes et l'amour de leur cœur soient au rendez-vous, tout était possible !

Avec l'aide, songea Solena en souriant, *d'un soupçon de magie venue d'Éliandros...*

Une servante romanchère posa respectueusement son fidèle manteau de laine blanc sur ses épaules endolories. Solena la remercia d'une caresse sur les cheveux.

Les cahots du chemin donnaient encore à la cristalomancienne l'incommodante impression de trembler comme un vieillard sénile – ce qu'elle n'était tout de même pas malgré ses soixante ans passés !

Enfin, les premières frondaisons jaillirent des aiguilles de grès et avec elles les lourdes branches chargées des odorantes fleurs de kénoab. Il y en avait des rouges, des roses, des jaunes, des mauves et même – les plus rares –, des noires.

Chaque année, Solena quittait soit son château sis dans les environs de Berghoria où elle vivait en bonne intelligence avec Vorénius et sa famille, soit son palais blanc de Bonderosa et ses bonnes œuvres, et elle se joignait incognito au clan de Romanchers dont le noble aïeul n'était autre qu'Amis Néroun.

Romatcho installa sa communauté dans une des clairières aménagées par le « jardinier-magicien » qui avait donné la vie à cette région reculée.

Les kénoabs étaient silencieux en cette fin de journée printanière. Ils goûtaient rêveusement à la fraîcheur du soir qui tombait toujours brusquement après la chaleur accablante du jour. On entendait le murmure des nombreuses sources mises au jour par le « jardinier » près de vingt ans auparavant.

Les quatre loups se mirent en ligne devant Solena.

La vieille cristalomancienne avait assisté à leur naissance. Depuis, connaissant leur langue, elle était devenue leur chef de meute. Ils étaient les descendants de Vif-Argent et de Douceuse.

Solena leva le menton et Vif-Argent XI grogna doucement. Le loup assurait sa maîtresse qu'ils n'avaient, cette année encore, pas été suivis... ce que semblait contester Tognard, un mâle agressif, mais fidèle envers la Louve mère.

La cristalomancienne savait qu'un combat couvait entre les deux loups dominants pour l'amour de Douceuse XV qui affectait, pour eux, une indifférence toute féminine.

Solena s'approcha de Tognard.

— Ainsi, tu penses, toi, que notre secret a été éventé et que des inconnus approchent !

Elle se redressa en grimaçant de douleur. Depuis quelques années, ses os lui faisaient mal. Et ses méditations répétées ne lui assuraient que de minces répits.

Autour d'elle, le camp se montait à une vitesse incroyable. Habitués à la vie de Bohême, les Romanchers faisaient preuve d'une extrême habileté manuelle. Tout le monde participait – chacun sachant à l'avance quelle était sa tâche. Les enfants eux-mêmes prêtaient main-forte dès qu'ils pouvaient marcher. Les filles allaient aux sources pour y puiser de l'eau.

Solena était inquiète. Ce que Tognard affirmait devait sans doute être débattu avec Romatcho, mais aussi avec le «jardinier-magicien» et sa famille, leurs hôtes.

Elle trouva, posés entre les racines noueuses du plus grand des kénoabs blancs, les sacs de victuailles remplies de pâtisseries et de friandises qui les attendaient chaque année à cette date précise : signe que le maître des lieux était très heureux de les savoir de retour.

Tandis que s'organisait le camp, Solena alla personnellement saluer les kénoabs Sentinelles.

Bien qu'ils n'eussent que vingt ans, certains paraissaient beaucoup plus âgés.

Aux marques fines que plusieurs portaient sur leur tronc, Solena comprit que l'eau de kénoab, mais aussi l'huile, la résine et le beurre avait cette année encore été déjà tiré.

Les fruits viendraient plus tard dans la saison, ainsi que la traditionnelle récolte des feuilles, en automne, avec lesquelles on confectionnerait des onguents pour soulager les douleurs rhumatismales et arthritiques.

Bientôt, les premières notes de tréborêts, de flûtes et de harpes résonnèrent dans le ciel semé d'étoiles. Des feux s'échappait le fumet des cochons abattus le matin. Au pied des grands arbres, les enfants avaient trouvé d'énormes champignons qui grillaient au milieu des viandes tandis que les Romanchères distribuaient, sur les tables de bois, les desserts offerts par le maître de Gauvreroy.

Ayant troqué leurs pourpoints de cuir pour de simples vestes de toile rouge ou jaune, les hommes donnaient la vie à leurs instruments de musique. Après le repas – Solena avait, comme chaque soir, poliment refusé son assiette –, les femmes se joignirent à leurs époux et se mirent à danser.

La vaisselle et les autres corvées attendraient à demain, songea Solena avec plaisir.

Chez les Romanchers, chacun des sexes avait sa place et ses prérogatives. Le temps des plaisirs de la danse et de la musique appartenait à tout le monde, même aux enfants.

Seuls les chiens de la communauté faisaient triste mine, car les loups avaient la préséance sur eux.

Après quelques minutes d'une retenue causée par la gêne de danser alors qu'elle n'était ni très jeune ni très jolie depuis longtemps, Solena se laissa une fois de plus submerger par la musique.

À l'écart des groupes de danseurs, elle se réfugia au milieu des kénoabs Sentinelles. Là, au cœur d'un réseau d'énergies invisibles, elle se laissa complètement aller, comme lorsqu'elle était adolescente, du temps d'Éliandros et de la *cérémonie estivale du lys d'argent*.

Les souvenirs refluaient en elle.

J'attendais comme toutes les jouvencelles qu'un garçon m'offre le lys. Je dansais à en perdre haleine pour le recevoir! Déjà, je songeais à un prince inconnu qui viendrait dans ma vie et allumerait le feu dans mes veines…

Elle tournait sur elle-même, insensible aux douleurs dues à son âge, la tête et le corps envahis de sensations merveilleuses. Des pans entiers de souvenirs issus de l'époque où elle incarnait Shanandra lui revenaient. Les yeux clos, elle sentait la présence obsédante, à ses côtés, d'un jeune homme aux traits mâles, aux yeux de braise, aux longs cheveux noirs semés de mèches aux reflets bleus. Mais, lorsque mourait la musique, Solena se rappelait brusquement que Torance l'avait quittée vingt et un ans plus tôt avant de pouvoir véritablement cueillir les lauriers de ses victoires.

Mérinock l'avait assurée que Torance avait en quelque sorte fait son choix. Pourtant, Solena rêvait encore qu'ils auraient pu simplement abandonner leurs couronnes à Honario et à Kessaline, et partir sans tambour ni trompette comme l'avaient fait Kal-Houré et Mivah. Qu'est-ce que cela aurait changé à l'Histoire et à la postérité que Torance survive à la bataille de Midon ?

Sa mort aurait pu être simulée. Son corps emporté de la même façon dans le ciel par Phramir. La légende aurait pu demeurer sans qu'elle soit obligée d'errer seule, dans la vie, sans Torance !

Les larmes aux yeux, Solena dansait toujours.

Autour, assis bien droits, têtes et oreilles baissées, se tenaient les loups.

Solena était seule à entendre les conseils que lui murmuraient les Sentinelles. La mort n'était pas une fin – chose qu'elle savait pourtant depuis longtemps ! Son bien-aimé existait toujours. Les années qui passaient n'étaient que des illusions de l'ego.

En attendant, que ce soit dans ses châteaux auprès de ses fils, de ses brus et de ses petits-enfants ou bien ici, au sein de cette communauté de Romanchers où elle était traitée avec toute l'affection et le respect dû à une Ancienne, elle errait et elle attendait.

La musique et la danse seules la soulageaient de ses regrets, de ses désillusions. Et si son père lui apparaissait encore lors de ses transes, il se gardait de répondre à ses véritables questions. Ce qui la fâchait et la laissait au bord du découragement.

Malgré cela, elle devait faire bonne figure et être à la hauteur de sa légende. Dans tous les royaumes gouvernés par ses enfants et petits-enfants, Solena voyageait telle une reine et soulageait les souffrances. Ici, elle étendait le manteau de laine blanc de la déesse et guérissait les malades. Là, elle fixait un indigent ou un pestiféré, et elle lui révélait la beauté de son âme.

Entre deux danses, elle s'accroupit entre les racines d'un kénoab blanc. Ces arbres avaient poussé grâce aux sacs de graines énergisées qu'elle avait autrefois remis au « jardinier-magicien ». Celui-ci avait voyagé longtemps avant de découvrir cet endroit.

Après tout, se dit Solena, essoufflée, courbatue, mais heureuse, nous n'avons besoin, pour vivre, que d'eau, d'air et des bienfaits offerts par le kénoab.

Le mot amour apparut également dans son esprit, et elle sourit. Elle pouvait dire qu'elle avait été aimée dans sa vie – dans ses vies ! Et l'amour était toujours présent en elle, tout autour, sous les frondaisons odorantes des kénoabs, auprès de ses enfants et descendants ainsi que dans ses transes où il lui arrivait encore de « chercher » Torance.

Elle réfléchissait à son besoin compulsif de le retrouver par-delà la mort ; se disait qu'elle n'avait pu, lors de son décès, voir jaillir de son enveloppe de chair son âme et son corps de lumière. Alors qu'elle possédait ce don, cette joie ultime lui avait été refusée. En découvrant le corps de Torance, elle n'avait en fait trouvé qu'une coquille vide. Alors qu'elle le serrait dans ses bras en pleurant, elle savait qu'il était déjà « ailleurs ».

Des pas foulèrent un tapis de branches mortes.

Vif-Argent et Tognard dressèrent aussitôt l'échine. Mais aucun loup ne refusa le passage à l'inconnu qui se présentait, nu-tête, devant Solena.

— Tu as voyagé longtemps, lui dit-elle. Tu n'es pas celui que j'attends, mais je t'en prie, assieds-toi.

L'étranger posa son sac et son long bâton de marche, et s'assit en position de méditation sur le sol de mousse encore tiède. Solena remarqua qu'une bouffée de vent répandait sur sa tête et ses épaules voûtées un voile diaphane de fleurs roses et blanches.

Le vieil homme soupira, puis répondit simplement :

— Je suis heureux de te retrouver enfin...

LE JARDINIER-MAGICIEN

Le grain de peau de l'homme suggérait qu'il avait jadis été blond. Depuis, arborant un crâne aussi luisant qu'un œuf frais pondu, il ressemblait davantage à un sage en voyage. Bien que harassé par une longue route, il paraissait détendu. Et si l'âge avait ridé son menton, il conservait ces yeux vifs aux reflets vert émeraude que Solena connaissait depuis sa prime jeunesse.

— Noem…, laissa-t-elle tomber, rêveuse.

Son ancien amant – le premier qui ait osé sur elle les caresses de l'amour – sourit.

Solena baissa timidement la tête.

— Je te retrouve telle que tu m'as quitté autrefois pour courir après Torance, répondit-il sur un ton dépourvu de rancœur ou de regrets.

— Flatteur !

— L'âme demeure sans tache…

— … mais le contenant s'étiole et se délabre, compléta la cristalomancienne en se remémorant un poème appris bien des années plus tôt au temple d'Éliandros.

Ils pouffèrent de rire comme deux adolescents.

Solena prit les mains de son vieil ami dans les siennes.

— Nous n'avons pas réellement été séparés, tu sais !

Lors de transes, il était en effet arrivé à Noem de capter des bribes de ce que vivait Solena, même à des milliers de verstes de lui. Il l'avait vue suivre sa quête des différentes pièces de l'armure du chevalier de cristal, puis aux côtés de Torance à la tête de leurs armées. Il l'avait suivie quand, en Terre de Vorénor, puis de Reddrah, Solena avait retrouvé ses fils. Et, plus tard, pendant les combats que l'Histoire retiendrait comme la glorieuse époque de la reconquête de l'Empire de Gorée.

Depuis la mort de Torance, Noem la sentait infiniment triste et errante dans sa propre vie.

Solena suivait les pensées de son ami. Elle approuva silencieusement. D'un sac de toile noué à sa ceinture, elle sortit des graines de kénoab gris qu'elle écrasa à l'aide d'un pilon dans une écuelle en bois. Elle y ajouta de l'eau, remua le mélange, saupoudra le tout de sel en fins cristaux.

— Ce n'est pas chaud, mais cela te fera du bien, dit-elle.

Solena avait pareillement suivi, de loin en loin durant toutes ces années, le parcours de son ami.

Envoyé en mission dans les lointaines Terres de Lem par le Mage errant peu après le réveil de Torance dans la Géode sacrée, Noem avait traversé les mers. Dans son nouveau pays, il avait pris le nom d'Oménite Memrah, et s'était fondu dans la masse des autochtones. Les maîtres du pays, la noble race des Lemois, avaient refusé de partager sa version de la vie et de l'œuvre du Prince messager, car ils avaient leurs propres croyances. Aussi, Noem avait-il erré dans un désert de glace et rencontré des clans de nomades.

Considérés par les Lemois comme des êtres barbares sans avenir politique, ces clans vivaient en semi liberté. Oménite prit femme – et même plusieurs ! – et se fit nomade. Devenu un riche marchand, il vécut des années dans le désert, eut douze enfants qui lui donnèrent par la suite plusieurs dizaines de petits-enfants.

Vingt ans plus tôt, Oménite avait commencé à narrer ce que ses contemporains appelèrent d'abord « des fables ». Il leur avait raconté que le Prince messager vivait aujourd'hui encore dans les Terres de Vorénor et de Reddrah.

Pressé d'en révéler davantage, Oménite parla des Préceptes de vie originaux.

— Bien entendu, dit-il à Solena, j'ai dû adapter mes paroles à leur niveau de connaissance ainsi qu'à leurs nombreuses et complexes traditions !

Oménite avait fini par inscrire ses « fables » sur de longues feuilles de palmes qui furent conservées, puis retranscrites et envoyées dans tous les clans de nomades.

— Mais ce n'était pas vraiment pour cela que Mérinock m'avait envoyé en Terre de Lem, avoua-t-il.

Il sortit un carré de tissu qu'il déplia soigneusement sur ses genoux.

Apparut un petit carnet dont la reliure, sculptée avec soin, était en métal. Les pages – de l'ogrove originaire de Lem – étaient à la fois veinées de lignes brunes et satinées au toucher.

Solena approcha son visage sans être capable de lire quoi que ce soit d'intelligible. Alors, Noem alluma une mèche de chanvre qu'il trempa dans un creuset en grès rempli d'huile.

— Voici le codex, déclara-t-il simplement.

La vieille dame découvrit enfin les pages, écarquilla les yeux et… resta muette de stupéfaction !

— Ce ne sont que des chiffres, des lignes et des formes géométriques, expliqua Noem sur le ton de l'excuse. Tu t'attendais peut-être à y lire des poèmes ou bien à contempler des estampes !

« Ce carnet contient des codes qui m'ont été transmis, en transe, par des êtres venus d'ailleurs. »

Solena savait que Noem ne mentait pas, car au même moment elle voyait son ami, en position de méditation, en train de recevoir par télépathie ces symboles compliqués et mystérieux.

— Ces codes concernent une époque future. Plus de mille sept cents ans nous séparent de ce temps troublé où l'humanité tout entière se trouvera en grand danger. C'est pour aider nos descendants à trouver des solutions à leurs problèmes que j'ai été choisi pour recueillir ces codes.

Mille sept cents ans !

Solena pouffa de rire.

— Nous ne serons plus là, dit-elle.

Noem secoua son index devant son visage.

— Nous sommes des messagers, ne l'oublie pas.

Solena haussa les épaules. Elle était vieille, elle avait assez œuvré, assez vécu. Cela durait depuis plus de cinq cents ans. Elle refusait de songer à l'avenir.

La voyant révoltée à la pensée que dans un futur éloigné Mérinock puisse de nouveau avoir besoin d'eux, Noem reprit simplement le récit de sa vie en Terre de Lem.

— Je suis mort, il y a trois ans, annonça-t-il fièrement.

— Mort ?

— J'ai eu un malaise. Les membres de ma famille m'ont soigné. Des fièvres m'ont dévoré le corps et je me suis paisiblement éteint au milieu de mes femmes, enfants et petits-enfants. Ensuite, ils m'ont enseveli.

— Pourtant, tu es là.

Il sourit.

Solena trouvait bizarre d'imaginer Noem vivant sous une autre identité, mari de nombreuses femmes et aïeul d'une nuée de descendants. En employant des drogues de sa confection, Noem – ou Oménite – avait simulé sa maladie, puis sa mort. Avec la complicité de ses proches, sans doute, qu'il avait initiés aux secrets et à la sagesse d'Éliandros, il avait ensuite abandonné son sépulcre pour retraverser les mers et rejoindre le continent central.

— Depuis, reprit-il, je suis rentré à Goromée et me suis présenté devant ton fils, Honario. Mérinock m'avait au préalable annoncé à lui. Je me nomme désormais Noemus Patrogle et je suis devenu le peintre officiel de la cour.

— Ainsi, dit-elle, tu as épousé de nouveau une de tes anciennes vocations. Peindre, dessiner, sculpter…

Elle reprit ses mains.

— Resteras-tu, mon ami?

— Je t'ai revue. Je le souhaitais depuis longtemps. Mais il me reste une dernière tâche à accomplir dans ces montagnes. Ensuite, nous nous reverrons, mais ce ne sera pas ici.

Noem accepta de passer la nuit au sein de la communauté des Romanchers. Il repartit à l'aube, sous une brume mouvante et une fine pluie de pétales de kénoab roses, mauves et rouges.

★

Plus tard ce matin-là, Solena rassembla autour d'elle une poignée d'enfants romanchers. Ils étaient une dizaine, assis en tailleur, les yeux clos, le visage et les épaules détendus, le souffle profond et paisible.

La vieille dame prenait plaisir à enseigner à ceux qui le désiraient les principes de base de la cristalomancie. Et en premier lieu, l'art essentiel de bien respirer.

Les enfants gardaient le dos droit, ce qui était la première des règles à respecter si l'on voulait que les sept principaux chakras soient connectés les uns aux autres, avec le ciel et avec la Terre. Solena affirma qu'il était possible, pour des êtres moyennement évolués, de vivre sans manger en ne buvant que de l'eau.

Sa déclaration fit pouffer de rire quelques enfants et sourciller des adultes. Mais Solena elle-même ne donnait-elle pas l'exemple ? Depuis trois mois qu'elle les avait rejoints, personne ne l'avait vu manger quoi que ce soit d'autre que des feuilles ou des graines de kénoab agrémentées d'un peu d'eau de source.

— Le *pranos*, déclara-t-elle. Je mange du pranos.

Le pranos était, comme l'enseignaient jadis les maîtres d'Éliandros, l'énergie de la déesse qui circulait partout, dans et autour des êtres et des choses, et qui imbibait chaque pouce carré d'espace. Le pranos était partout présent dans la nourriture que les hommes absorbaient, mais aussi dans l'eau et dans l'air.

D'où, à son avis, l'importance de bien respirer.

— Inspirez, murmura-t-elle. Absorbez le pranos. Imaginez que vous mangez une bonne galette de quimo, et votre corps se le tiendra pour dit.

Quelques enfants se levèrent discrètement et allèrent jouer. Mais les autres se prirent au jeu et se nourrirent ainsi durant plusieurs minutes de ce «pranos» dont parlait celle qu'ils appelaient entre eux la «reine des peuples».

Solena évoqua les pouvoirs que l'homme possédait sans le savoir, et ils s'émerveillèrent. Pour les distraire ou les impressionner, la cristalomancienne leva un bras au-dessus de sa tête et demanda au kénoab-Sentinelle sous lequel se déroulait la leçon de se manifester.

Aussitôt, l'arbre tressaillit sans qu'aucun souffle de vent ne troublât l'air.

Solena fit ensuite venir les loups et leur parla.

Des bruits de sabots interrompirent brusquement la leçon.

Une litière en bois sculpté, fermée par des rideaux de soie blanche liserée d'or et portée par quatre hommes, s'avança. Des cavaliers l'entouraient.

L'un d'eux mit pied à terre, imité par deux jeunes gens et par un officier plus âgé.

— Ma Dame..., fit le premier homme en s'approchant malgré les loups qui montaient la garde autour de Solena.

La quarantaine, encore jeune et beau, il portait un diadème sur le front et un pourpoint de drap blanc. Sa cape flottait sur ses épaules. Il inclina le front et baisa les doigts de la cristalomancienne.

Les rideaux de la litière s'écartèrent. Une femme enceinte s'y tenait allongée, entourée de deux suivantes.

— Mivah, la salua Solena, et vous, prince Kal-Houré...

Elle ajouta qu'il n'était pas l'homme qu'elle attendait, mais qu'elle était fort aise de le revoir.

— Nous sommes venus pour vous inviter chez nous, lui dit l'ex-prince impérial.

Solena contempla les majestueux kénoabs, l'ancien cratère transformé en oasis de paix...

— Jardinier, répondit-elle, je m'émerveille chaque année des progrès de votre domaine.

Le prince et ses enfants s'inclinèrent. Il était heureux. Jamais, Kal n'avait regretté sa fausse mort ni sa seconde vie.

— Tous vos amis de la communauté sont également mes invités s'ils le désirent, ajouta-t-il.

En chemin, Solena lui demanda si lui ou Simos, son fidèle officier, avaient vu dernièrement approcher des étrangers.

Tous deux secouèrent la tête. Leur domaine était un secret bien gardé, un monde à part qui se suffisait à lui-même.

— Craindriez-vous quelque trouble, Ma Dame? s'enquit Kal-Houré.

Solena désigna Tognard qui cheminait près de la litière.

— Ce loup, en tout cas, semble le croire.

LA FRESQUE PROPHÉTIQUE

Le célèbre peintre et *fresquier* Noemus Patrogle était arrivé au monastère trois jours plus tôt. Depuis, il avait préparé ses couteaux et ses maillets, déballé ses couleurs et entamé la fresque murale qu'il était venu créer en ce lieu désolé, presque au bout du monde.

Prêtres et novices l'observaient à la dérobée comme si c'était une bête curieuse ou bien un exalté – ce qu'il était sûrement à leurs yeux! Afin de plaire à l'artiste, Siméone, le supérieur de cette congrégation de moines, l'avait installé dans la salle dite « des Célébrations », endroit où les religieux prenaient leurs repas en silence.

Pour l'heure, la pièce, haute de plafond et munie d'impressionnantes solives et de larges vitraux en forme d'ogive, résonnait de coups d'aiguilles et de maillets.

Noemus devait, avant d'appliquer ses onguents colorés, préparer la surface de la paroi. Il avait prévu que sa fresque occuperait une superficie de six mètres sur quatre, ce qui inclurait le portillon en bois massif qui s'ouvrait sur une série de petites chambres de prières.

Pourquoi cet artiste qui s'était présenté muni de deux sauf-conduits officiels – le premier signé par le Premius Gorimont III, l'autre par l'empereur Honario – avait-il précisément choisi *leur* monastère? Nul n'aurait su le dire et c'est pourquoi les moines l'observaient à la dérobée en vaquant à leur ouvrage quotidien.

Édifié au sommet d'un mont adossé aux premiers contreforts des montagnes d'Évernia, non loin de la frontière Ouest de la province d'Élorîm, le monastère de *Gaumanche*, vieux de cinq cents ans, dominait un paysage grandiose et désertique. Pour y accéder, on devait se hisser au moyen de cordes et de palans le long d'arêtes et de contreforts en granite.

Coupée volontairement du monde pour se rapprocher de Gaïos, la confrérie monacale menait une vie sévère édictée par des règles précises. Ce qui n'avait pas empêché le supérieur d'accueillir cet artiste arrivé deux ans plus tôt seulement à la cour impériale, et qui avait déjà conquis la faveur et de l'empereur et du haut clergé de Goromée.

Le peintre mystique était de taille moyenne, chauve de crâne et sec de corps. Drapé dans une vieille toge puant l'argile et le grès écrasé, il semblait vivre dans un monde à part – un peu, d'ailleurs, comme les membres de cette confrérie qu'il était venu retrouver.

Lorsqu'il s'adressait aux frères-moines, il le faisait toujours avec beaucoup de douceur et d'humilité; attitude qui avait d'emblée plu au supérieur Siméone. Son regard à la fois vif et guilleret tranchait avec la pétulance et l'arrogance de ces artistes qui gravitaient d'ordinaire autour des prélats et des gouverneurs de province. Siméone croyait deviner que cet artiste-ci avait beaucoup vécu, et que ce qu'il montrait de lui aujourd'hui n'était qu'une infime partie de ce que contenait son âme. Cette délicatesse aussi avait séduit le supérieur.

Ce qui ne l'empêchait pas de s'inquiéter du sujet de cette fresque que ses coreligionnaires et lui seraient obligés de supporter… pour le reste de leur existence !

Noemus lui-même n'aurait su, à ce stade-ci de sa préparation, en quoi consisterait sa fresque, tant l'idée de sa création lui venait d'ailleurs.

En vérité, il n'était conscient que de deux choses. La première, c'est que cette œuvre lui était inspirée par Mérinock. La seconde, c'est qu'elle aurait un lien direct avec le fameux codex qu'il avait rédigé presque les yeux fermés.

Ces deux œuvres, créées sur des supports et dans des styles très différents étaient comme les deux faces d'une même médaille. Une médaille qui serait destinée aux hommes du futur. Dans quel dessein, exactement ? Noemus Patrogle l'ignorait.

Il inspira profondément, puis se mit au travail.

Pendant deux jours entiers, il ne bougea pas de la salle, ne s'arrêtant que pendant de brèves périodes pour « respirer » comme il disait, boire ou mâcher de ces feuilles séchées qu'il sortait d'une petite sacoche en cuir suspendue à sa ceinture.

Peu à peu, cependant, le mur se couvrait de couleurs.

Dominée par le jaune et l'oranger, la fresque paraissait incompréhensible aux moines qui passaient dans le dos du fresquier. Car, après tout, il ne se dégageait de cette œuvre mystérieuse ni personnage, ni visage, ni élément de décor ! Ne se croisaient et s'entrecroisaient que des taches, des rubans, de vagues et évanescentes silhouettes colorées en des tons qui allaient du blanc cru à l'ocre brun et au rouge en passant par cet orange si intense qu'il en était par moment éblouissant.

À certaines heures, spécialement au coucher du soleil, quand les rayons de l'astre du jour touchaient les vitraux et plus encore les ouvertures à claire-voie pratiquées dans le toit, il semblait aux moines – ou à certains d'entre eux en tout cas – que des silhouettes mystérieuses «bougeaient» ou s'animaient derrière cet écran pastel.

Noemus révéla au supérieur Siméone que seuls ses moines les plus éveillés spirituellement ou bien pratiquant un jeûne sévère seraient à même de discerner ou d'approcher les subtiles significations de sa fresque.

Par moment, durant l'élaboration de ce chef-d'œuvre qui allait fasciner des générations d'artistes, puis de scientifiques dans le monde entier, les moines affirmèrent à leur supérieur que des rubans de lumière flottaient autour de l'artiste tandis qu'il appliquait ses onguents.

Noemus passait ses soirées à broyer de nouveaux jaunes, à créer ses fameux oranges si doux et lumineux qu'ils faisaient penser à de la lumière liquide. Il y mélangeait une mixture connue de lui seul faite de pigments issus de sèves d'arbres et d'argiles récoltées dans les déserts de la lointaine Terre de Lem.

Ces «solidifiants» naturels, lui avait dit le Mage errant, permettront à tes couleurs de résister à l'épreuve du temps. Fais-moi confiance! Le monastère de Gaumanche sera encore debout dans plus de mille sept cents ans!

Noemus achevait sa fresque au bout d'une transe presque ininterrompue de plus de cent heures, quand lui vinrent les six paroles ou intonations mystiques qui constitueraient en quelque sorte la clé et la signature de son œuvre. Ne sentant plus ni son bras ni sa main, il appliqua son aiguille contre le mur, prit son maillet et sculpta les mots: «Ank, Evran, Strados, Iner, Valish, Uma». Après avoir nettoyé les scories de plâtre, il trempa son pinceau dans son mélange et peignit ces mêmes lettres.

Il attendit qu'elles sèchent et les recouvrit ensuite de plusieurs couches d'enduits destinées à cacher ces paroles terribles et prophétiques au commun des mortels.

Elles demeureront dissimulées à leurs regards durant mille sept cent douze années, lui révéla le mage errant.

La mesure donnait le vertige à Noem. Mais il devait ignorer cette nouvelle information pour ne se consacrer qu'à ce qui promettait de devenir son chef-d'œuvre. Un septième élément, sans lequel les six autres demeureraient incomplets, lui vint dans la tête et jusque dans la main : un symbole – le seul en fait – qu'il avait déjà utilisé dans la rédaction de son « codex » numérique.

Quand, enfin, il sentit que l'énergie du Mage errant se retirait de lui, un nom terrible lui vint à l'esprit. Il se leva en tremblant sur ses jambes. Aussitôt, trois moines vinrent à son aide et le transportèrent dans une cellule voisine.

Accourut le supérieur, avec des compresses chaudes et des herbes fortifiantes.

Noem s'accrocha à la bure de Siméone et bredouilla :

— *Ermenaggon...*

Il répéta ce mot étrange à trois reprises. Puis il se dressa soudain, écarquilla ses yeux verts immenses et hurla que l'on venait d'arracher le soleil du ciel. Qu'un abominable forfait venait de se commettre.

Enfin, il perdit connaissance.

★

Solena courait dans le verger de kénoabs en fleurs. Non loin, elle percevait la vie. Non pas uniquement celle des arbres-Sentinelles qui « dansaient » avec elle, mais aussi celle, tout simplement humaine, de ses frères romanchers.

Les femmes battaient le linge à la rivière. Les filles allaient quérir de l'eau aux sources et la rapportaient au camp. Les garçons aidaient leurs pères à tailler des objets usuels en bois – cuillères, bols, assiettes. Au milieu allaient et venaient les animaux de basse-cour surveillés de près par les chiens.

Désireuse de baigner dans un peu plus de calme, Solena s'enfonça davantage dans le verger. Elle levait les yeux, voyait la couronne illuminée des frondaisons, le ciel bleu azur et ces moutonnements de ouates colorés constitués par les fleurs de kénoab. Un vent léger s'engouffrait par quelques anfractuosités mystérieuses, et ébouriffait les branches.

Alors, une pluie douce et radieuse se déversait sur le sol et nimbait les épaules de la vieille dame. Cette sensation de plénitude lui rappelait ses plus beaux souvenirs : l'époque heureuse où elle avait retrouvé Abralh sous les traits de Torance, lorsqu'ils avaient eu Honario et plus tard vécu dans le merveilleux domaine champêtre de Bonderosa.

Solena courait à perdre haleine comme si elle avait encore ses vingt ans. Comme si ce corps qui lui pesait était en vérité davantage fait de lumière que de chair – ce qui, quelque part, était sans doute la vérité.

Elle repensait à l'accueil chaleureux que lui avaient réservé Kal-Houré et Mivah. L'ex-héritier de la couronne de Gorée s'était construit, avec l'or offert par Honario et ses propres hommes d'escorte, une belle maison au cœur de leur domaine fleuri. La veille, Solena avait dérogé à sa règle et fait honneur au repas servi.

Kal-Houré vivait dans la joie et le bonheur. Avec sa famille, dont il était proche, comme de ses officiers, devenus ses amis, ils formaient une communauté autarcique paisible et équilibrée qui comptait plusieurs dizaines de personnes et incluaient, outre les enfants du couple, ceux que ses officiers avaient eus de femmes secrètement invitées à partager leur paradis.

Solena sourit en revoyant Kal-Houré et Mivah assis l'un en face de l'autre, après le souper, et disputant gaiement une partie de *Maï-Taï*, ce jeu de société stratégique et guerrier auquel – la cristalomancienne en avait eu la vision – tous deux jouaient déjà plusieurs siècles plus tôt, à Goromée.

Ce bonheur simple avait touché Solena, car elle l'avait elle-même vécu à Reddrinor aux côtés de Torance.

Ressentant soudain une douleur au côté gauche, elle s'adossa contre le tronc d'un kénoab blanc. Son cœur cognait dans sa gorge et à ses tempes. Une chaleur intense baignait sa tête. Elle se laissa glisser au sol, se lova entre les racines accueillantes de l'arbre-Sentinelle.

Le kénoab la sentait à la fois tendue et heureuse, accomplie, soulagée et ouverte à toutes les aventures.

Les quatre loups la rejoignirent et se tapirent non loin, en bougeant leur queue et en se souriant l'un l'autre, satisfaits de voir leur maîtresse en de si bonnes dispositions.

Un rayon de soleil perçait les frondaisons et éclairait le visage de Solena.

Elle dut s'assoupir quelques instants, car lorsqu'elle rouvrit les yeux un visage sombre se tenait à deux pouces du sien. Devant ces yeux noirs et globuleux, ce visage maigre, osseux et ascétique, et cette bouche dure de vieille sorcière, elle lâcha un cri de surprise.

Le ciel s'était couvert. Le plafond de fleurs lui-même semblait triste et lugubre.

— Tu me reconnais? demanda la vieille femme sur un ton tranchant.

Au même instant, Solena sentit peser sur sa gorge la lame froide d'un sabrier...

43

L'ENVOL

— Tu n'es pas la personne que j'attends, dit Solena en fixant la vieille bougresse dans les yeux, mais sois la bienvenue.

L'inconnue s'esclaffa. Écartant sa lame, elle s'approcha encore davantage.

— Je n'ai pas peur de ton pouvoir hypnotique. J'ai été une cristalomancienne, autrefois...

Solena n'était qu'à moitié surprise de revoir Keïra ou Dame Bellissandre, comme elle se faisait appeler depuis si longtemps. Mais, ainsi que l'avait un jour prévenue Mérinock, les obsessions agissaient à la manière d'aimants.

Keïra la fixait intensément. Solena ne se donna même pas la peine de lire dans l'âme dépravée et malheureuse de cette femme qui avait été, dans une vie passée, l'amante du jeune prince Torance d'Élorîm.

La magicienne recula.

Qu'elle semblait frêle dans son large habit de soie mauve ! Son visage maigre à la peau aussi plissée qu'une pomme rabougrie mettait à nu l'aridité d'une vie consacrée à la vaine poursuite des désirs de son ego. Ses poignets avaient la fragilité du cristal. Ses longues mains décharnées parcourues de veines bleues donnaient le frisson. Seul son regard, fixe et brûlant, semblait en vérité encore habité. Solena devina que ce qu'il lui restait de vie était tout entier recroquevillé dans ces orbites aussi noires que la nuit.

— Me croyais-tu morte ? éructa Keïra.

Elle inspira profondément, ce qui souleva à peine sa poitrine décharnée.

— Tout au contraire, railla-t-elle sans attendre la réponse, je me suis toujours trouvée au cœur des événements. J'ai été l'ombre qui durant toutes ces années t'a suivie pas à pas.

On l'avait cru morte noyée dans une cascade, le cou brisé sur des rochers ! Elle avait survécu. On avait cru égarée la formule qu'elle avait subtilisée ! Elle l'avait jalousement conservée.

— Avec le temps, j'ai créé une confrérie, expliqua-t-elle.

Elle mit sous le nez de Solena une bague ornée d'un symbole.

— Tu le reconnais, sans doute !

Les Spiraliens, ajouta-t-elle, formaient une organisation secrète composée de bourgeois, de chevaliers, de politiciens et de financiers.

— Je me suis battue pour t'empêcher de réunifier les trois grands royaumes, avoua Keïra. Les événements semblent me donner perdante. Mais tu sais comme moi que l'avenir est un fleuve sans fin tantôt bleu, tantôt gris.

Elle sortit un parchemin soigneusement roulé et rangé dans un fin *sécralum* de métal.

— Ceci est la formule du Mage errant. Grâce à elle, j'ai pu rappeler dans des corps de nourrissons les âmes désincarnées de mes anciens compagnons. Cette pratique nous confère une espèce d'immortalité qui nous permettra de croître et de prendre un jour notre place dans le monde.

Elle fit une pause...

— Tes fils croient avoir éradiqué mes troupes!

... éclata d'un rire sinistre qui s'acheva en une effrayante quinte de toux.

— Lorsque Goromée est tombée après la bataille de Midon, j'ai dû fuir et me terrer comme un animal. Mais cette mésaventure m'aura en vérité permis d'affûter mes armes.

« L'heure est venue pour toi de mourir. »

— Je te plains, répondit simplement Solena. Tu erres depuis si longtemps sur cette Terre! Tu n'as jamais eu la chance de contempler en face la douceur et la gloire de ta véritable lumière intérieure. Oui, je te plains.

Keïra sourit ou grimaça – Solena n'était pas certaine du résultat tant le visage étriqué de son ennemie était creusé de rides.

— À propos, lâcha la vieille magicienne, tu te demandes peut-être pourquoi personne n'est encore venu à ton aide...

Elle claqua des doigts.

Une masse de chair rebondit pitoyablement sur le sol près des racines du kénoab. Solena retint un cri d'horreur en reconnaissant la tête tranchée d'un de ses loups.

Un homme se présenta, une longue épée ensanglantée au poing.

— Voici mon fils, déclara Keïra.

Solena reconnut la silhouette massive, et surtout le costume sombre surmonté du capuchon et du masque en lin noir.

L'homme inclina la tête devant la cristalomancienne.

— Tu n'es pas celui que j'attends, lui répéta Solena. Mais je savais que nous nous retrouverions un jour.

— Cela suffit ! persifla Keïra.

Elle rengaina son sabrier et invita son fils à dégainer le sien : une arme au manche soigneusement sculpté dont le pommeau était gravé aux armes de leur confrérie secrète.

Posant une main sur son épaule, elle ajouta :

— Il est temps.

Le Voyageur ôta sa cagoule, puis son masque.

Le cœur de Solena s'arrêta de battre dans sa poitrine, car l'apparition était presque un outrage à ses yeux.

En soupirant, elle laissa finalement tomber :

— Bien sûr. Torance avait des soupçons…

Mulgor avait vieilli depuis qu'elle l'avait revu, quelques années plus tôt, au palais royal de Reddrinor lors d'un banquet offert par Cristanien pour célébrer les noces de l'aînée de ses petites-filles.

— Tu te demandes peut-être pourquoi Torance et toi n'avez jamais été capables de mettre à jour sa double vie ? reprit Keïra. C'est que, vois-tu, mon fils est lui aussi un grand cristalomancien.

Elle l'avait d'abord chargé d'empêcher que ne soient réunies les pièces de l'armure de Gorum. Hélas, il avait échoué dans sa mission. Alors, Keïra lui avait demandé de se fondre au sein de leur groupe, de devenir essentiel et presque irremplaçable aux deux messagers.

— J'ai souffert de ne pas pouvoir garder mon fils préféré près de moi durant toutes ces longues années, continua la magicienne. Mais il a bien œuvré sans, pourtant, être capable de vous abattre.

Cette dernière phrase était-elle un jugement ou bien un reproche ?

Solena ne s'en préoccupait pas.

Du sang coulait de sa gorge. La pointe du poignard pesait toujours sur ses chairs.

— Nous étions constamment en contact, reprit Keïra. Grâce aux cristaux de communication.

Épuisée par une trop longue station à genoux, la vieille harpie se releva avec peine. Mulgor la remplaça près de la cristalomancienne qui ne bougeait toujours pas.

— Bien sûr, pour vous donner le change, Mulgor a dû accepter de se marier et d'avoir une descendance.

Solena sourit légèrement, car elle était même la marraine de deux de ses enfants, devenus depuis des adultes respectables.

— Nul dans sa famille n'a soupçonné que les longues absences de Mulgor n'étaient pas entièrement consacrées à soulager les pauvres et les malades…

Des pensées sans doute joyeuses se glissèrent dans l'esprit tortueux de Keïra, car elle rit de nouveau et toussa jusqu'à en cracher une écume sanglante.

— Je vais bientôt mourir, moi aussi, dit-elle. Mais grâce à la formule du Mage, je renaîtrais. Mon âme ne restera pas longtemps exilée dans les limbes.

— Ma fille aînée aura sous peu son prochain enfant, mère, la rassura Mulgor.

Elle tapota le bras du fils prodigue.

— Il est temps, répéta-t-elle d'une voix rauque.

Mulgor affila la lame du sabrier entre ses doigts.

À cet instant, le sol trembla et des racines du kénoab firent mine de dresser leur tête.

Mulgor recula précipitamment. Mais aussi vive qu'au temps de sa jeunesse, Keïra sortit un cristal rouge et prononça une formule.

Un rayon écarlate jaillit de la pierre et carbonisa les racines menaçantes.

Elle secoua ensuite un doigt décharné devant le visage de Solena.

— Pas de cela avec moi !

Alors que Mulgor, le sabrier au poing, s'agenouillait près d'elle, Solena toucha ses tempes avec les mains.

Le contact fut brutal. Le médecin sentit un courant d'énergie le traverser.

— Non ! s'écria Keïra, paralysée par cette même énergie qui bourdonnait à ses oreilles.

Les images qui parvinrent à Solena lui confirmèrent que Mulgor avait bel et bien mené une double existence. Fidèle compagnon une partie de l'année ; fils tout aussi fidèle durant la seconde moitié lorsqu'il partait pour ses fameux voyages « d'études ».

Oh ! Il avait secouru bien des pauvres et des malades en chemin, découvert de nouvelles plantes et mis au point des remèdes utiles. Mais c'est lui, également, qui avait mor-phiquement ensorcelé les trois princesses lors de l'attentat manqué de Reddrinor !

— Tu aurais pu pourtant te joindre vraiment à nous, murmura Solena. Je sais que tu as été tenté. Je sais aussi que durant ces années, tu as appris à nous respecter, à nous estimer. Tu nous as même aimés, par moments !

N'y tenant plus, Mulgor s'arracha à l'emprise de la vieille cristalomancienne.

Il tremblait. La peau de son visage avait blêmi.

— C'est un leurre, bredouilla-t-il. J'ai accompagné assez de mourants pour savoir que la vie après la mort dont vous parlez n'est qu'une illusion de l'âme. La vraie vie est ici-bas. Et la seule manière de contrôler notre immortalité est d'utiliser la formule du Mage.

Solena soupira.

— Alors, tu es toi aussi bien à plaindre, mon ami.

Mulgor se secoua comme s'il cherchait à se libérer du faisceau d'énergie invisible dont Solena l'avait entouré.

— Il est plus que temps, s'impatienta Keïra en reprenant le contrôle de ses sens.

Mulgor prépara le sabrier.

— Attends! fit-elle soudain. Une dernière chose, cristalo-mancienne. Si Mulgor est mon fils aîné, sais-tu qui était son père?

Solena l'avait compris dès que Mulgor avait retiré son masque. Comment tant de ressemblance avait-elle pu lui échapper? Échapper à tout le monde!

— J'ai arraché mon fils à ton époux la nuit où je l'ai entraîné avec moi dans ma fuite. Et tu veux savoir?

Elle lui murmura à l'oreille.

— Il a aimé ça.

Elle fanfaronna:

— Un jour prochain, tes fils mourront. Moi, je renaîtrai et je posséderai le monde.

Keïra recula. Mulgor pointa alors sa lame sur la poitrine de Solena.

— Je te pardonne, dit encore la cristalomancienne. Un jour, tu accueilleras ta propre lumière et je serais là pour…

Il appuya de toutes ses forces.

— Deux cœurs pour une même lame, ironisa Keïra.

Seul un filet de sang coula des lèvres de Solena. Mulgor ferma ses grands yeux bleus et laissa le sabrier figé dans la poitrine de la vieille dame.

Un rictus déformant le bas de son visage, Keïra émit un dernier souhait.

— Tranche-lui la tête.

Mulgor revint vers Solena, son épée à la main.

Mais l'arbre-Sentinelle se rebiffa. Un grognement épou-vantable jaillit du sol. Toutes ses branches s'animèrent. Terrorisés, Mulgor et Keïra s'enfuirent tandis qu'un vent violent se déchaînait sur le verger.

La pluie de pétales de fleurs tomba longtemps.

Inquiets du silence de la Reine des peuples, ses amis les Romanchers la découvrirent, endormie et souriante, lovée entre les racines du grand kénoab blanc.

Le guerrier égaré

La douleur de Solena fut aussi fulgurante que brève. La cristalomancienne avait l'habitude de forcer les liens qui l'unissaient à son corps de chair. En cette dernière occasion, elle les sentit si près de se rompre que s'en dégager se révéla aussi simple que d'ôter un vêtement devenu trop lourd.

Transférer sa conscience – ou son individualité – dans son corps de lumière se fit sans même y penser. Quelques secondes après avoir été poignardée, elle ne fut pas étonnée de rouvrir les yeux et de se retrouver debout devant l'arbre qui réagissait violemment à la dernière requête de Keïra.

Lorsqu'elle vit détaler la mère et le fils, elle ne put s'empêcher de sourire.

Elle contempla ensuite la belle lumière dorée, invisible pour ceux encore englués dans la matière dense, qui imbibait le verger, et elle plaignit encore Mulgor. En vivant et en œuvrant à leurs côtés, il était passé si près de franchir cette frontière évanescente qui sépare le règne de l'ego de celui de l'âme véritable! Mais la route de chacun devait être respectée. N'avait-il pas fallu cinq cent cinquante ans à l'âme de Sarcolem Premier, devenu Solinor, puis Kal Houré, pour trouver sa propre lumière intérieure !

La cristalomancienne chassa vite cependant le souvenir du traître. Sachant que ses amis romanchers approchaient, elle résolut de ne pas succomber à leur tristesse – ce qui pouvait assurément la retenir près d'eux alors qu'elle entendait commencer au plus vite une mission qui lui tenait à cœur depuis vingt et un ans.

Aussi légère dans son corps de lumière qu'un papillon dans le vent, elle s'élança dans les ciels subtils. Sa pensée tout entière dirigée vers le visage de son bien-aimé, elle trouva aisément son chemin. Elle atterrit bientôt dans la plaine de Midon : plus précisément sur ces corniches de grès orange et ces cirques de pierre où s'étaient concentrés les plus rudes combats.

Un événement que l'on croit achevé dans le monde réel perdure souvent durant des mois, des années, voire pendant des siècles dans les plis éthériques de la Terre. C'est souvent le fait même des âmes qui y ont été impliquées.

Dans le cas de la bataille de Midon, les soldats s'étaient battus avec une haine et un acharnement sans borne. Certaines âmes, littéralement envoûtées, avaient continué à combattre après être passées de « l'autre côté ».

De temps à autre, l'illumination vient à l'une d'elles, se dit Solena. Alors se déchire la toile factice de leur univers et apparaissent les véritables cieux. Si ces nouveaux morts se dégagent de la charge émotionnelle qui les a possédés sur le champ de bataille, ces résidus se désagrègent. Mais si la charge perdure, alors l'être s'en va en abandonnant derrière lui ce que les hommes ou les femmes douées de double vue qualifient de « fantôme ».

Ainsi, c'est tout un peuple constitué à la fois de fantômes et d'êtres véritables aveuglés par la violence de leur propre mort que Solena trouva dans le double énergétique du champ de bataille de Midon.

La fureur et la haine se perpétuaient depuis des années sans que les acteurs de ces combats s'en doutent.

Pour eux, la journée ne faisait simplement que traîner en longueur. Le soleil restait immobile dans le ciel. Des soldats des deux camps surgissaient, innombrables. Les fantassins portaient les pieux, les chevaliers abattaient leurs épées, les archers décochaient leurs flèches. Les évroks chargeaient et piétinaient hommes et chevaux, puis gémissaient de douleur lorsqu'une lance se fichait dans leur flanc.

Solena marchait au milieu d'eux tel un souffle de vent parfumé. Certains combattants la voyaient et la prenaient pour un ange.

La cristalomancienne appelait mentalement son bien-aimé.

En vingt et une années de transes et de vaines tentatives, jamais elle n'avait été capable d'établir un véritable contact entre leurs âmes. Signe indubitable que Torance s'était laissé prendre dans les basses vibrations qui imprègnent toujours un champ de bataille.

Elle allait d'un chevalier à l'autre, s'approchait d'un mort, retournait un cadavre. De temps en temps, elle contemplait le ciel. Une ombre gigantesque passait.

— Phramir !

Mais l'oiseau de proie poursuivait son chemin.

Soudain, une « étincelance » particulière attira son attention.

Au détour d'un entablement rocheux, frappant à droite puis à gauche, elle le découvrit brusquement. Abruti de fatigue, se demandant peut-être pourquoi des Goréens jaillissaient par centaines, par milliers, Torance avait l'armure couverte de sang. S'il était lui-même blessé, il n'en continuait pas moins à se battre.

D'autres chevaliers étaient tombés. Il ne restait plus personne à ses côtés, à l'exception de ces hordes « d'ennemis » qui venaient se frotter à sa lame.

— Torance !

Le prince se retourna et demeura muet de stupéfaction. Une vieille dame se tenait devant lui.

Il ouvrit la bouche – sans doute pour l'exhorter à se trouver un abri – quand ses yeux injectés de sang s'élargirent...

— C'est moi, murmura Solena.

Torance eut d'abord un mouvement de recul. Il avait laissé sa bien-aimée le matin même, belle et tendre, magnifique...

— C'est moi, répéta-t-elle, des larmes coulant sur ses joues.

Il se laissa enlacer.

La cristalomancienne se hissa sur la pointe des pieds, murmura dans son cou que la bataille était terminée. Qu'il regarde bien, d'ailleurs ! Autour, les soldats goréens perdaient de leur réalité. Ils se liquéfiaient, retournaient au néant d'où les avait tirés son imagination enfiévrée.

— Que..., que signifie ? balbutia-t-il.

Elle ôta ses gantelets de métal, prit ses mains.

Une chaleur bienfaisante irradia le corps du prince, le baignant d'une douceur sans pareille.

— Mon amour, dit-elle alors, c'est toi que j'attendais depuis si longtemps !

Elle tenait dans ses bras non plus le Torance de chair, mais celui fait de lumière : l'Âme éternelle et non plus seulement l'enveloppe.

Les âmes sont, dans leurs éléments propres, se rappela-t-elle, aussi réelles et tangibles que peuvent l'être les hommes incarnés.

Solena ferma les yeux. Son bonheur était si complet qu'il ·agit en elle, de l'intérieur vers l'extérieur.

Ainsi, lorsqu'elle battit à nouveau des cils, elle se vit dans les yeux de Torance aussi jeune et aussi belle qu'elle l'était le dernier jour où ils s'étaient vus et aimés.

— La bataille est finie, répéta-t-elle. Nous avons gagné.

Le prince ôta son heaume, inspira profondément. Déjà, le soleil reprenait sa course dans le ciel. La gorge était déserte. Même les cadavres devenaient poussière et disparaissaient dans le sol.

— Que s'est-il passé?

— La Gorée a été conquise, mon amour. Hélas, tu es mort durant la bataille! Honario et Kessaline règnent depuis vingt et un ans. Je viens moi-même de « passer », et je te rejoins.

— Mais, mais...

Elle posa un doigt sur ses lèvres.

— Rien de tout cela n'a plus d'importance.

Elle prit résolument sa main. Tous deux s'élevèrent du sol, planèrent entre les entablements.

— Viens. Il y a par-delà ce monde de l'illusion toutes les beautés des mondes de lumière. Il y a un endroit en particulier où nous sommes réellement chez nous. Il est temps d'y retourner, car on nous y attend.

Solena appela Shandarée, la cité qui gardait l'entrée de la mythique vallée subdimensionnelle d'Évernia. Et Shandarée se dessina bientôt dans un immense halo de lumière.

Telle une rose qui s'ouvre aux rayons du soleil – une myriade de cercles parfaits entrecroisés figurant une véritable fleur de vie –, la porte conduisant à la cité céleste se dévoila dans toute sa splendeur.

Torance n'en revenait toujours pas. Dans la lumière se dessinaient des bâtiments grandioses, des colonnes de cristal, des temples aux lignes aériennes, mais aussi un ciel serein, un rivage et une grève de sable blanc.

Solena avait la sensation unique de faire, en cet instant sublime, ce à quoi elle rêvait depuis plus d'un demi-millénaire.

— Je nous raccompagne chez nous, murmura-t-elle en posant sa joue contre l'épaule du prince.

Torance ressentit dans son corps une accélération subite. Ce mouvement fit tressaillir toutes les fibres de son être. Des souvenirs affluèrent. Il y a très longtemps, il avait déjà fait ce voyage en compagnie de Solena, mais aussi d'une troisième personne : un ami cher à leur cœur.

Alors que les pétales de la porte de lumière se refermaient sur eux, il embrassa sa compagne.

Ils rentraient enfin chez eux…

★

Au même moment, Mérinock souriait.

Ses condisciples, les douze autres Vénérables d'Évernia, n'eurent pas à se demander l'origine de cette joie qui baignait son visage.

Ils savaient.

— Mes messagers rentrent au bercail, annonça-t-il fièrement.

Sa voix résonna sous les voûtes étincelantes de la sainte rotonde où ils étaient tous réunis.

Comme à la fin de chacun des « cycles » du Grand Œuvre, Mérinock rencontrait ses pairs pour leur exposer en détail les progrès de cette mission qu'il avait choisi de mener à bien plus de mille ans auparavant.

— Les Préceptes de vies originelles ont été restaurés, dit-il. Sur les trois plus importants trônes des Terres de Gaïa règnent nos plus fidèles messagers.

Après quelques secondes d'un silence respectueux, un patriarche rétorqua tout de même que le nouvel équilibre restait fragile.

— Certes, approuva Mérinock, comme tout équilibre, celui-ci est sensible au moindre souffle. Mais le progrès va et vient au gré des humeurs de l'homme.

Le vénérable de Gorum partageait son opinion. Après tous ces efforts pour permettre aux sociétés humaines de prétendre à une certaine grandeur – ce que l'on pouvait véritablement nommer un Âge d'or –, il convenait de laisser l'homme à l'homme, car on ne pouvait toujours le tenir par la main.

Mérinock leva son kaïbo.

— Je suis d'avis de leur permettre de voyager librement et de laisser la poussière des ans retomber sur notre œuvre.

Tous approuvèrent, car on ne formait pas des âmes bien trempées en les forçant trop dans une direction ou dans une autre. Le véritable sage sait quand il doit lâcher la main de son disciple. La voie tracée était suffisamment claire, à présent, pour être aisément suivie… si d'aventure l'Homme parvenait, à la lumière des Préceptes de vie, à contenir les furies qui en faisaient un si turbulent élève !

Mérinock était heureux. Pour une fois, il sentait que ses efforts n'avaient pas été tout à fait vains. Pour reprendre la formule du Vénérable de Gorum, « l'homme devait être laissé à l'homme ».

Il serait toujours temps, comme le jardinier qui vient vérifier de temps en temps la jeune pousse qu'il a plantée, de surveiller la croissance de la future plante.

Mais pas avant quelques siècles, se dit Mérinock.

La Vénérable d'Élorîm souleva le problème laissé « de côté » par Mérinock.

— Cependant, le sort de la formule du retour de l'âme me dérange, dit-elle.

Mérinock s'attendait à cette objection, et il s'y était préparé.

— Le danger que représentent les messagers rebelles qui ont pris le nom de Spiraliens est calculé. Il faut à l'homme un peu d'ombre s'il veut apprendre à apprécier son soleil.

À condition, se dit-il, que l'homme ne laisse pas complètement dévorer sa Lumière par l'Ombre qui vit en son âme…

Aux pensées qui fusaient autour de lui, Mérinock comprit que ce doute était également partagé par la plupart de ses condisciples.

Il aurait pu se défendre, souligner qu'il n'y avait aucun mérite à cheminer sur une route trop large, belle, plate et sans aucun caillou. Mais là était précisément le défi qu'il offrait, tel un cadeau, à l'humanité.

— J'ai posé les jalons de l'avenir, ajouta-t-il, afin d'informer les hommes qu'ils possèdent désormais une liberté d'action sans pareille dont ils devront évaluer la force et les élans avec beaucoup de sagesse ; et pour les mettre en garde, aussi, contre les abus d'une telle liberté.

Les en croyaient-ils dignes ?

Cette question ne serait pas débattue dans la rotonde sacrée. Elle demeurerait en suspens et ce serait l'avenir seul qui fournirait la réponse.

Chaque Vénérable reconnut la valeur du travail accompli par Mérinock et ses messagers. Le Mage errant ne courait pas après les honneurs. Une joie plus simple, plus authentique, le tenaillait.

Celle d'aller retrouver ceux de ses messagers qui, par leurs efforts durant plusieurs existences terrestres, s'étaient mérités la grâce de pouvoir vivre à visage découvert dans la cité céleste de Shandarée, et même au-delà!

★

Plus tard, Mérinock revint s'asseoir sur la Dalle de Divination – ce lieu précis, dans la Géode sacrée, où son esprit pouvait écarter les plis subtils et changeants de l'avenir en formation, et entrevoir cette réponse qu'il avait pourtant résolu de laisser volontairement «en suspend».

Il était entouré par les symboles gardiens de ces espaces subtils qui étaient son domaine propre, et par les artefacts de la déesse: entre autres, la fameuse pierre du destin qui avait emmagasiné dans son ADN tous les événements du Grand Œuvre. Les corps de chairs de Torance et de Shanandra, exposés dans leurs sarcophages de *bromiur*, lui tenaient également compagnie.

Peu à peu, le Mage errant se laissa absorber dans une transe profonde.

Un Shrifu l'aidait dans cette tâche. Immobile à ses côtés, ce sage au crâne rasé et au visage recouvert d'une couche de cendre psalmodiait la note *aum* qui libère les plus belles ramifications de l'âme et permet de toucher et d'embrasser l'intangible.

Ce que Mérinock vit de l'avenir sembla d'abord lui plaire.

Il y avait là des pays où le progrès prenait véritablement tout son sens, des technologies mises au service de tous. Il y avait aussi la preuve des merveilleux accomplissements de l'homme.

Interpénétré à la fois par des images, des sensations, des sons, des ressentis et des pensées, le Mage supportait une charge de plus en plus intense. Fort heureusement, le Shrifu en absorbait aussi !

Soudain, les traits de Mérinock se figèrent.

Il ouvrit la bouche et resta pétrifié d'épouvante.

ÉPILOGUE

An 2299 après Torance, village perdu de Wellöart.

Les traditions du monde entier avaient coutume de dire d'un silence paisible et sépulcral qu'il avait autant de valeur que celui qui régnait perpétuellement dans la Géode sacrée. Sans vraiment connaître le fond de cette expression toute faite, on disait aussi par exemple : « reposé comme les gens de la Géode sacrée » ou bien : « dormir dans la Géode », ce qui voulait littéralement dire que l'on bénéficiait d'un long et profond sommeil réparateur. Une définition dérivée des mots « Géode sacrée », dans les dictionnaires modernes, en donnait la signification suivante : un état de pure, de délicate et de délicieuse félicité. Une paix totale et sereine ; voire, de goûter à un état de recueillement proche du Mystère.

Jusqu'à ce jour funeste ou glorieux – les interprétations diffèrent – de ce samedi du mois de Gorum de l'an deux mille deux cent quatre-vingt-dix-neuf après Torance.

Avant cette date, c'était bel et bien une extase sans nuages qui régnait au cœur du massif de la montagne surplombant le petit village de Wellöart.

Au cours des siècles, de nombreuses expéditions avaient été mises sur pied. Aucune d'entre elles n'avait jamais pu trouver l'entrée du village perdu des légendaires Servants du Mage errant.

Certes, l'arceau de pierre taillée, sculptée et gravée érigé au centre d'un surplomb semé de sapins existait réellement. La montagne dite de Wellöart dominait l'hypothétique «porte». Mais des générations d'explorateurs avaient eu beau tenter l'impossible pour activer le ténébreux mécanisme d'ouverture, personne n'avait pu franchir l'arceau et découvrir l'univers secret du Mage errant.

Jusqu'à cette date fatidique où un groupe de chercheurs en partie financé par un consortium composé de l'université de Goromée, du gouvernement de la grande république de Lem, et pour un dernier tiers, d'une multinationale bien connue qui fabriquait entre autres des puces informatiques pour les ordinateurs n'en trouve le moyen…

Le talent – disons même le génie – combiné des membres de cette équipe extraordinaire avait réussi à percer les mystères de ce que Lowel Mildon, le chef de l'expédition, appelait «ce vieux fourbe barbu de Mérinock».

Après avoir martelé la roche pendant des jours et creusé des tunnels dans toute la montagne ou presque, les machines et leurs vrilles à pointes-de-diamant fracturèrent enfin les parois protégeant la Géode sacrée.

Le sol du lieu saint avait tremblé durant de longues minutes avant que des blocs de pierre ne se détachent des hauts plafonds. En s'écrasant au sol et contre les parois, ceux-ci défigurèrent à jamais nombre de fresques.

Lorsque la première machine pénétra dans le sanctuaire tel un animal tonitruant, le Shrifu, autrement dit le gardien, gisait à moitié enseveli sous un éboulement.

Un homme s'extirpa de l'engin.

Il était vêtu d'une combinaison jaune en matière synthétique, spécialement conçue pour résister à toute sorte d'agression. Portant une cloche en verre sur le visage, il était également muni de gants et de bottes en métal. Il avança avec la sensation de conquérir un monde inconnu – ce qui, malgré les centaines de milliers de livres écrits sur le Mage errant et la Géode sacrée au fil des siècles, était bel et bien une sorte de vérité.

À quoi s'attendait Lowel Mildon?

Une caverne remplie de joyaux? Un palais de marbre et d'albâtre?

Il renifla sous son scaphandre: s'il avait pu, il aurait tout bonnement craché au sol.

Car cette caverne «de plus» pourtant située à un rythme vibratoire différent dans la montagne – on le lui avait assuré – ne ressemblait... qu'à une caverne!

Il enjamba le Shrifu – d'autres que lui dans son équipe se chargeraient de l'autopsie –, et se promena autour des concrétions de roches naturelles, polies et luisantes à la recherche de...

Il ne savait trop quoi, sauf que les Écritures prétendaient que c'était gros, brillant, avec des reflets roses.

Soudain, il se raidit.

Devant lui s'amoncelaient de véritables entablements de ce cristal de quartz à la fois légendaire et rarissime – le bromiur!

Il ne fallut pas plus d'une minute pour que ses aides le rejoignent.

Dans les yeux de Mildon scintillait le signe de l'argent. *Son* expédition avait réussi là où toutes les autres s'étaient cassé le nez. Il voyait déjà son nom écrit dans tous les journaux. Son visage plaqué sur tous les écrans de télévision du monde. Ses nombreux comptes en banque se remplir à une vitesse exponentielle!

Un membre de son équipe le prévint que l'homme retrouvé enseveli sous les rochers était mort.

— La belle affaire ! laissa tomber Mildon avec morgue.

Ce n'était pas un vulgaire Shrifu qu'il était venu trouver, mais au-delà des trésors entreposés dans la Géode – pour Mildon, ce n'était là que de la quincaillerie inutile –, plutôt ces tonnes de cristal de bromiur dont le cours officiel, en bourse, dépassaient de loin celui de l'or, du diamant et du platine réunis.

Il y avait également une autre raison, secrète, à sa présence dans la Géode. Son agent délégué par la multinationale la lui rappela discrètement.

Mildon grommela alors un : « Poursuivez les recherches ! » bien sonné.

Il regrettait de ne pouvoir, en ces instants de délectation suprême, pouvoir mâchouiller le cigare qui quittait rarement ses lèvres noirâtres et gonflées. Mais avec ce fichu scaphandre, il était inutile et surtout frustrant d'y songer.

— Monsieur !

Il rejoignit trois chercheurs de son équipe dépêchés par l'université. Debout devant une paroi de bromiur, ils demeuraient immobiles comme des gamins devant une créature de rêve.

— Poussez-vous ! grogna Mildon.

Trois alvéoles étaient creusées dans la roche cristalline.

« Les Écritures avaient raison », bredouillaient entre eux les jeunes chercheurs.

L'un d'eux se tourna vers le chef d'expédition et déclara, la gorge nouée par l'émotion :

— Nous vous présentons… le fameux Mage errant !

Mildon remarqua tout de suite, dépité, que les deux autres alvéoles étaient vides. Il posa sa main gantée sur la paroi rocheuse translucide qui protégeait le sarcophage dans lequel sommeillait Mérinock.

Il rassembla son personnel « de confiance » : soit trois hommes choisis avec soin pour leur fidélité à la multinationale et leur souffla, en brouillant volontairement les autres canaux-radio :

— Surveillez-moi ces imbéciles. Notez scrupuleusement tout ce qu'ils emporteront.

Il se planta devant le corps endormi du Mage et ajouta, en le pointant du doigt :

— Celui-là est pour moi.

Recroquevillé dans un coin de la Géode sacrée, envahie par des hommes en combinaison qui manipulaient des machines ou des appareils de détections manuels, se trouvait un physicien de renommée mondiale : l'inventeur, en quelque sorte, de la technologie qui leur avait permis de pénétrer cet univers parallèle dans lequel se trouvait la Géode sacrée.

Nul ne savait que ce scientifique était aussi un médium ou un « channel », comme on appelait à présent les hypersensitifs.

Personne ne savait également qu'il était en proie à de fréquents cauchemars.

Qu'avons-nous fait ! Qu'ai-je fait ? se morigénait-il en se tordant les mains.

À son avis, il existait bien trop d'individus comme ce Mildon et ses aides, et pas assez de scientifiques honnêtes.

En voyant trois ouvriers attaquer la paroi de bromiur avec leur scie laser, il sentit une chaleur intense envahir son ventre et sa tête.

Peu après, le sarcophage s'ébranla dans son cocon.

— Placez-le sur la civière ! ordonna Mildon.

Le physicien vit passer devant lui le cercueil de cristal contenant le corps de ce Mage qui était au moins aussi célèbre et légendaire, dans le monde, que le Prince messager en personne.

Tandis que le sarcophage était chargé à bord de la perceuse géante, le scientifique eut au moins la satisfaction de constater que les corps de Torance et de sa compagne Shanandra avaient échappé à l'avidité de Mildon et des siens.

Le représentant du clergé de Torance affecté à l'équipe, le grand légide de Goromée, Miléus Corinte, suivait des yeux le transfert du corps du Mage errant.

Le physicien reçut les félicitations intéressées du chef Mildon. C'était également grâce à son invention qu'ils avaient pu activer artificiellement l'arceau de pierre et pénétrer dans le monde dimensionnel, inviolé depuis plus de deux millénaires, du Mage errant. Ses recherches à venir seraient, il n'avait pas à en douter, financées par la compagnie!

Le scientifique ne daigna pas répondre.

D'autres hommes entraient dans la Géode. Des chercheurs, des membres d'illustres académies de par le monde, mais aussi des biochimistes, des microbiologistes, des informaticiens, des archéologues bien sûr, et aussi des journalistes et des photographes.

Le physicien se sentait de plus en plus mal à l'aise.

Était-il le seul à pressentir que le viol de la Géode sacrée inaugurait, comme prophétisé par les écrits du Mage lui-même, le début d'Ermenaggon, autrement dit de la fin des temps?

Index des personnages et leurs incarnations précédentes

Abralh : Mulâtre, ancien esclave, notre héros. *Auparavant Torance.*

Amim Daah : Ancien légide de Nivène devenu un compagnon de Torance et de Solena. *Auparavant Hermanel et Abim Bâah.*

Astarée : Grande cristalomancienne royale ayant pourchassée Torance et Shanandra à l'époque du roi Sarcolem Le Grand.

Asthar : Prince des Mélonets du Sud, héritier de Darmien.

Atinoë : Ancien roi du royaume d'Atinox, à l'époque des deux messagers.

Bellissandre de Plessac : Noble épouse du comte de Plessac et femme d'affaires à la tête de la confrérie secrète des Spiraliens. *Auparavant Messina et Keïra.*

Brasius II : Empereur de Gorée, fils de Dravor II. *Auparavant Sévrinus Polok.*

Bridine : Jeune servante de la comtesse de Plessac.

Chimène : Fille de Thorgën.

Cléminandre : Femme de Thorgën appartenant au peuple des Servants du Mage errant.

Cristanien : Fils cadet d'Abralh et de Solena. *Auparavant Cristin, Orgénus et Estimène.*

Douceuse : Louve chargée de protéger le jeune Vorénius.

Douceuse II : Louve, fille de Douceuse.

Dramen : Oncle de Kal-Houré. *Auparavant Comèse de Bardérault.*

Dravor II : Empereur de Gorée. *Auparavant Arménite Lupia, Astagor, Odalic et Miklos.*

Dromidor : Oncle de Kal-Houré. *Auparavant Elrick Falcomier, roi d'Orgk.*

Éclair : Loup de Vorénius.

Éphalisia : Princesse de Reddrah, fille de Cristanien et de Greblin.

Farouk Durbeen : Grand légide en poste à Bayût, chargé par le Premius et par l'empereur de superviser l'invasion des Terres de Vorénor et l'éradication du Ferventisme. *Auparavant Rouviff Dogmo, Prégorus et Melek.*

Frëja : Enseignante à Éliandros, compagne de Camulos. *Auparavant Épidorée.*

Frisandre : Jeune épouse de Vorénius.

Gaïa : Ancienne déesse de la Terre, mais aussi, pour les Fervents du Feu bleu, nom donné à l'âme de la Terre.

Gaïos : Masculinisation du terme « Gaïa » par les Toranciens, désignant désormais l'essence du Seigneur du Ciel, le créateur des hommes et le Père Céleste du Messager Torance.

Galaé : Jeune princesse de Dvaronia, épouse du prince héritier Kal-Houré. *Auparavant Mirmilla.*

Galice : Fille de réfugiés rencontrée dans les ruines d'Orma-Doria. *Auparavant Cornaline, Virlène et Helgi.*

Gorimond 1er : Premius élu à la tête du Torancisme après l'assassinat d'Orthon IV. *Auparavant Pélios Telmen.*

Gorimond III : Premius de Gorée.

Greblin : Princesse de Reddrah, sœur cadette d'Ulricia. *Auparavant Lolène et Mulgane.*

Gribère : Jeune diacre d'Élorîm, complice au service de Solena. *Auparavant Servinia.*

Griseline : Élève d'Éliandros passée experte dans l'art de la guérison énergétique, amie de Solena. *Auparavant Ylote.*

Honario : Troisième fils de Torance/Abralh et de Solena, prétendant au trône de Gorée. *Auparavant Gorth, Mélos, apprenti d'Orgénus et Amis Néroun.*

Ictus : Mari de Dame Bellissandre.

Kal-Houré Vahar Sarcolem : Fils cadet de l'empereur Brasius. *Auparavant Sarcolem et Solinor.*

Keïra : Magicienne, fille du grand légide Farouk Durbeen. *Auparavant Messina.*

Kessaline : Princesse de Mylandre, orpheline recueillie et élevée par Solena. *Auparavant Astarée, Pavis, Avilia et Belgrane.*

Klébur : Fils aîné de Brasius, prince héritier de Gorée. *Auparavant Clébos, Mikalon et Brôm.*

Loups de Solena : Tognard. Douceuse XV, Vif-Argent XI.

Mantelon : Général goréen au service du prince régent Kal-Houré durant la bataille de Midon. *Auparavant Arbaros.*

Mérinock : Mage errant, auteur des prophéties et concepteur du Grand Œuvre.

Mivah : Jeune religieuse, amante, puis compagne du prince Kal-Houré. *Auparavant Atinoë, Amrina, Belina et Uridie.*

Morph: Abréviation du **Morphoss**, ancien géant, treizième fils de la déesse Gaïa, seigneur des ténèbres devenu, avec le temps dans la symbolique torancienne, Morph, le démon.

Mulgor: Médecin faisant partie du groupe de compagnons de Torance et de Solena.

Nantloue: Éminence grise de l'empereur Brasius.

Noem: Élève d'Éliandros, ancien amant de Solena. *Auparavant Pirius et Drapon.*

Noemus Patrogle: Autre identité pour Noem, devenu vers la fin de sa vie un artiste attaché à la cour impériale de Honario. Noemus est l'auteur de la célèbre fresque murale du monastère de Gaumanche intitulée Ermenaggon. *Auparavant Pirius, Drapon, Noem et Oménite Memrah.*

Oménite Memrah: Marchand devenu prophète, membre d'un clan de nomades vivant dans les Terres de Lem. Il œuvrait autrefois en Terre de Vorénor sous le nom de Noem. *Auparavant Pirius, Drapon et Noem.*

Orthon IV: Premius de Goromée assassiné par les Spiraliens pour avoir osé organiser le retour du Prince messager. *Auparavant Vérimus et Cerbio Staphen, Philamek.*

Pélios Telmen: Lamane de Gorum ayant été témoin de l'enlèvement mystique, après son supplice, du corps de Torance par le Mage errant.

Phramir: Éphron d'or ami de Torance.

Riurgën: Militaire goréen, frère de Thorgën et fiancé de Keïra, tué lors de l'invasion manquée de Wellöart. *Auparavant Cibrimus.*

Romatcho: Chef de la communauté de Romanchers qui a recueilli Solena à la fin de sa vie. *Auparavant Oswoi.*

Rufia: Maîtresse de Vorénius.

Sarcolem: Ancien empereur de Gorée.

Sermonille: Précepteur du jeune prince impérial Kal-Houré de Gorée.

Silophène: Jeune officier ormédonien devenu le compagnon de Torance. *Auparavant Paléas, Crébur et Varoumis.*

Simen: Fidèle serviteur de l'empereur Brasius II. *Auparavant Pelinor.*

Siméone: Supérieur du monastère torancien de Gaumanche où se trouve la célèbre fresque l'Ermenaggon.

Simos: Chef des gardes du corps du prince Kal-Houré. *Auparavant Minomen* et *Esculope.*

Solena: Dernière cristalomancienne des Fervents du Feu bleu, compagne de Torance. *Auparavant Shébah, Shanandra.*

Talos: Aussi appelé Talopin; jeune garçon esclave, compagnon de Torance et de Solena. *Auparavant Abriel et Euli.*

Thirsis: Princesse de Reddrah, fille de Cristanien et de Greblin.

Thorgën: Officier et guerrier goréen ayant choisi, après la destruction du temple d'Éliandros, d'embrasser la foi Fervente. Ami de Torance et de Solena. *Auparavant Marcusar.*

Tiana: Princesse de Reddrah, fille de Cristanien et de Greblin.

Tiemen: Prince de Reddrah, fils de Cristanien et de Greblin.

Tiglia: Jeune religieuse, amie de Mivah. *Auparavant Aténor et Rusoé.*

Torance: Prince messager ressuscité, chevalier de cristal, compagnon de Solena. *Auparavant Mitrinos et Abralh.*

Torens : Fils de Vorénius. *Auparavant Dorimor.*

Ulricia : Jeune reine de Reddrah ayant accédé au trône après l'assassinat de sa mère. *Auparavant Calliope et Oda.*

Vermaliss Tahard VII : Haut souverain des Terres de Vorénor. *Auparavant Elk Sifoun.*

Vorénius : Fils aîné d'Abralh et de Solena. *Auparavant Erminophène et Camulos de Grans.*

Voyageur (**Le**) : Personnage mystérieux à la solde des Spiraliens qui pourchasse Torance et Solena pour les assassiner. *Auparavant Rouviff Dogmo, Prégorus, Melek et Farouk Durbeen.*

Cheminement des âmes

Personnages Tome 1, 2, 3	Personnages Tome 4			
	1re partie	2e partie	3e partie	4e partie
Abim Bâah				
Abriel				
		Arbaros		
Astarée			→ Pavis	→ Avilia
Aténor		→ Rusoé		
Atinoë		→ Amrina	→ Bellina	
Calliope				→ Oda
Cibrimus				
Clébos		→ Mikalon		→ Brôm
Comèse de Bardérault				
Cornaline				→ Virlène
Cristin			→ Orgénus	→ Estimène
Elk Sifoun				
Elrick Falcomier				
Épidorée				
Erminophène				
Gorth		→ Mélos	→ Apprenti d'Orgénus	
Lolène				→ Mulgane
Marcusar				
Mérinock				→ Brôm*
Messina				
			Mirmilla	
Oswoi				
Paléas				→ Crébur
Pélios Telmen				
Pirius			→ Drapon	
Rouviff Dogmo		→ Prégorus	→ Melek	
Sarcolem				
Servinia				
Sévrinus Polok				
Shanandra				→ Solena
Torance				→ Guerrier
Vérimus		→ Cerbio Staphen		
Ylotte				

* Transmigration

Personnages Tome 5	Personnages Tome 6	Personnages Tome 7
Hermanel		Amim Daah
Euli	Euli	Talos
		Mantelon
Belgrane	Belgrane	Kessaline
		Tiglia
	Uridie	Mivah
Oda	Ulricia	Ulricia
Riurgën	Riurgën	Riurgën
		Klébur
		Dramen
Helgi	Helgi	Galice
Estimène	Cristanien	Cristanien
	Vermaliss Tahard	Vermaliss Tahard
		Dromidor
Frëja	Frëja	Frëja
Camulos	Vorénius	Vorénius
Amis Néroun	Amis Néroun	Honario
Mulgane	Mulgane → Greblin	Greblin
Thorgën	Thorgën	Thorgën
Mérinock	Mérinock	Mérinock
Keïra	Keïra	Keïra → Bellissandre
		Galaé
		Romatcho
Varoumis	Varoumis	Silophène
		Gorimond 1er
Noem	Noem	Noem → Oménite Memrah → Noemus Patrogle
Farouk Durbeen	Farouk Durbeen	Le Voyageur
Solinor	Solinor	Kal-Houré
		Gribère
		Brasius II
Solena	Solena	Solena
Abralh	Abralh → Torance	Torance
Philamek		Orthon IV
Griseline	Griseline	Griseline

465

Quelques karmas

Brasius II

Âme noire s'il en fut, l'empereur Brasius a été autrefois un grand cristalomancien du nom de Sévrinus Polok. Resté après sa mort dans les limbes durant cinq siècles, le destin lui offre une nouvelle chance : prendre en main, comme il en avait jadis rêvé, la barre de l'Empire de Gorée. Le verdict des historiens sur son règne sera mitigé. Qu'a-t-il accompli de beau et de durable, non pour sa gloire personnelle ou celle de son empire, mais pour l'édification d'une société plus juste ? Il fut en tout cas le dernier empereur de la lignée des Sarcolenides et contribua à former la personnalité de Kal-Houré, son ultime héritier.

Honario et Kessaline

Le destin est souvent ironique. Ces deux entités ont commencé par être de farouches adversaires. Cinq siècles plus tôt, en effet, le premier n'était qu'un mercenaire sans âme assigné aux basses œuvres par le roi Sarcolem de Gorée ; l'autre, une cristalomancienne ambitieuse prête à tout pour se faire une place dans le monde. Au fil de leurs rencontres et des combats qui les opposèrent, ils apprirent, sous les noms de Gorth et d'Astarée, à s'estimer et à se respecter. Puis ils succombèrent au désir des sens. Ce n'est qu'après s'être occupés de jeunes orphelins qu'ils vécurent une brève relation amoureuse stable qui donna un sens à leur vie. Ce lien survécut à leur trépas. Et si Kessaline régla, dans une vie future, un lien affectif avec une autre âme amie (Paléas/Varoumis), ils se croisèrent de nouveau, mais de façon amicale, sous les remparts du temple d'Éliandros. Menant à bien leur mission respective dans cette nouvelle existence, ils renaquirent plus tard dans des familles mieux nanties. Lui devint le fils de ses amis d'autrefois, elle la princesse orpheline d'un petit royaume. Élevés ensemble ou presque, l'ancien lien d'affection et d'amour refit surface, et le juste retour des choses les assit tous deux sur le trône de cet Empire de Gorée qui les avait jadis tant fait souffrir…

Le Voyageur

Cette âme a eu un parcours marqué par la quête du pouvoir mystique. Le secret et les mystères furent pour cette entité des attraits puissants auxquels elle ne put résister. Cette quête la retint prisonnière au fil de différentes existences sur une période couvrant plus d'un demi-millénaire. D'abord grand maître de l'ordre des cristalomanciens sous Sarcolem Premier, le Voyageur devint successivement un habile courtisan, un prince félon, puis un grand légide imbu de son pouvoir. Ayant tout donné pour l'amour de sa fille, une âme plus sombre encore que la sienne, il mena une folle aventure qui échoua lamentablement dans le village de Wellöart où il mourut après avoir vu ses rêves partir en fumée. Ramené à la vie par Keïra qui avait volé la formule du rappel des âmes de Mérinock, il reprit sa tâche où il l'avait abandonnée au service, désormais, de cette même âme devenue à présent sa mère. Au cours de cette nouvelle existence placée sous le signe de la duplicité, il eut la chance d'entrevoir les beautés de son Âme supérieure. Hélas, il faudra à cette âme encore bien des vies avant de franchir le rideau qui sépare l'ombre et de la lumière…

Mivah et Kal-Houré

Autre couple d'âmes, autres anciens ennemis. La première incarnait autrefois un jeune roi volage, mort tragiquement en l'An 0, dans la sinistre forteresse d'Hamrock. L'autre aussi était roi, mais ambitieux et sans pitié. Il raya de la carte les royaumes du continent central et créa un empire. En faisant traquer et mettre à mort Torance et Shanandra, il s'empara de leur sang et du pouvoir d'immortalité. Au long de ses règnes successifs, Kal-Houré/Sarcolem expérimenta toutes les jouissances et termina par l'ennui et le dégoût de lui-même. Vint pourtant un temps où l'amitié se glissa dans sa vie. Cette époque fut suivie par celle, merveilleuse, de la découverte de sa capacité d'aimer une enfant innocente qui n'était pas de lui. Kal-Houré/Sarcolem finit même par accepter la mort et les conséquences tragiques de ses existences vécues contre nature. Il se réincarna sous les traits d'un simple esclave. Après maints échecs amoureux, le destin mit Kal-Houré/Solinor sur la route de celle qui avait su toucher son cœur. Mais incapable de supporter le poids de ses fautes passées, il se suicida. Revenu dans la peau d'un prince de la maison des Sarcolem, il fut de nouveau mis devant l'épreuve de la vanité. Allait-il de nouveau succomber à l'attrait du pouvoir et barrer le chemin à l'âge d'or? Ou bien renoncerait-il à l'appel de la gloire pour épouser l'amour véritable et une existence simple et effacée?

Orthon IV

Cette entité apparut autrefois sur la scène impériale au temps de Sarcolem Premier sous les traits du jeune Vérimus, le fils cadet d'Elk Sifoun, cruel potentat de Midon. Orthon y commit quelques erreurs attribuables à la peur, ce qui l'entraîna dans le camp des messagers dits « rebelles ». Deux cent cinquante ans plus tard, il tenta de se reprendre en devenant le premier Premius de l'histoire du Torancisme. Hélas, cette même peur refit alors surface et il ne put se résoudre à résister aux diverses pressions. Sous son pontificat disparurent des Évangiles, entre autres la théorie de la réincarnation, inscrite pourtant dans les Préceptes de vie originaux. De retour au VIe siècle après Torance, il gravit de nouveau les échelons de la carrière épiscopale et se fit élire Premius. Cette fois, le destin lui offre la chance de rétablir la vérité et d'accueillir, à Goromée, le Prince messager ressuscité. Sa volonté d'y parvenir est forte quand, malheureusement, il est assassiné par un meurtrier à la solde des Spiraliens.

Talos et Galice

Couple d'âmes amies depuis des lustres, mais messagers malchanceux dans la conduite de leurs amours, Talos et Galice goûtent enfin en cette dernière vie au bonheur qui leur a souvent échappé. Fidèles serviteurs du Mage errant, ils furent autrefois Abriel et Cornaline, et œuvrèrent à créer la confrérie des Messagers qui prit plus tard le nom de Fervents du Feu bleu. De retour cinq cents ans plus tard, ils étudièrent ensemble au temple d'Éliandros et se marièrent. Hélas, la quête du Testament des rois, imposée par Mérinock, les mena par monts et par vaux, et finit par mettre leur vie en danger. Morts tragiquement au service de la Cause, ils se réincarnèrent et rejoignirent Torance et Solena qu'ils serviront de nouveau, non sans, au passage, profiter d'une vie remplie cette fois d'amour, de richesse et de tendresse.

GLOSSAIRE

Amangoye : Fruit sucré à jus rouge cerise en forme de conque très apprécié des Goroméens.

Anciens géants et géantes cités : Orvilé, Midriko, Morphoss, Milosis, Gorum, Élissandre, Atinor.

Ank, Evran, strados, Iner, Valish, Uma : Formule secrète et prophétique gravée, puis dissimulée dans la fresque Ermenaggon par le peintre et sculpteur mystique Noemus Patrogle.

Arbre séculaire des Sarcolem : Kénoab blanc planté par Sarcolem 1er pour inaugurer son empire. Il trône sur la plus haute terrasse du palais impérial de Goromée et il est devenu un des symboles de l'Empire de Gorée.

Atinor : Chute célèbre située dans la province d'Atinox.

Atinox : Province impériale de l'Empire de Gorée.

Aurork : Carnassier laineux et solitaire vivant dans les steppes du nord des Terres de Reddrah.

Baïban : Peuple indigène vivant en bordure de la province impériale goréenne d'Élorîm.

Barbouse : Fruit du barbousier.

Barbousier : Arbre fruitier.

Barnane : Petit mammifère vivant dans les montagnes et dans le désert, apprécié pour sa chair et sa fourrure.

Berghoria : Capitale des Terres de Vorenor.

Bonderosa: Domaine de Torance et de Solena, près de Reddrinor.

Bourmouq: Voile de gaze retenu sur le front par un diadème d'or pur. Accessoire porté par les nobles de Goromée durant l'Empire de Gorée.

Brénail: Encens sacré utilisé lors des transes divinatoires.

Bromiur: Matière translucide et rarissime tirant naturellement sur le rose, réputée posséder des vertus magiques.

Brugond: Peuplade de Vorénor vivant dans le centre des Terres.

Brugondie: Région de Vorénor située au centre de la péninsule.

Calendrier des anciens géants et équivalences: Mois de Dvaronia = janvier, Reddrah = février, Lem = mars, Atinor = avril, Élorîm = mai, Gorum = juin, Midriko = juillet, Ormédon = août, Milosis = septembre, Orvilé = octobre, Atinox = novembre, Vorénor = décembre.

Cérémonie estivale du lys d'argent: Ou «nuit des amours». À la fin du printemps, les garçons du temple-école d'Éliandros cueillent le lys et l'offrent à leur promise.

Concept de l'Âme supérieure: Théorie issue du Ferventisme prônant l'existence d'une Entité supérieure vivant dans les sphères célestes de la déesse. Cette Entité envoie des parcelles d'elle-même en mission dans la matière. Ces étincelles d'âmes revêtent un masque, l'ego, et apprennent des leçons de vie à travers maintes épreuves afin de nourrir l'Âme supérieure de ces enseignements.

Coriabe: Ver de coriabe, utilisé autrefois par les lamanes dans le cadre d'exécutions et rites religieux.

Cristalomancie: Art occulte générique de divination et de guérison basé sur la lecture ou sur l'usage de certains cristaux. Déclinaison et utilisations (non exhaustive) des différents cristaux de base dans le cadre d'une application militaire : Le lapis-lazuli (bleu) – dit cristal de communication télépathique. Le grenat (rouge) – dit cristal de force ou de pouvoir. Il sert entre autres choses à projeter son énergie mentale sur un adversaire. La tourmaline (vert) – dit cristal de lecture des morts. L'améthyste (mauve) – dit cristal de poursuite. Le carbonèse (noir) – dit cristal d'empoisonnement. La cornaline (jaune ou mordorée) – dit cristal-espion. Le quartz goromite (blanc) – dit cristal de protection.

Cristalomancien : Mystique qui pratique l'art de la cristalomancie, la guérison, la divination et la magie morphique ou Lémnique grâce aux pouvoirs de certains cristaux.

Cryptorum : Phrases à saveur liturgique, prophétique, religieuse ou philosophique énoncées en exergue, au début d'un texte ou d'un chant.

Descente : Pièce de tissu, généralement en soie blanche, tombant sur les oreilles et faisant partie de la coiffe traditionnelle des Premius.

Disque vibratoire de Milosis : Œuvre d'art créée autrefois par la géante Midriko et offerte à sa sœur Milosis. Il a le pouvoir de déclencher des tremblements de terre, mais aussi d'écarter les chairs subtiles de la Terre et de permettre la téléportation multidimensionnelle.

Don de compassion : Faculté que possédait la Messagère Shanandra de permettre aux hommes de découvrir la lumière de leur âme s'ils fixaient la jeune fille dans les yeux.

Dork : Agrégats ou monolithes servant autrefois de portes induites conduisant à d'autres univers.

Drak : Monnaie ayant cours dans l'Empire de Gorée.

Drumides : Peuplade des Terres de Vorénor.

Dvaronia : Royaume méridional des anciennes Terres de Gaïa, situé à la pointe sud de l'Empire de Gorée. Également : Une des filles de la déesse Gaïa, ancienne géante faisant partie de la cosmogonie des anciens dieux.

Dvaroniens : Habitants de l'Empire méridional de Dvaronia.

Égoyier : Arbre de la famille des palmiers dont on tire une huile ainsi qu'un alcool entrant dans la composition de diverses boissons traditionnelles.

Égrégore : Nuages accumulés autour de la Terre, constitués de particules éthériques, ou subtiles, émanant des pensées des règnes humain et animal.

El-Dara : Port milosien d'où partit la flotte goréenne en l'an 550 après Torance.

Éliandros : Plus célèbre et plus ancien temple-école du Ferventisme établi en Terre de Vorénor. Fondé par Erminophène.

Élixir de Dvaronia : Poison légendaire concocté par la géante Dvaronia pour se débarrasser d'Élissandre, sa sœur rivale.

Éloria : Capitale de la province d'Élorïm.

Empire de Gorée : Entité politique créée par l'empereur Sarcolem 1er.

Éphron d'or : Volatile légendaire de grande envergure – jusqu'à six mètres – au corps de lion, à la tête d'aigle, muni d'une puissante mâchoire et d'ailes dorées taillées en triangle.

Ermenaggon : Terme issu de l'ancienne langue goréenne et signifiant « fin du monde » ou « fin des temps » : une époque de grandes perturbations et de violents cataclysmes, de souffrances et de terreur pour la race humaine.

Ershebah : Épée mythique forgée par la déesse Gaïa pour son fils, Gorum le valeureux.

Évangile Premius : Ensemble de textes constituant la base du Torancisme moderne, rédigé sous Sarcolem VII, sur son ordre.

Évernia : Montagnes dites d'Évernia, chaîne montagneuse qui sépare le continent central en deux parties. Mais aussi, traditionnellement, vallée mystique qui constitue l'entrée principale des royaumes célestes de la déesse. La légende prétend que treize mages y vivent et dirigent de manière occulte les destinées humaines au nom de la déesse.

Évrok : Mastodonte de la famille des mammouths, muni de deux trompes et de solides défenses, vivant dans les montagnes d'Évernia. L'évrok sert souvent d'animal de charge, mais aussi de monture guerrière chez les peuples montagnards.

Fervents du Feu bleu : Adeptes fidèles aux Préceptes de vie originels ainsi qu'aux rouleaux d'ogrove écrits par Cristin d'Algarancia. Les Ferventistes sont considérés par l'Église officielle du Torancisme comme des hérétiques.

Fresquier : Peintre spécialisé dans l'art de la fresque murale.

Gadix : Petite cité située au nord de Midon, près du fameux champ de bataille qui décida du sort de l'Empire de Gorée.

Galva : Sandale à semelle de corde munie de lanières nouées sur les chevilles et les mollets.

Garnutes : Baie des Garnutes, en Terre de Vorénor. Lieu de la célèbre bataille navale qui opposa le roi Vorénius à l'empereur Brasius II.

Gaumanche : Monastère de Gaumanche, construit au sommet d'un mont escarpé dans la région de Gauvreroy. Endroit où a été peinte la célèbre fresque intitulée : Ermenaggon.

Gauvreroy : Ancienne place forte de l'Empire de Gorée située à l'est des montagnes dites d'Évernia.

Gentionne étoilée : Herbe rare utilisée dans certaines pratiques d'empoisonnement.

Géode sacrée : Lieu où est gardé depuis des millénaires le trésor de la déesse, composé d'artefacts secrets divers, sacramentels, terrifiants…

Gomoves : Sorte de fruits secs très nutritifs qui se conservent longtemps.

Goromée : Capitale de l'Empire de Gorée.

Gorum : Ancien géant oublié, fils aîné de la déesse Gaïa.

Grand légide : Titre hiérarchique désignant un haut responsable du Torancisme dans une région du monde. Tout grand légide est soumis à l'autorité du Premius de Goromée.

Grand Œuvre : Plan divin mis au point par la déesse sous la supervision des Vénérables d'Évernia et dont l'exécution a été confiée à Mérinock. Ce plan, divisé en plusieurs étapes et exécuté dans la matière par des messagers choisis, vise à amener l'humanité à un plus haut degré de spiritualité.

Gwolan : Cité rupestre, capitale du peuple brugond, en Terre de Vorénor.

Hurelle : Sorcière pratiquant, en Terre de Vorénor, les anciens rites de la religion des géants.

Kaftang : Manteau de peau permettant de se protéger du froid et des vents lors des grandes transhumances.

Parement de cérémonie de certaines ethnies nomades des déserts de l'est.

Kaïbo: Arme séculaire de ceux qui pratiquent l'art martial du Srim-naddrah. Long bâton en bois précieux parfois composé de deux morceaux encastrables, aux pointes recouvertes de cuivre ou d'argent, dont le manche est orné de mandalas, de monogrammes et de symboles gravés.

Kénoab: Arbre sacré. Il en existe sept variétés. Chacune d'elle possède des propriétés thérapeutiques et magiques spécifiques.

Kephre: Épice venue des îles de Midrika, utilisée en cuisine.

Lamane: Prêtre de la religion gaïenne et du culte des géants.

Légide: Titre donné aux prêtres du Torancisme. Un grand légide a autorité de cardinal.

Lem: Royaume de Lem, île située au centre de l'océan central.

Maï-Taï: Jeu de société guerrier de l'Empire de Gorée.

Mélonets du Sud: Peuplade des Terres de Vorénor.

Mémorom: Célébration spécifique à l'Ordre occulte des Spiraliens.

Midon: Cité de Midon près de laquelle se déroula la célèbre bataille que remporta le chevalier de cristal sur le prince régent Kal-Houré de Gorée.

Midrikienne: Tradition issue des îles-royaumes de Midriko.

Mifrosyr royal: Nom d'un cocktail goréen fameux du temps des empereurs Sarcolem 1ᵉʳ à Sarcolem VII.

Milos: Port de la province de Milosis.

Milosis: Une des filles de la déesse Gaïa, géante fondatrice de l'ancien royaume de Milosis, devenu une province de l'Empire de Gorée.

Mistel: Messe durant laquelle le prêtre parle du Prince messager, de sa mission et de son message de paix.

Morphique: Mot dérivant du Morphoss, le treizième fils de la déesse, géant exclu et maudit par les siens. Morphique désigne tout ce qui est mal et malsain dans et pour l'homme.

Mylandra: Capitale du royaume de Mylandre.

Mylandre: Royaume semi-indépendant de l'Empire de Gorée, situé au sud de la province d'Orvilé.

Mylandrins: Habitants de Mylandra.

Nappé: Bonnet de tissu molletonné que l'on plaçait sur le crâne dégarni du pontife avant d'y déposer la tiare d'apparat.

Nez de Vorénor: Lieu où est situé le mausolée élevé par Vorénius à la mémoire du haut souverain Vermaliss Tard.

Nivène: Ancienne cité marchande située dans les montagnes dites d'Évernia.

Nivènois: Habitants de la cité de Nivène.

Nokoum: Pâtisserie goréenne citronnée à base de noix de kénoab et de farine de quimo, sucrée au miel.

Nonce diacral: Titre donné traditionnellement au plus proche collaborateur du Premius.

Ogrove: Sorte de papyrus souple et spongieux tiré de la pulpe végétale de la plante du même nom et utilisé par les scribes.

Orgk: Ancienne forteresse des montagnes d'Évernia.

Orma-Doria : Ancien sanctuaire de l'élément terre, cité construite par le géant Ormédon pour sa jeune maîtresse Orma-Doria.

Ormédonnien : Peuple de l'ancien royaume d'Ormédon devenu depuis une province de l'Empire de Gorée.

Orvilé : Province méridionale de l'Empire de Gorée.

Pélos : Désert de Pélos, situé dans le désert du même nom, dans la province impériale de Gorée.

Peuples de Vorénor : Camélonites, Cirgonds, Brugonds, Drumides, Mélonets du Sud et du Nord, Sélénites, Berghoriens, Urghoniens, Bayûléens, Certinéens.

Pierre du destin : Ou « larme de la déesse », gemme bleu foncé aux pouvoirs mystérieux, implantée autrefois dans le sternum de Torance, employé comme une sorte de clé pour réactiver chacun des temples visités par les deux messagers. Depuis la mort de Torance et de Shanandra, la pierre a servi de condensateur d'énergie. Elle a été utilisée par l'empereur pour vivifier leurs sangs mêlés et pour accomplir le rite de régénération ou d'immortalité. Une autre de ses utilités consiste à la poser sur le front d'une personne pour être en mesure, grâce à un entraînement cristalomantique, de « lire » les vies antérieures. Appelée depuis « pierre de Miür », elle est portée par Solena et utilisée pour allumer le disque vibratoire de Milosis.

Plessac : Comté de Plessac, fief de Dame Bellissandre, situé au sud de Goromée.

Pranos : Souffle ou respiration de la déesse Gaïa ; énergie qui imbibe chaque chose et chaque être, présente dans l'espace subtil. Substance invisible qui soutient l'univers, le vivifie et le nourrit.

Préceptes de vie : Énoncés, basés sur le bon sens, applicables dans la vie quotidienne et qui permettent à chacun de cheminer sereinement sur le sentier conduisant à sa lumière intérieure.

Premius : Titre donné au pontife suprême du Torancisme officiel.

Pythie : Femme-oracle de l'ancienne Dame de Nivène.

Quiba : Coiffe traditionnelle couvrant la tête et les épaules, souvent brodée ou cousue de pierres précieuses.

Quimo : Céréale goroméenne dont on tire un remède contre les affections pulmonaires, mais aussi une huile aux propriétés thérapeutiques.

Ravagna : Plateau de la province d'Atinox où se situent les célèbres chutes.

Récitier : Homme de compagnie dont la tâche est de raconter ou de lire des histoires.

Reddrinor : Capitale du royaume nordique de Reddrah.

Romancher : Peuple nomade aux mœurs étranges n'appartenant à aucun royaume. Les Romanchers sont de bons musiciens et danseurs, mais réputés voleurs, ombrageux et menteurs.

Rumbaya : Arbre dont la sève, caoutchouteuse, est destinée à maints usages.

Sabrier : Arme de poing situé entre le stylet et le sabre, et dont la lame est à double tranchant.

Sarcolenides : Nom de la dynastie fondée autrefois par l'empereur Sarcolem 1[er.]

Sécralum : Cylindre en bois ou en métal, fermé par un bouchon de liège, souvent peint, artistiquement décoré de savantes enluminures et protégé par un mandala, utilisé pour contenir ou transporter des rouleaux d'ogrove ou de parchemins.

Secret d'Éternité: Appellation donnée à la fiole des sangs mêlés de Torance et Shanandra qui a permis, pendant des siècles, à l'empereur Sarcolem de se régénérer.

Sentinelle: Arbre vénérable du peuple brugond. Selon les légendes, ces arbres sont doués d'intelligence et de sensibilité. Ils sont des gardiens sages et clairvoyants.

Serpères amoureux: Famille d'arbres étroitement entrelacés spécifiques à la région montagneuse du plateau de Nivène.

Serpiants: Hommes de main du grand légide de Bayût.

Shandarée: Première cité céleste de la déesse Gaïa, traditionnellement située dans les mondes de lumière à l'entrée de la vallée d'Évernia.

Shrifu: Sage ayant tout abandonné pour vivre en solitaire afin de s'adonner au rite ésotérique et sacré du Goulgolarh.

Spiraliens: Mouvement occulte composé de banquiers, de chevaliers, de marchands et de courtisans puissants œuvrant en secret sous la houlette de Dame Bellissandre de Plessac.

Srim-naddrah: À l'origine, danses sacrées, saccadées et sensuelles, servant à entrer directement en contact avec l'âme de la déesse. Par la suite, ces mouvements ont servi de base à l'élaboration d'un art martial redoutable qui est lui-même à l'origine d'un système complexe de croyances d'ordres philosophiques et religieuses.

Symboles divers: Celui de l'esclave rebelle: le serpent à la queue tranchée. Celui de l'Empire de Gorée: deux serpents entrelacés et menaçants sur une tête de lion. Celui du Torancisme: une pierre de grès rouge et ronde avec le corps supplicié de Torance grimaçant sculpté en noir. Celui des Fervents du Feu bleu : la même pierre ronde de grès rouge avec le corps supplicié de Torance souriant, en albâtre blanc. Celui d'Évernia : le soleil gravé dans une main ouverte. Celui des Spiraliens : une spirale noire à tête de serpent prisonnier d'un pentacle.

Testament des rois : Document annonçant aux rois l'arrivée d'Êtres purs envoyés par Évernia, qu'ils auront le devoir d'élever et à qui ils devront plus tard léguer la gouvernance de leurs États.

Torancisme : Religion créée en des temps d'insécurité sociale par les légides et les empereurs Sarcolem 1er à Sarcolem XII pour servir de fondation à l'Empire de Gorée. Elle est basée sur la vie et l'œuvre prêtées au Prince messager Torance d'Élorîm.

Tréborêt : Instrument de musique à cordes, ressemblant à une cithare.

Trempasses : Brochettes de barnanes garnies de sauce et d'olives et roulées dans une galette de blé ou de seigle.

Véronia : Petite ville marchande située au nord des montagnes dites d'Évernia.

Vorénien : Habitant des Terres de Vorénor.

Vorénor (**Terres de**) : Ensembles de duchés, de comtés, de principautés et de royaumes composant les Terres situées au nord-ouest de la Gorée, et regroupés dans une fédération d'États plus ou moins stables et soumis à l'autorité d'un haut souverain. Peuplades à demi sauvages dont certaines croient encore aux anciens géants, et plus spécifiquement à Vorénor, le géant qui a laissé son nom à leurs Terres.

Waari : Traditionnellement, monteur d'évrok, mais aussi d'autres montures.

Wellöart : Nom donné au village secret des Servants du Mage errant par Cristin d'Algarancia et qui signifie « contrée cachée ».

Wellön : Symbole du Mage errant pour cette seconde partie du Grand Œuvre. Le scorpion brugond au double dard surveillant la plume de la sagesse et de la connaissance, le tout inscrit dans un cristal octogonal.

Welwand : Forêt de Welwand. Bois mystique peuplé de Sentinelles situé au centre des Terres du peuple des Brugonds.

TABLE DES MATIÈRES

Résumé des tomes précédents 11
Prologue.. 13

Première partie: La quête du chevalier
  1. Crâne de femme 25
  2. La sphère de lumière 33
  3. La guérison 41
  4. Sur la route d'Éloria 47
  5. Le guide 59
  6. Le duel 67
  7. La petite église 75
  8. Lumières et serpents 87
  9. La cité de sable.. 97
10. La relique 105
11. Le lit de mousse...113
12. La confrérie secrète 123

Deuxième partie: Le sauvetage des rois
13. La bête..137
14. La vision 147
15. La tempête 157
16. La nuée de cauchemar 167
17. La bataille des Garnutes...................................175
18. Le face à face 183
19. La route fleurie 193
20. L'amphithéâtre 201
21. La mise à l'épreuve 209
22. La traversée...217
23. Le conclave 225
24. La cérémonie secrète.......................................235
25. Les trois princesses..243

26. Le combat du Voyageur 257
27. Le pouvoir d'Ershebah 265

Troisième partie: La reconquête
28. Le baptême de l'eau 279
29. La leçon 293
30. Le jardin maudit 305
31. Sur un lit de brume 313
32. Le feu aux poudres 325
33. La cérémonie du coucher 335
34. La poussière d'étoiles 345
35. La grande bataille de Midon 357
36. Au défaut de l'épaule… 365
37. L'enlèvement 375
38. La retraite 381
39. La paix des vainqueurs 391

Quatrième partie: Crépuscules
40. L'homme qui revenait de très loin 407
41. Le jardinier-magicien 417
42. La fresque prophétique 425
43. L'envol 433
44. Le guerrier égaré 441

Épilogue 451
Index des personnages 457
Cheminement des âmes 464
Quelques karmas 467
Glossaire 471